Sortez-nous de cette crise…
maintenant !

Paul KRUGMAN

Sortez-nous de cette crise...
maintenant !

Traduit de l'anglais (États-Unis) par Anatole Muchnik
avec la collaboration scientifique d'Éloi Laurent

Champs actuel

Titre original : *End this depression now !*
first published by W.W. Norton & Company, Inc.
Copyright © 2012 by Melrose Road Partners
© Flammarion, 2012 pour la traduction française.
© Flammarion, 2013, pour la présente édition et la préface.
ISBN : 978-2-0812-9619-0

À tous les chômeurs, qui méritent mieux.

Préface à l'édition de poche

C'est en février 2012 que j'ai achevé la première édition de *Sortez-nous de cette crise… maintenant !*, alors que régnait la plus grande incertitude quant à l'avenir immédiat. Qui allait remporter les élections américaines en novembre ? La crise financière allait-elle provoquer le déchirement de l'Europe ? Et comment résisterait le message central du livre à la confrontation avec les faits ?

Cette incertitude est aujourd'hui en partie levée. Aux États-Unis, les démocrates ont remporté une victoire importante, mais incomplète : s'ils ont réinstallé Barack Obama à la Maison-Blanche et élargi leur majorité au Sénat, ils n'ont pas repris aux républicains le contrôle de la Chambre des représentants. En Europe, les marchés financiers se sont quelque peu apaisés, essentiellement grâce au soutien de la Banque centrale européenne, mais l'économie réelle a continué de se dégrader dans la majeure partie du continent. Plus particulièrement, la situation déjà terrible en Europe du Sud s'est encore aggravée : en Grèce comme en Espagne, le taux de chômage est aujourd'hui supérieur à celui que connurent les États-Unis au plus profond de la Grande Dépression. Et courant 2012, la zone euro dans son ensemble est retombée dans la récession.

Y a-t-il dans l'un de ces événements quelque chose qui soit susceptible de modifier le message central de ce livre ? Malheureusement non ; bien au contraire, ce message – nous sommes confrontés à une catastrophe aussi vaste qu'inutile – est plus pertinent que jamais. Le monde avancé n'est pas sorti de la dépression, des dizaines de millions d'hommes et de femmes désireux de travailler ne trouvent pas d'emploi, et le potentiel économique qui part en fumée se chiffre en billions de dollars. Pourtant, les signes que cette dépression n'a pas lieu d'être sont plus manifestes que jamais – elle ne tient, nous disent-ils, qu'à une insuffisance de la demande. Et si les gouvernements voulaient bien redresser le désastreux virage qu'ils ont pris vers l'austérité pour engager une vraie politique de relance, la reprise ne tarderait guère à venir.

Observons un peu la situation actuelle, et notamment les perspectives d'action aux États-Unis à présent que l'élection est passée.

Le désastre de l'austérité européenne

Pour bien comprendre où nous en sommes aujourd'hui, le graphique ci-dessous offre un bon point de départ. Il représente le taux de chômage aux États-Unis et dans la zone euro – le groupe des plus riches nations européennes qui ont adopté la monnaie commune. Il illustre deux faits essentiels : les deux côtés de l'Atlantique ont vécu la même crise de 2007 à 2010, mais leurs situations respectives ont divergé depuis lors.

Lors de la première phase, entre la fin 2007 et le début 2010, l'Europe et l'Amérique ont plongé ensemble dans une profonde récession et connu une montée rapide du chômage. Cette montée a été plus abrupte aux États-Unis, où il est beaucoup plus facile de licencier des employés que dans la plupart des pays d'Europe, mais c'est de toute façon l'ensemble de l'économie de l'Atlantique nord qui a reçu son plus mauvais coup depuis la Grande Dépression.

Début 2010, toutefois, les chemins des deux bords de l'Atlantique se sont séparés. De son côté, l'Amérique s'est mise à créer des emplois. Si le recul initial du chômage a en partie été une illusion statistique (on l'expliquera plus bas), une nette tendance à l'embellie s'est néanmoins fait sentir à la charnière 2011-2012. L'économie européenne, en revanche, est allée de mal en pis ; en 2012, le continent est officiellement entré en récession.

Pourquoi cette différence ? L'explication se trouve au chapitre 11, où il est question du soudain essor qu'ont connu en 2010 les « austériens », qui ont insisté pour que les États imposent des coupes dans les dépenses et une hausse des impôts alors que sévissait le chômage. Aux États-Unis, où la percée de la doctrine austérienne a été limitée, on a quand même eu un peu d'austérité à cause des coupes budgétaires pratiquées à l'échelon des États et des autorités locales. Mais en Europe, les austériens ont littéralement dominé le débat sur les mesures à prendre. On a fait de l'austérité sauvage une condition de l'accès à l'aide pour les pays en difficulté. Pour bien évaluer la chose, songez que si les États-Unis devaient appliquer des coupes budgétaires et des hausses d'impôts de l'ampleur de celles imposées à la Grèce, leur montant atteindrait environ 2,5 billions de dollars *par an*. Dans le même temps, les pays qui n'avaient pas de difficulté à emprunter, comme l'Allemagne et les Pays-Bas, se sont eux-mêmes assujettis à une austérité pas nécessairement modeste. C'est donc l'ensemble de l'Europe qui a connu une contraction budgétaire abrupte.

Selon la doctrine austérienne, les éventuels effets négatifs de cette contraction auraient dû être annulés par un retour de la confiance du consommateur et du monde des affaires – comme je l'ai dit, la « fée confiance » était censée venir à la rescousse. À vrai dire, on l'attend toujours. Du coup, à partir de 2010, tandis que l'Amérique se remettait au moins partiellement de la crise financière, l'Europe a plongé plus profondément encore dans la dépression, la cadence de ce déclin s'intensifiant même au cours de l'année 2012.

Le Royaume-Uni mérite ici une mention particulière, puisqu'il n'a pas adopté l'euro et que cela lui offre une grande indépendance dans le choix de sa politique. Il aurait pu profiter de cette marge de manœuvre – qui se traduit, entre autres choses, par de très faibles charges d'emprunt – pour éviter de se laisser emporter dans la débâcle européenne. Malheureusement, le gouvernement Cameron, arrivé au pouvoir en 2010, a pris fait et cause pour la doctrine austérienne, peut-être plus encore que tous les autres pays avancés. Et s'il reste permis de débattre du poids de cette austérité par rapport à d'autres facteurs susceptibles de déprimer l'économie britannique, une chose est certaine : l'économie britannique se porte particulièrement mal, avec un PIB qui, depuis le début de la crise, est à la traîne non seulement de celui des États-Unis, mais aussi de la zone euro et même du Japon.

La bonne nouvelle, pour ce qu'elle vaut, c'est que parmi l'élite des décideurs certains ont au moins reconnu qu'ils s'étaient trompés. On trouve dans les *Perspectives de l'économie mondiale* publiées en octobre 2012 par le Fonds monétaire international un saisissant *mea culpa* concernant les effets de l'austérité. Le FMI y admet effectivement qu'après 2010, un certain nombre d'économies européennes ont été beaucoup moins performantes que prévu ; il admet également que ces écarts sont systématiquement associés à des programmes d'austérité, les pays ayant imposé les plus grandes coupes budgétaires et/ou augmentations d'impôts étant ceux qui se sont trouvés le plus en deçà des prévisions. Qu'en conclut le FMI ? Dans une situation de type dépressive, les

« multiplicateurs budgétaires » – les répercussions sur l'économie de l'expansion ou de la contraction de l'État – sont beaucoup plus importants que ne l'avaient cru le FMI ou d'autres organismes comme la Commission européenne. En fait, le FMI conclut que ces multiplicateurs sont plus ou moins équivalents à ce qu'affirment depuis toujours les keynésiens.

Malheureusement, à l'heure où j'écris ces lignes, pas grand-chose ne prête à penser que d'autres acteurs importants du drame européen soient disposés à prendre acte de cette information. En Grèce et au Portugal, la « troïka » – le FMI, la Banque centrale européenne et la Commission européenne – persiste à conditionner les prêts d'urgence à des mesures d'austérité plus brutales que jamais, malgré les preuves accablantes que le traitement est en train de tuer les patients. Et si la Banque centrale s'est dite en principe disposée à acheter les obligations des nations en difficulté comme l'Espagne et l'Italie, elle a aussi explicitement fait savoir que l'Espagne, déjà engagée dans un sévère programme d'austérité, devra aller encore plus loin si elle veut avoir droit à ce genre de prêt.

Qu'est-ce qui pourrait sauver l'Europe ? La recette que je propose au chapitre 10 reste notre meilleur espoir : moins d'austérité sauvage dans les pays endettés, un minimum d'expansion budgétaire dans les pays créditeurs et une politique plus expansionniste de la part de la Banque centrale européenne visant une inflation légèrement supérieure dans l'ensemble de l'Europe. Reste que ces idées ne semblent pas en passe de devenir politiquement acceptables – et qu'on ne sait pas vraiment de combien de temps dispose l'Europe.

Car la persistance et l'aggravation de la dépression européenne ne constituent pas seulement une tragédie humaine ; elles sont aussi terrifiantes par leurs implications politiques. En Grèce, les mouvements politiques radicaux, comme l'Aube dorée, ouvertement fasciste, gagnent de l'influence. En Espagne, les mouvements séparatistes ont le vent en poupe, notamment en Catalogne. Nul ne sait où se trouve le point

XIV   SORTEZ-NOUS DE CETTE CRISE… MAINTENANT !

de rupture, mais les relents des années 1930 sont trop forts pour demeurer ignorés.

La reprise partielle aux États-Unis

Depuis 2010, les États-Unis ont bénéficié de deux avantages par rapport à l'Europe. Le premier est que notre monnaie unique est soutenue par un État unique, si bien que les régions en proie à la dépression n'ont pas connu les crises budgétaires de type européen : l'essor et l'éclatement de la bulle immobilière en Floride n'ont pas été très différents de ceux qu'a connus l'Espagne, mais la Floride a pu compter sur Washington pour envoyer à ses résidents ses chèques d'aide sociale, payer leurs factures Medicare et renflouer ses banques. Du coup, il ne s'est produit en Amérique rien de semblable à la crise financière qui sévit en Europe du Sud.

L'autre avantage, c'est que les austériens n'ont jamais acquis de ce côté-ci de l'Atlantique l'influence qu'ils détiennent en Europe. Certes, ils sont parvenus à détourner le débat économique de la question de l'emploi pour le faire porter sur la prétendue menace du déficit – menace qui, on le verra au chapitre 8, n'a jamais existé que dans leur imagination. (Conformément aux prédictions des keynésiens, les charges d'emprunt aux États-Unis se sont maintenues à un niveau historiquement bas malgré l'ampleur de l'endettement et des déficits.) Mais les réelles mesures d'austérité sont restées relativement modestes aux États-Unis, où elles n'ont essentiellement porté qu'au niveau local et des États.

En d'autres termes, les États-Unis ont su éviter les mesures pernicieuses qui affligent l'Europe – et l'économie américaine a réalisé depuis la fin 2011 des progrès réels, quoique insuffisants. Malheureusement, ces progrès sont menacés par un blocage politique que les élections de 2012 n'ont pas réussi à résoudre.

Ainsi que le montre le graphique ci-dessus, le chômage officiel aux États-Unis a connu une baisse substantielle depuis le pic de la fin 2009. Une part de ce déclin correspond à une illusion statistique : les travailleurs cessent d'être considérés comme des chômeurs aussitôt qu'ils ne cherchent pas activement un emploi, de sorte que le simple découragement contribue à faire baisser les chiffres du chômage. Toutefois, à partir de l'automne 2011, on observe une amélioration réelle et sans ambiguïté, l'emploi parmi les Américains dans la tranche d'âge la plus active croissant sensiblement plus vite que la population.

Ces progrès sont le reflet des « capacités naturelles de récupération de l'économie » évoquées au chapitre 12. Les entreprises se sont remises à acheter du matériel et des logiciels, ne serait-ce que pour rester à la page du progrès technologique. Plusieurs années de ralentissement immobilier ont éliminé l'excès de construction survenu pendant les années de bulle, et le secteur reprend peu à peu des couleurs. En outre, l'endettement des ménages s'est progressivement réduit par rapport à leur revenu, ce qui a permis au consommateur de timidement se remettre à dépenser.

Gardons-nous toutefois de surestimer le chemin parcouru : l'économie américaine demeure profondément déprimée.

Considérons, en particulier, le problème du chômage de longue durée, qui est certainement le pire des fléaux qui frappent le travailleur américain. Avant la crise financière, le chômage de longue durée était très faible ; l'Amérique comptait 6,8 millions de chômeurs en octobre 2007, mais seuls 750 000 étaient sans emploi depuis plus d'un an. Quatre ans plus tard, ce chiffre avait quasiment sextuplé, pour atteindre 4,1 millions ; et malgré les signes de reprise, la catégorie des Américains privés d'emploi depuis plus d'un an comptait encore 3,6 millions d'individus en octobre 2012.

Le fait est que si les progrès de l'économie américaine sont incontestables, ils demeurent beaucoup plus lents qu'ils ne le devraient, et les travailleurs américains et leurs familles continuent de subir des souffrances considérables et inutiles. Le risque est par ailleurs bien réel que l'impasse politique compromette jusqu'à cette reprise insuffisante, à cause notamment de la « falaise budgétaire ».

En fait, cette expression due à Ben Bernanke s'avère problématique parce qu'elle prête à croire, à tort, que le problème qui nous menace est lié au déficit budgétaire. Je préfère pour ma part celle que propose Brian Beutler sur le site Talking Points Memo : c'est la « bombe d'austérité », dont la mèche a été allumée par deux actions partisanes de la droite.

D'abord, en 2001, quand le président George W. Bush a fait passer au forceps d'importantes réductions d'impôts au Congrès, usant de la procédure parlementaire dite de « réconciliation » pour contourner le risque d'obstruction. Selon le règlement du Sénat, les lois fiscales adoptées par le biais de cette manœuvre étaient censées expirer à la fin de l'année 2010. Bush n'en était pas inquiet, d'une part parce qu'il s'attendait à ce que les républicains soient encore au pouvoir à l'expiration du délai, mais aussi parce que la date de l'arrêté des comptes permettrait d'occulter le coût budgétaire réel de son cadeau.

Sauf qu'en fin de compte, au 31 décembre 2010, c'est un démocrate qui occupait la Maison-Blanche. Mais plutôt que de provoquer une hausse des impôts en période de dépression économique, le président Obama a choisi de conclure un accord prolongeant l'allégement Bush de deux ans. À présent que les élections sont derrière lui, il aimerait que certains abattements – ceux qui profitent aux Américains les plus riches – prennent fin. Mais les républicains, qui tiennent encore la Chambre, menacent aujourd'hui de bloquer toute loi fiscale prévoyant l'augmentation du taux des riches. Si l'on ne sort pas de cette impasse, les impôts de la classe moyenne, mais aussi ceux des riches, finiront par augmenter, ce qui portera un rude coup à une économie toujours déprimée.

Pour couronner le tout, les républicains ont menacé en 2011 de faire barrage à un rehaussement pourtant nécessaire du plafond de la dette américaine, ce qui aurait empêché l'État d'emprunter l'argent dont il avait besoin pour payer ses factures. Pour éviter un tel dénouement, qui aurait pu tourner à la catastrophe, ils ont exigé certaines concessions politiques – et le président a choisi de ne pas suivre leur bluff, préférant négocier un accord prévoyant des coupes dans les dépenses à la fin 2012 à défaut d'un autre arrangement survenant d'ici là. À l'heure où j'écris ces lignes, un tel arrangement n'est pas conclu.

Ah, et puis, cerise sur le gâteau, plusieurs éléments importants de relance économique – essentiellement une baisse des impôts sur les salaires et une prolongation des allocations chômage – sont aussi censés expirer à la fin 2012.

Il découle de tout cela que si ce blocage politique se poursuit, l'État américain sera automatiquement engagé dans une brusque poussée d'austérité à la mode européenne, puisqu'il augmentera les impôts et coupera dans les dépenses alors que l'économie est faible. Ce n'est certainement pas ce qu'a recommandé le médecin.

C'est pourtant ce qui risque fort de se produire. Du point de vue du président Obama, il s'agit d'un chantage : les républicains menacent de faire sauter l'économie s'il ne leur donne pas ce qu'ils réclament. Il a déjà cédé à ce type d'extorsion à la fin 2010, et de nouveau en 2011 à propos du plafond de la dette ; si jamais il veut mettre le holà, le moment ne saurait être plus opportun que dans la foulée de sa réélection triomphale. Et pour ma part, retirant ma casquette de macro-économiste, je l'encouragerais à suivre le bluff du parti républicain, pour voir. Cela risque d'avoir d'assez vilains effets sur le plan macroéconomique, mais d'autres choses plus importantes sont en jeu.

En attendant, les républicains ont beau avoir subi une cuisante défaite, ils tiennent toujours la Chambre. Et si le monde des affaires a profondément besoin qu'un accord soit trouvé pour éviter qu'explose la bombe de l'austérité, la droite dure – qui, partagée entre la colère et l'amertume pour avoir échoué à renverser le président, rêve de revanche – conserve une emprise importante sur le parti.

Tout cela suggère qu'il est fort possible qu'aucun accord ne soit atteint avant la fin 2012. Ce ne sera pas forcément catastrophique ; voilà encore un inconvénient de l'expression « falaise budgétaire » : elle laisse entendre, à tort, que le moindre retard dans l'obtention d'un arrangement serait désastreux. La vérité, c'est que même si on ne l'avait toujours pas atteint après quelques mois en 2013, les conséquences économiques seraient mineures. À mon avis – mais ce n'est qu'un avis, et il aura peut-être été démenti au moment où vous lirez ces lignes – nous serons bien entrés dans l'année 2013 quand cet accord sera trouvé, mais la pression du monde des affaires va plus ou moins contraindre le parti républicain à céder au président avant que les dégâts ne soient trop importants.

Même si cela se produit, toutefois, le scénario économique de fond restera profondément insatisfaisant : l'Amérique poursuivra son rétablissement progressif, mais cela supposera encore de nombreuses années de souffrances gratuites et de gâchis économique. Alors que peut-on faire, que faut-il faire ?

Moyens d'avancer

L'économie américaine demeure déprimée, et les règles propres à la dépression économique continuent d'avoir cours : ce qu'il faut, plus que tout, c'est plus de dépense, afin de mettre au travail la main-d'œuvre inactive et la capacité de production en sommeil. Et le meilleur, le plus sûr moyen d'y parvenir, c'est que l'État dépense plus – ce qui, comme je l'explique dans le livre, pourrait s'accomplir très simplement en apportant une aide suffisante aux administrations locales et des États pour leur permettre de réembaucher les centaines de milliers de professeurs des écoles, de réparer les routes criblées de nids-de-poule et ainsi de suite.

Malheureusement, le paysage politique n'est pas aussi favorable qu'on l'aurait espéré. Les républicains ont gardé la main sur la Chambre, et, s'ils sont ébranlés par leur échec dans la conquête de la Maison-Blanche et du Sénat, ils ne se laisseront pas facilement remettre dans le droit chemin. Que peut-on faire d'autre alors ?

D'une part, la Fed doit s'activer davantage. En 2000, alors que le Japon connaissait une longue phase de ralentissement, un professeur nommé Ben Bernanke a exhorté la Banque du Japon à faire preuve d'une « détermination rooseveltienne », à tout entreprendre pour remettre l'économie en marche. On le verra plus loin, il a été extrêmement décevant de constater que ce type de détermination a fait cruellement défaut à celui qui fut le professeur Bernanke, aujourd'hui président de la Réserve fédérale, quand il s'est trouvé confronté à une situation du même type en Amérique. Certains signes prêtent toutefois à penser que la Fed s'est enfin saisie du dossier – peut-être parce que les élections l'ont libérée de la crainte de se voir accuser de favoriser la campagne d'Obama en donnant un coup d'accélérateur à l'économie.

Jusqu'à présent, en tout cas, la Fed n'a fait que de petits pas vers une politique plus agressive. La clé, selon beaucoup d'analystes, serait que la Fed persuade les investisseurs qu'elle compte autoriser une inflation légèrement supérieure à moyen terme. Et si elle semble bien s'engager sur cette voie, ses actes jusqu'à présent ont davantage pris la forme de vagues indications que d'engagements fermes. La bonne nouvelle, c'est que les grands angoissés de l'inflation semblent se tenir en retrait et que la Fed paraît de plus en plus disposée à prendre des risques au nom du plein-emploi.

Cela dit, il y a peu de chances que la Fed bâtisse la pleine relance toute seule. Il lui faut de l'aide. Et cette aide peut en partie venir de l'allégement de la dette. Plus particulièrement à travers la Federal Housing Finance Agency (Agence fédérale de financement du logement), qui supervise Fannie Mae et Freddie Mac[1], et qui conserve la capacité d'amener un allégement général de la dette d'un simple coup de plume. Il lui

---

1. Voir *infra* p. 87.

suffira de renoncer aux exigences en matière d'acompte pour refinancer les crédits immobiliers détenus par Fannie et Freddy, et des millions de propriétaires pourront rapidement réduire le poids des intérêts en renégociant leur crédit à un taux bien plus bas.

Enfin, la route de la relance budgétaire est sans doute semée d'obstacles politiques, mais il n'y a pas lieu de renoncer pour autant. D'ailleurs, un certain nombre de démocrates du Congrès exigent que tout accord sur la bombe de l'austérité comporte quelque type de coup de fouet économique à court terme ; c'est une excellente idée. Et à mesure que nous avancerons dans l'année 2013, il faudra que le président Obama explique, de façon répétée, que l'obstruction républicaine fait entrave à la création d'emplois, et qu'il somme le parti républicain de libérer le passage.

Car cette dépression est loin d'être finie, alors même qu'il n'y a aucune raison valable qu'elle persiste. Certes, les mesures qui pourraient entraîner une reprise rapide restent bloquées dans les embouteillages politiques et idéologiques. Mais cet embouteillage semble progressivement se dissiper – et il est de la responsabilité de tous les participants au débat public d'accélérer ce processus et d'apporter un peu de soulagement aux souffrances prolongées des chômeurs. Les outils sont à notre disposition ; il ne nous manque que la clarté intellectuelle et la volonté. Nous avons encore les moyens de nous sortir de cette crise – maintenant.

Introduction

ET MAINTENANT ?

Ce livre traite de la crise économique qui frappe aujourd'hui les États-Unis et quantité d'autres pays – une crise désormais entrée dans sa cinquième année et dont rien n'indique qu'elle touche à sa fin. Inutile de dire que beaucoup d'ouvrages ont déjà paru à propos de la tourmente financière de 2008, celle qui a marqué le début de la crise, et nul doute que bien d'autres sont en ce moment dans les tuyaux. Mais il me semble que celui-ci se distingue par le fait qu'il s'efforce de répondre à une autre question que les autres. Le gros de la littérature qui bourgeonne sur la catastrophe actuelle se demande : « Comment est-ce arrivé ? » Pour ma part, je préfère poser la question : « Et maintenant, qu'est-ce qu'on fait ? »

Ces deux questions sont à l'évidence liées, mais en aucune façon identiques. Savoir ce qui provoque un infarctus n'est pas savoir le traiter ; il en va de même avec les crises économiques. Et pour l'heure, c'est bien le traitement qui doit avant tout nous préoccuper. Chaque fois que je lis un article théorique ou d'opinion sur les mesures à prendre pour prévenir les crises financières de demain – et cela m'arrive souvent –, j'éprouve une pointe d'agacement. La question mérite sans doute d'être posée, mais puisque nous en sommes encore à savoir comment sortir de la crise, n'est-il pas préférable de donner la priorité à cet enjeu ?

Car nous restons pris aujourd'hui dans les remous de la catastrophe économique qui a frappé l'Europe et les États-Unis voici quatre ans. Le produit intérieur brut, qui progresse normalement d'environ deux points par an, n'est qu'à peine supérieur à son niveau d'avant la crise, même dans les pays qui ont connu une reprise relativement forte, et il lui demeure inférieur d'un pourcentage à deux chiffres dans certains pays d'Europe. En attendant, des deux côtés de l'Atlantique, le chômage se maintient à des niveaux qui auraient paru inconcevables avant la crise.

Pour réfléchir à ce marasme qui se prolonge, il convient à mes yeux de commencer par admettre que nous sommes en pleine dépression. Certes, ce n'est pas la Grande Dépression de 1929, du moins pas pour la plupart d'entre nous (et encore, allez donc demander leur avis aux Grecs, aux Irlandais, ou même aux Espagnols, qui subissent un chômage de 23 % – proche de 50 % chez les jeunes). Il demeure malgré tout que, dans les grandes lignes, notre situation est similaire à celle qu'a décrite John Maynard Keynes dans les années 1930 : « un état d'activité chroniquement inférieur à la normale qui se prolonge un temps considérable sans qu'il y ait de tendance marquée à la reprise ou à l'effondrement complet. »

Or, un tel état n'est pas acceptable. Certains économistes et représentants politiques semblent se contenter de savoir que nous échappons à « l'effondrement complet » ; mais à dire vrai, cet « état d'activité chroniquement inférieur à la normale », qui se traduit avant tout par la pénurie d'emplois, est en train de causer des dégâts humains immenses et cumulatifs.

Il est donc extrêmement important que nous intervenions pour susciter une reprise économique réelle, complète. Et c'est bien là ce qui laisse perplexe : nous savons comment faire, ou du moins nous *devrions* le savoir. Malgré toutes les différences de détail correspondant à soixante-quinze ans d'évolution économique, technologique et sociale, les maux qui nous affligent sont très manifestement similaires à ceux que nous avons connus dans les années 1930. Et nous savons parfaitement ce qu'auraient dû entreprendre alors les décideurs politiques, que ce soit grâce à l'analyse de Keynes et de ses contemporains ou à une vaste gamme de recherches et d'études subséquentes. Ces travaux nous disent très précisément ce que nous devrions être en train de faire pour combattre le mal dont nous sommes atteints.

Malheureusement, nous nous abstenons d'exploiter ce savoir parce qu'un trop grand nombre d'acteurs de premier plan – politiciens, représentants des pouvoirs publics et plus généralement la classe des commentateurs et orateurs qui font la pensée commune – ont décidé, pour toute une foule de raisons, de jeter aux oubliettes les leçons de l'histoire et les conclusions auxquelles avaient abouti plusieurs générations d'analystes économiques, et de substituer à ce savoir durement acquis des préjugés idéologiquement et politiquement commodes. Mais surtout, la pensée ordinaire des « Gens Très Sérieux », ainsi que les qualifient avec humour certains d'entre nous, a totalement évacué le grand principe énoncé par Keynes : « C'est en phase d'expansion, pas de ralentissement, qu'il faut appliquer l'austérité. » Aujourd'hui, l'État doit dépenser plus, pas moins, jusqu'à ce que le secteur privé soit en mesure de reprendre son rôle de moteur de l'économie – or, ce qui prédomine, ce sont les mesures d'austérité destructrices d'emploi.

Ce livre vise donc à briser l'étreinte de cette pensée commune destructrice et à plaider pour une politique expansionniste, créatrice d'emploi, que nous aurions dû appliquer depuis le commencement. Un tel plaidoyer exige d'être étayé par des éléments tangibles ; ce livre comporte donc quelques graphiques. Mais j'ai bon espoir que cela ne lui donne pas une apparence trop technique, que ça ne le rende pas inaccessible au lecteur intelligent moyen dont l'économie n'est habituellement pas la tasse de thé. Car mon ambition concrète est ici de passer par-dessus la tête des Gens Sérieux qui, allez savoir pourquoi, ont entraîné tout le monde sur la mauvaise voie, induisant un coût immense pour nos économies et nos sociétés, et d'en appeler à une opinion

publique informée pour que nous décidions enfin d'agir dans
le bon sens.

Peut-être, mais peut-être seulement, qu'au moment où ce
livre gagnera les rayons des libraires, nos économies seront
déjà sur la voie de la reprise, la vraie, et que cet appel ne sera
plus nécessaire. Je l'espère de tout cœur – mais j'en doute
profondément. Tout indique au contraire, si nos décideurs
ne changent pas de cap, que l'économie demeurera anémiée
très longtemps. Mon objectif est de faire pression, par le biais
d'un public informé, pour que nous changions de cap et que
nous mettions fin à cette crise.

Chapitre premier

L'ÉTENDUE DES DÉGÂTS

J'ai le sentiment, alors que des bourgeons apparaissent sur différents marchés et qu'une certaine
confiance semble revenir, que cela va amorcer la
dynamique positive qui relancera notre économie.
— Vous voyez des bourgeons ?
— Oui. Je vois des bourgeons.

Ben Bernanke, président de la Réserve fédérale
des États-Unis, lors d'un entretien
accordé à *60 minutes*, 15 mars 2009.

LE FÉTICHISME DES DONNÉES

En mars 2009, Ben Bernanke, qui d'ordinaire n'est pas le plus jovial ni le plus poétique des hommes, débordait d'optimisme quant aux perspectives économiques. Six mois après la faillite de Lehman Brothers, l'économie américaine décrivait une terrifiante descente en piqué. Mais à la télévision, dans la fameuse émission de CBS *60 minutes*, le président de la Fed déclarait que le printemps était au coin de la rue.

La remarque n'est pas passée inaperçue, notamment parce qu'elle ressemblait de façon dérangeante à la réplique de Chauncey Gardiner, alias Chance, le jardinier simplet de *Bienvenue, mister Chance*, que tout le monde prend à tort pour un grand sage. Dans une scène du film, comme on l'interroge sur la politique économique, Chance tient à rassurer le président : « Tant que les racines ne sont pas coupées, tout est bien dans le jardin et continuera de l'être… La plante repoussera au printemps. » Au-delà des plaisanteries qu'il a suscitées, l'optimisme de Bernanke était alors largement partagé. Et fin 2009, *Time* faisait de Bernanke sa « personnalité de l'année ».

Malheureusement, tout n'était pas bien dans le jardin, et la croissance promise n'est jamais venue.

Il faut reconnaître que Bernanke avait raison sur le fait que la crise était en train de se calmer. La panique qui avait saisi les marchés financiers était en voie d'apaisement et la dégradation de l'économie s'était ralentie. Selon les marqueurs officiels du National Bureau of Economic Research, c'est en juin 2009 qu'a pris fin la prétendue « Grande Récession » entamée en décembre 2007 et qu'a commencé la reprise. Mais s'il y a eu reprise, elle n'a pas vraiment été ressentie par la plupart des Américains. Les emplois sont restés rares ; de plus en plus de familles ont sacrifié leur épargne, perdu leur logement et, pire que tout, perdu espoir. Il est indéniable que le taux de chômage est redescendu du pic atteint en octobre 2009. Mais l'embellie se fait à la vitesse de l'escargot ; on attend toujours, après tant d'années, que se montre la « dynamique positive » dont parlait Bernanke.

Et encore ne parlons-nous là que de l'Amérique, qui s'est au moins redressée en termes techniques. D'autres pays ne sont même pas parvenus à cela. En Irlande, en Grèce, en Espagne, en Italie, le problème de la dette et les plans d'« austérité » censés ramener la confiance n'ont pas seulement tué dans l'œuf toute possibilité de reprise, ils ont produit de nouveaux affaissements et fait exploser le chômage.

Et le mal se perpétue. À l'heure où j'écris ces lignes, près de trois années ont passé depuis que Bernanke a cru voir ces bourgeons, trois et demie depuis la chute de Lehman, plus de quatre depuis le commencement de la Grande Récession. Les citoyens des pays les plus avancés du monde, des pays riches de ressources, de talents et de savoir – tous les ingrédients de la prospérité et d'un niveau de vie acceptable pour tous – continuent d'endurer de profondes souffrances.

Dans le présent chapitre, je vais m'efforcer de décrire les principaux aspects de ces souffrances. Je me focaliserai essentiellement sur les États-Unis, qui sont mon pays, celui que je connais le mieux, mais j'aborderai longuement la question de ce que l'on subit à l'étranger plus loin dans ce livre. Et je commencerai par le plus important

– ce sur quoi nous avons été le moins performants : le chômage.

La pénurie d'emplois

Une vieille plaisanterie prétend que les économistes connaîtraient le prix de tout et la valeur de rien. Vous voulez que je vous dise ? Il y a beaucoup de vrai dans ce reproche : à force de mettre la loupe sur la circulation de l'argent et sur la production et la consommation de choses, les économistes ont naturellement tendance à penser que ce qui compte, ce sont l'argent et les choses. Il est toutefois un champ de la recherche économique qui s'intéresse au lien entre le bien-être déclaré, comme le bonheur ou la « satisfaction à l'égard de la vie », et d'autres aspects de l'existence. Oui, cela s'appelle la « recherche sur le bonheur » – Ben Bernanke lui a même consacré en 2010 un discours intitulé « L'économie du bonheur ». Ces travaux nous livrent une information très importante au sujet du pétrin dans lequel nous sommes.

Sans surprise, la recherche sur le bonheur nous dit que l'argent perd beaucoup de son importance aussitôt que sont couverts les besoins fondamentaux de l'existence. Les avantages de la richesse ne sont pas totalement nuls pour autant – les habitants des pays riches, en moyenne, sont globalement plus satisfaits de leur sort que ceux de pays moins bien lotis. Par ailleurs, le fait d'être relativement plus riche ou plus pauvre que les gens auxquels on se compare n'est pas sans importance, et cela explique que les inégalités extrêmes soient à ce point corrosives pour une société. Mais une fois tout cela considéré, l'argent fait moins le bonheur que voudraient le croire les matérialistes purs et durs – et parmi eux bon nombre d'économistes.

Toutefois, cela ne signifie aucunement que les questions économiques n'ont pas grande influence sur la dimension matérielle de l'existence. Car de l'économie dépend un facteur qui tient une place considérable dans le bien-être de l'homme : la possession d'un emploi. Ne pas trouver d'emploi alors qu'on souhaite travailler constitue une souf-france particulièrement vive, pas seulement en raison de la réduction de revenu que cela suppose, mais aussi de l'atteinte que cela porte à l'estime de soi. C'est dans une large mesure ce qui fait du chômage de masse – qui sévit à présent depuis quatre ans aux États-Unis – une réelle tragédie.

À quel point le problème du chômage est-il grave ? La question réclame qu'on s'y attarde un peu.

De toute évidence, ce qui nous intéresse ici, c'est le chô-mage *involontaire*. Les personnes qui ont choisi de ne pas travailler, ou du moins pas dans l'économie de marché – les retraités qui sont heureux de l'être, ou les hommes et les femmes qui ont décidé de rester au foyer à plein temps – n'entrent pas en ligne de compte. Pas plus que les handica-pés, dont l'incapacité à travailler est sans doute malheureuse, mais ne relève pas d'une question économique.

À vrai dire, il y a toujours eu des voix pour affirmer que le chômage involontaire n'existait pas, que tout le monde peut trouver un emploi s'il veut vraiment travailler et n'est pas trop regardant sur le salaire ou les conditions de travail. C'est le cas par exemple de Sharron Angle, candidate républicaine au Sénat, qui a déclaré en 2010 que les chômeurs sont « gâtés », qu'ils font le choix de vivre des allocations plutôt que de prendre un emploi. Il y a aussi les représentants de la Chambre de commerce de Chicago qui, en octobre 2011, ont raillé ceux qui manifestaient contre les inégalités en faisant pleuvoir sur eux des formulaires d'embauche de McDonald's. Et il y a des économistes comme Casey Mulligan, de l'université de Chicago, qui multiplient les articles sur le site Internet du *New York Times* pour s'acharner à expliquer que la plongée des chiffres de l'emploi survenue après la crise financière de 2008 n'a pas été le reflet d'un manque d'emplois disponibles mais d'un fléchissement de la volonté de travailler.

On trouve une réponse classique à ces arguments au début du roman *Le Trésor de la Sierra Madre* (surtout connu pour son adaptation à l'écran en 1948, avec Humphrey Bogart et Walter

Huston) : « Quiconque souhaite travailler, et le souhaite vraiment, trouvera un emploi à coup sûr. Sauf qu'il n'a pas intérêt à s'adresser à celui qui tient ces propos, parce que celui-là n'a pas d'emploi à offrir et ne connaît personne qui ait entendu parler d'une place vacante. C'est bien pour ça qu'il prodigue un si généreux conseil, inspiré par l'amour du prochain, et qu'il fait ainsi étalage de sa grande méconnaissance du monde. »

Voilà qui est bien dit. Et pour revenir à ces formulaires d'embauche de McDonald's, figurez-vous qu'en avril 2011, McDonald's a effectivement annoncé la création de 50 000 postes. Près d'un million de candidatures ont été déposées.

Si vous connaissez un tout petit peu le monde, pour le dire avec concision, vous savez que le chômage involontaire est une réalité. Et c'est aujourd'hui un très gros problème.

À quel point le chômage involontaire est-il problématique, et à quel point s'est-il aggravé ?

La mesure du chômage aux États-Unis que reprennent habituellement les médias est établie à partir d'une enquête où l'on demande à des adultes s'ils sont actuellement en train de travailler ou de chercher activement un emploi. Sont comptabilisés comme chômeurs tous ceux qui ne travaillent pas et recherchent un emploi. En décembre 2011, cela représentait plus de treize millions d'Américains, contre 6,8 millions en 2007.

Mais à bien y regarder, cette définition courante du chômage ne tient pas compte d'un grand nombre de situations de détresse. Que deviennent les individus qui voudraient travailler, mais ne sont pas activement en train de chercher parce qu'il n'y a pas d'emploi à trouver, ou parce qu'ils se sont découragés à force de recherches infructueuses ? Où sont ceux qui souhaiteraient travailler à plein temps, mais n'ont trouvé qu'un emploi à temps partiel ? Le Bureau américain des statistiques de l'emploi s'efforce ainsi de comptabiliser ces malheureux à l'aide de critères de mesure plus larges, connus sous le nom d'U6 ; selon cette méthode, le nombre des Américains sans emploi atteindrait vingt-quatre millions – à peu près 15 % de la population active – soit en gros le double du chiffre d'avant la crise.

Mais même cette mesure-là ne rend pas pleinement compte de l'étendue du mal. Dans la plupart des ménages de l'Amérique moderne, les deux époux sont actifs ; aussitôt que l'un ne travaille plus, ces familles souffrent à la fois financièrement et psychologiquement. Il y a des travailleurs qui bouclaient leurs fins de mois grâce à deux emplois et n'en occupent plus qu'un, insuffisant pour subvenir à leurs besoins ; d'autres comptaient sur des heures supplémentaires qui n'existent plus. Il y a les entrepreneurs indépendants qui ont vu leur revenu s'amenuiser. Il y a les travailleurs qualifiés qui étaient habitués à enchaîner de bons emplois et ont été contraints d'accepter un poste qui ne sollicite aucune de leurs compétences. Et ainsi de suite.

Il n'existe pas d'estimation officielle du nombre d'Américains qui se situent dans cette zone grise du chômage. Mais une enquête de l'institut de sondage Democracy Corps menée en 2011 auprès des votants probables – un échantillon sans doute mieux loti que l'ensemble de la population – a révélé qu'un tiers des Américains avait déjà perdu son emploi ou vu un membre de sa famille le perdre, et qu'un autre tiers connaissait quelqu'un qui l'avait perdu. En outre, près de 40 % des ménages avaient connu une réduction des heures de travail, du salaire ou des bénéfices.

Le mal, on le voit, est très répandu. Mais ce n'est pas tout : pour des millions de personnes, les dégâts de la crise économique sont encore plus profonds.

Vies brisées

Dans une économie aussi complexe et dynamique que celle de l'Amérique moderne, un volant de chômage est inévitable. Chaque jour comporte son lot d'entreprises qui ferment, emportant des emplois avec elles, mais en voit aussi d'autres se développer et réclamer davantage de main-d'œuvre ; il y a aussi les employés qui démissionnent ou sont licenciés pour des raisons circonstancielles et dont l'ancien employeur embauche un remplaçant. En 2007, alors que le marché de l'emploi était relativement porteur, plus de vingt millions de travailleurs ont démissionné ou été licenciés, mais plus encore ont été embauchés.

Ces données signifient qu'il y a toujours un peu de chômage, même quand la conjoncture est clémente, parce qu'il faut forcément un certain temps pour qu'un travailleur en puissance trouve un nouvel emploi ou qu'il l'accepte. On l'a vu, il y avait à l'automne 2007 près de sept millions de chômeurs alors que l'économie était plutôt prospère. Les chômeurs se comptaient aussi par millions en Amérique au plus fort du boom des années 1990, quand on disait pour rire qu'il suffisait pour trouver du travail de réussir le « test du miroir » – c'est-à-dire de faire de la buée sur un miroir avec son haleine, montrant par là qu'on est bien vivant.

En temps de prospérité, toutefois, le chômage est pour l'individu une situation généralement passagère. Dans les bonnes périodes, le nombre de personnes en quête d'un emploi équivaut à peu près à celui des emplois qui se créent, et la plupart des chômeurs n'ont pas à chercher très longtemps. Des sept millions de chômeurs que comptait l'Amérique avant la crise, moins d'un sur cinq était inemployé depuis six mois, et moins d'un sur dix depuis un an ou plus.

La situation a complètement basculé depuis la crise. On dénombre aujourd'hui quatre demandeurs pour chaque emploi qui se crée, ce qui signifie que tout salarié qui perd sa place aura beaucoup de mal à en trouver une autre. Six millions d'Américains, soit près de cinq fois plus qu'en 2007, sont sans emploi depuis six mois ou plus ; quatre millions le sont depuis plus d'un an, contre à peine 700 000 avant la crise.

Il s'agit là d'une donnée quasi inédite dans l'expérience des États-Unis – je dis *quasi* inédite parce que les embauches durables se sont évidemment raréfiées pendant la Grande Dépression, mais on n'avait rien connu de tel depuis. Jamais depuis les années 1930 tant d'Américains ne s'étaient trouvés pris au piège d'une inactivité apparemment permanente.

Dans n'importe quel pays, le chômage de longue durée exerce un effet profondément démoralisant sur les travailleurs. Mais en Amérique, où le filet de l'aide sociale est plus ténu que dans n'importe quel autre pays avancé, cela peut vite tourner au cauchemar. La perte d'emploi entraîne souvent celle de l'assurance maladie. Les allocations chômage, qui de toute façon ne constituent en général qu'un tiers du revenu dont on a été privé, s'épuisent rapidement – en 2010-2011, il y a eu un léger fléchissement du taux de chômage officiel, mais le nombre d'Américains en fin de droits a doublé. Et quand le chômage s'éternise, les finances du foyer s'effondrent – on liquide l'épargne familiale, on ne parvient plus à payer les factures, on perd sa maison.

Là encore, ce n'est pas tout. Les causes du chômage de longue durée sont clairement liées à des événements macroéconomiques et à la faillite de politiques qui ne dépendent nullement de l'individu, mais cela n'empêche pas que les victimes soient stigmatisées. Le fait de n'avoir pas travaillé depuis longtemps provoque-t-il réellement l'érosion de vos compétences et fait-il de vous un mauvais candidat à l'embauche ? Compter parmi les chômeurs de longue durée indique-t-il d'emblée que vous étiez un mauvais travailleur ? Probablement pas, mais c'est la façon de voir de beaucoup d'employeurs, et peut-être est-ce finalement tout ce qui compte pour le travailleur. Si vous perdez votre travail dans la conjoncture économique actuelle, vous aurez beaucoup de mal à en retrouver un ; et si vous restez trop longtemps sans emploi, vous serez considéré comme inemployable.

À tout cela s'ajoutent les dommages sur le moral des Américains. Tous ceux qui connaissent quelqu'un qui s'est trouvé pris au piège du chômage de longue durée savent de quoi je parle ; même si l'individu n'est pas dans la difficulté financière, le coup porté à sa dignité et à son amour-propre peut faire des ravages. Et cela devient évidemment bien plus grave lorsque s'y ajoutent les difficultés financières. Dans son discours sur la « recherche sur le bonheur », Ben Bernanke a souligné qu'on a découvert que le bonheur repose dans une large mesure sur le sentiment d'être aux commandes de sa propre existence. Imaginez un peu ce qu'il advient de cette sensation de maîtrise quand on veut travailler, mais que les mois passent et que l'on ne trouve rien, quand la vie qu'on s'est bâtie tombe en pièces parce que l'argent vient à manquer. On ne s'étonnera guère que le chômage de longue durée soit une cause d'angoisse et de dépression psychologique.

Et puis, il y a la détresse de ceux qui n'ont pas encore d'emploi parce qu'ils débarquent tout juste sur le marché du travail. C'est incontestable, nous vivons une époque terrible pour les jeunes.

Comme au sein d'à peu près tous les groupes démographiques, le chômage parmi les jeunes actifs a plus ou moins doublé dans la période qui a suivi la crise, avant d'amorcer un léger fléchissement. Mais étant donné que le taux de chômage des jeunes actifs est très supérieur à celui de leurs aînés même lorsque la conjoncture est favorable, la hausse du chômage a été bien plus forte pour cette main-d'œuvre-là.

Et les jeunes dont on aurait pu penser qu'ils seraient les mieux placés pour encaisser la crise – les diplômés de fraîche date, censés posséder généralement le savoir et les compétences qu'exige l'économie moderne – n'ont en aucune façon été épargnés. Environ un jeune diplômé sur quatre se trouve sans emploi ou employé à temps partiel. Le salaire de ceux qui travaillent à plein temps a considérablement baissé, probablement parce que pour la plupart, ils ont été contraints d'accepter un emploi mal rémunéré n'exploitant pas leurs compétences.

Une chose encore : on a observé une augmentation très nette du nombre d'Américains de vingt-quatre à trente-quatre ans demeurant chez leurs parents. N'y voyez aucune flambée soudaine de dévotion filiale ; cela traduit en vérité une réduction radicale des possibilités de quitter le nid familial.

Pour les jeunes, cette situation est particulièrement frustrante. Ils se trouvent mis en *stand-by* alors qu'ils devraient être en train de se lancer dans la vie. Logiquement, beaucoup s'inquiètent pour leur avenir. Jusqu'où s'étendront les répercussions du problème qu'ils connaissent aujourd'hui ? Quand peuvent-ils s'attendre à ne plus subir les contrecoups de la malchance d'avoir achevé leurs études dans une conjoncture économique profondément déprimée ?

En gros, jamais. Lisa Kahn, une économiste de l'école de gestion de l'université de Yale, a comparé la carrière de diplômés qui ont achevé leurs études en période de chômage élevé à celle de ceux qui l'ont fait en période de boom économique ; les diplômés mal tombés s'en sont sensiblement moins bien sortis, pas seulement dans les années qui ont suivi l'obtention de leur diplôme, mais pendant toute leur vie professionnelle. Et les phases de chômage élevé qu'ils ont connues alors ont été relativement courtes par rapport à celle que nous vivons aujourd'hui, ce qui laisse supposer que les dommages à long terme sur la vie des jeunes Américains seront beaucoup plus importants cette fois-ci.

Dollars et cents

Argent ? Vous avez dit argent ? Pas moi jusqu'à présent, du moins pas directement. C'était délibéré. Bien que la catastrophe que nous traversons soit en grande mesure une affaire de marchés et d'argent, une histoire de détraquement du revenu et de la dépense, ce qui en fait une catastrophe, c'est l'aspect humain, pas l'argent perdu.

Cela dit, il s'agit quand même de beaucoup d'argent perdu.

La mesure que l'on utilise habituellement pour évaluer l'état général de santé d'une économie est le produit intérieur brut réel, ou PIB réel. C'est la valeur totale des biens et services que produit une économie, après réajustement correspondant à l'inflation ; c'est en gros la quantité de biens (et de services, bien entendu) que produit économie sur une période donnée. Étant donné que les revenus proviennent de la vente de ces biens, cela correspond aussi au montant total du revenu, qui détermine la taille du gâteau à partager entre les salaires, les profits et les impôts.

Avant la crise, le PIB réel des États-Unis progressait en moyenne de 2 à 2,5 % par an. C'est parce que la capacité de production de l'économie augmentait au fil du temps : chaque année, il y avait davantage de travailleurs disponibles, de machines et d'équipements à employer par ces travailleurs et de technologies sophistiquées à leur disposition. On constatait bien quelques reculs occasionnels – des phases de récession – où l'économie se contractait brièvement au lieu de croître. Nous verrons au prochain chapitre comment et pourquoi cela se produit. Mais ces reculs étaient généralement brefs et de faible importance, et ils étaient suivis de poussées de croissance qui permettaient à l'économie de rattraper le terrain perdu.

Jusqu'à la dernière crise, le plus gros recul qu'avait subi l'économie américaine depuis la Grande Dépression était le « *double dip* » (double creux) de 1979 à 1982 – deux récessions en cascade qu'il serait plus juste de décrire comme un gros creux avec un soubresaut au milieu. Au plus profond de ce creux, fin 1982, le PIB réel avait perdu 2 % par rapport au pic précédent. Mais l'économie a ensuite fortement rebondi, affichant une croissance de 7 % pendant les deux années qui ont suivi – « l'aube de l'Amérique[1] » disait-on – avant de retrouver son rythme de croissance habituel.

La Grande Récession – le plongeon survenu entre la fin 2007 et la stabilisation de la mi-2009 – a été plus abrupte et plus profonde, le PIB réel perdant 5 % en dix-huit mois. Mais le plus grave, c'est qu'il n'y a pas eu de gros rebond ensuite. Depuis la fin officielle de la récession, la croissance est en vérité plus faible que la normale. L'économie produit donc beaucoup moins qu'elle ne le devrait.

Le Bureau du budget du Congrès (Congressional Budget Office, CBO) produit une estimation très largement utilisée

---

1. Slogan de la campagne de réélection de Ronald Reagan en 1984 (NdT).

du PIB réel « potentiel », défini comme la mesure de la « production viable, où l'intensité de l'exploitation des ressources n'ajoute ni n'enlève rien à la tension inflationniste ». Pour simplifier, dites-vous que c'est la situation dans laquelle le moteur économique marche à pleins gaz, mais sans surchauffe – c'est une estimation de ce qui pourrait et devrait être accompli dans l'économie. C'est assez proche de ce que l'on obtiendrait en partant de l'état de l'économie américaine en 2007 et en extrapolant ce qu'elle pourrait être en train de produire si la croissance avait conservé son rythme moyen tendanciel.

Certains économistes affirment que ce genre de projection est trompeur, qu'en vérité c'est notre capacité de production elle-même qui a été affectée ; j'expliquerai au chapitre 2 pourquoi je ne suis pas de cet avis. Pour l'instant, toutefois, prenons l'estimation du CBO pour argent comptant. Ce qu'elle nous dit, c'est qu'à l'heure où j'écris ces lignes, l'économie américaine tourne à environ 7 % au-dessous de son potentiel. Ou, pour le dire un peu différemment, la valeur de ce que nous produisons actuellement est inférieure d'environ un billion de dollars[1] chaque année à ce que nous pourrions et devrions produire.

Il s'agit là d'un montant *annuel*. Si l'on fait la somme de la valeur perdue depuis le début de la crise, on atteint quelque 3 billions de dollars. Compte tenu de la faiblesse persistante de notre économie, ce chiffre est appelé à grossir considérablement. Au point où nous en sommes, nous pourrons nous estimer heureux de nous en sortir avec une perte de production cumulée de « seulement » 5 billions de dollars.

Ces pertes ne sont pas des pertes virtuelles, comme lors de l'éclatement des bulles Internet ou immobilière, où la richesse perdue n'était pas réelle au départ. Ce dont nous parlons ici, c'est de produits de valeur qui auraient pu et dû être fabriqués mais ne l'ont pas été, de salaires et de profits qui auraient dû être perçus mais ne se sont jamais concrétisés. Et cela représente

---

1. Soit 1 000 milliards de dollars (NdT).

5 billions, ou 7 billions, peut-être plus encore, que nous ne récupérerons jamais. L'économie finira bien par se rétablir, du moins peut-on l'espérer – mais cela consistera, au mieux, pour elle à retrouver sa tendance ancienne, sans que soient compensées toutes les années passées en dessous de cette tendance.

Je dis « au mieux » à dessein, parce qu'il y a de bonnes raisons de penser que la faiblesse prolongée de l'économie aura des répercussions sur son potentiel de long terme.

Perte d'avenir

Parmi tous les arguments que l'on entend contre une intervention qui viserait à mettre fin à cette crise, il est un refrain qui revient constamment dans la bouche des apologistes de l'inaction : il faut, disent-ils, viser le long terme, pas le court terme.

Nous le verrons plus loin, c'est une erreur à de multiples égards. L'argument recèle entre autres choses une abdication intellectuelle, un refus de se responsabiliser en cherchant à comprendre la dépression actuelle ; il est aussi tentant que facile de balayer toutes ces données agaçantes du revers de la main et d'invoquer un peu légèrement le long terme, mais c'est choisir de s'en sortir par la voie de la paresse et de la lâcheté. C'est exactement ce qu'a voulu dire John Maynard Keynes dans l'une de ses plus célèbres citations : « Le *long terme* est un mauvais guide pour les affaires courantes. *À long terme* nous serons tous morts. Les économistes se fixent une tâche trop facile, trop vaine en période d'intempérie s'ils ne peuvent pas faire mieux que nous dire qu'une fois passé l'orage, l'océan redeviendra calme. »

Ne se focaliser que sur le long terme conduit à ignorer les souffrances très répandues que la crise actuelle est en train d'infliger, les vies qu'elle brise au moment même où vous lisez ces lignes. Mais ce n'est pas tout. Nos problèmes à court terme – si tant est que l'on puisse parler de « court terme » pour une dégringolade entrée dans sa cinquième année –

nuisent aussi à nos perspectives à long terme, et ce de multiples façons.

J'ai déjà évoqué certaines de ces façons. Il y a l'effet corrosif du chômage de longue durée : si les personnes restées longtemps sans travail en viennent à être perçues comme inemployables, on se trouve face à une réduction à long terme de la main-d'œuvre efficace de l'économie, et par conséquent de sa capacité productive. L'épreuve que subissent les diplômés contraints d'accepter un emploi qui ne sollicite pas leurs compétences est un peu du même ordre : avec le temps, ils risquent de se voir relégués, au moins aux yeux de leurs employeurs potentiels, au statut de travailleurs non qualifiés ; autant dire que leur éducation n'aura servi à rien.

La crise actuelle mine aussi notre avenir à travers la baisse de l'investissement privé. Les entreprises ne dépensent pas beaucoup pour accroître leur capacité de production ; en fait, cette capacité a baissé de près de 5 % depuis le début de la Grande Récession, les entreprises ont abandonné leurs anciens équipements et n'en ont pas adopté de nouveaux pour les remplacer. Beaucoup de mythes circulent sur les causes de la faiblesse de l'investissement – c'est l'incertitude ! C'est la peur du socialiste qui occupe la Maison-Blanche ! – mais à vrai dire, il n'y a pas de mystère : si l'investissement est faible, c'est parce que les entreprises ne réalisent pas assez de ventes pour faire plein usage de la capacité qu'elles possèdent déjà.

Le problème, c'est que le jour où l'économie va finir par se rétablir, elle va se heurter aux limites de capacité et aux goulets d'étranglement de production bien plus tôt qu'elle ne l'aurait fait si la récession persistante n'avait pas donné aux entreprises toutes les raisons de cesser d'investir dans l'avenir.

Dernier élément, et non des moindres : du fait des (mauvais) choix opérés dans la gestion de la crise économique, les programmes publics orientés vers l'avenir sont en voie de saccage.

L'éducation des jeunes est un enjeu déterminant du XXIᵉ siècle – responsables politiques et experts sont unanimes sur ce point. Pourtant, en imposant une crise budgétaire aux États américains et aux pouvoirs publics locaux, la récession actuelle a entraîné la suppression de 300 000 postes d'enseignants. Cette crise budgétaire a aussi conduit les administrations locales et certains États à repousser ou annuler des investissements dans les infrastructures du transport et des eaux, comme le second tunnel ferroviaire sous l'Hudson dont le besoin se fait si cruellement sentir, les projets de train à grande vitesse annulés dans le Wisconsin, l'Ohio et en Floride, ou ceux de métro annulés dans un certain nombre de villes, et ainsi de suite. Ajusté par l'inflation, l'investissement public est tombé en flèche depuis le début de la crise. Là encore, cela signifie que le jour où l'économie sera rétablie, nous nous heurterons beaucoup trop vite aux goulets d'étranglement et aux pénuries.

Dans quelle mesure faut-il vraiment s'inquiéter de ces sacrifices faits sur l'autel du présent ? Le Fonds monétaire international a étudié le contrecoup des crises financières survenues dans un certain nombre de pays, et ses conclusions sont profondément troublantes : la récession n'engendre pas seulement de sévères dégâts à court terme, elle prélève aussi manifestement un écot considérable dans la durée, la croissance et l'emploi se trouvant cantonnés de façon plus ou moins définitive à un niveau inférieur. Mais l'essentiel est ailleurs : les chiffres laissent entrevoir que si l'on agit avec détermination pour limiter la profondeur et la durée de l'effondrement après une crise financière, on réduit aussi ces dommages à long terme – ce qui signifie, à l'inverse, que le fait de s'en abstenir, comme nous le faisons aujourd'hui, suppose de se résoudre à un avenir amputé et maussade.

Souffrance sans frontière

Je me suis contenté jusqu'ici d'évoquer les États-Unis pour deux raisons évidentes : d'abord, s'agissant de mon pays, l'épreuve qu'il subit me touche au plus près ; ensuite, c'est aussi le pays que je connais le mieux. Mais les souffrances américaines n'ont rien d'unique, loin de là.

Le tableau qu'offre l'Europe, notamment, n'est guère plus réjouissant. Si l'effondrement de l'emploi, pour terrible qu'il fût, y a globalement été moins abrupt qu'en Amérique, le vieux continent s'en est moins bien sorti en termes de produit intérieur brut. En outre, en Europe, la situation varie beaucoup d'un pays à l'autre. Autant l'Allemagne a été relativement épargnée (jusqu'à présent, mais attendons la suite des événements), autant les pays de la périphérie vivent une réelle catastrophe. Sans doute ne fait-il pas bon être jeune en Amérique, avec un taux de chômage de 17 % chez les moins de vingt-cinq ans, mais c'est un véritable cauchemar en Italie, où ce taux atteint 28 %, en Irlande, où il est de 30 % et en Espagne, où il s'élève à 43 %.

L'aspect positif de la situation européenne, pour ce que cela vaut, c'est que les filets de protection sociale, considérablement plus solides qu'aux États-Unis, atténuent beaucoup les conséquences immédiates du chômage. L'assurance maladie universelle signifie que la perte d'emploi n'entraîne pas automatiquement celle de la couverture santé ; la relative générosité des allocations chômage signifie que la faim et la privation de domicile n'ont pas la même prévalence que chez nous.

Mais la combinaison problématique d'unité et de multiplicité que présente la construction européenne – l'adoption par la plupart des nations d'une monnaie commune sans qu'elle s'accompagne de l'union politique et économique qu'un tel instrument réclame pourtant – est devenue une faiblesse chronique donnant lieu à des crises répétées.

En Europe, comme en Amérique, la crise n'a pas frappé partout de la même façon ; les pays qui hébergeaient les plus grosses bulles spéculatives avant la crise sont ceux qui connaissent à présent la plus forte récession – l'Espagne est un peu la Floride de l'Europe, l'Irlande son Nevada[1]. Mais

---

1. La Floride est l'État touristique par excellence, qui a vu son activité brutalement décliner ; le Nevada passe pour l'épicentre de la crise, où les banques ont été particulièrement sinistrées (NdT).

le pouvoir législatif de la Floride n'a pas à se préoccuper de trouver les fonds pour financer l'assurance vieillesse ou la sécurité sociale, cela incombe au gouvernement fédéral ; l'Espagne, pour sa part, est livrée à elle-même, tout comme la Grèce, le Portugal et l'Irlande. Du coup, en Europe, la dépression économique a provoqué des crises budgétaires, qui incitent les investisseurs privés à refuser des prêts à un certain nombre de pays. Et la façon dont on a réagi à ces crises budgétaires – en sabrant frénétiquement dans les dépenses publiques – a fait croître le chômage dans toute la périphérie européenne jusqu'à atteindre des niveaux dignes de la Grande Dépression, et cela semble aujourd'hui précipiter l'Europe dans une récession brutale.

Politique du désespoir

Le coût total de la Grande Dépression dépasse de beaucoup la somme des pertes économiques, ou même les souffrances liées au chômage de masse. La Dépression a aussi eu des effets catastrophiques sur le plan politique. Pour dire les choses clairement, si l'histoire moderne associe communément la montée d'Hitler à l'hyperinflation qui frappa l'Allemagne en 1923, ce qui l'a vraiment installé au pouvoir, c'est la dépression allemande du début des années 1930, rendue plus dure encore que dans le reste de l'Europe par les mesures déflationnistes prises par le chancelier Heinrich Brüning.

Un tel scénario est-il possible aujourd'hui ? Sans doute faut-il se garder de toujours établir des parallèles avec le nazisme (voir la « loi de Godwin [1] »), et l'on peine à croire que puisse survenir quelque chose d'aussi terrible au XXIe siècle, mais il serait stupide de minimiser le risque que

---

1. La « loi de Godwin » fait référence à l'adage formulé par l'avocat Michael Godwin selon lequel « plus une discussion se poursuit sur Internet et plus la probabilité qu'une comparaison y soit établie avec les nazis ou Hitler approche de 1 » (NdT).

fait peser une crise économique prolongée sur les valeurs et les institutions démocratiques. On observe incontestablement une montée des extrémismes dans le monde occidental : les mouvements radicalement anti-immigrés, radicalement nationalistes et, oui, les tentations autoritaires ont le vent en poupe. D'ailleurs, un pays occidental, la Hongrie, semble déjà avoir accompli de grands pas vers un retour à un régime autoritaire qui rappelle ceux qui proliférèrent dans une bonne partie de l'Europe dans les années 1930.

L'Amérique n'est pas à l'abri non plus. Qui peut nier que le parti républicain se soit considérablement radicalisé depuis quelques années ? Or, il possède aujourd'hui des chances raisonnables de s'emparer aussi bien du Congrès que de la Maison-Blanche dans le courant de l'année, malgré ce radicalisme, parce que l'extrémisme prospère quand les voix autorisées n'offrent aucune solution aux souffrances de la population.

Don't Give Up

Le tableau que je viens de dresser est celui d'une immense catastrophe humaine. Les catastrophes ne sont pas impossibles ; l'histoire est truffée d'inondations et de famines, de séismes et de tsunamis. Ce qui rend celle-là particulièrement terrible – et qui devrait susciter en vous la *colère* – c'est que rien de tout cela n'est inévitable. Il n'y a pas eu d'invasion de sauterelles ; nous n'avons pas perdu notre savoir-faire technologique ; l'Amérique et l'Europe devraient être plus riches, pas plus pauvres, qu'elles ne l'étaient il y a cinq ans.

Ce n'est pas non plus que la catastrophe soit d'une nature mystérieuse. Lors de la Grande Dépression, les dirigeants avaient une excuse : personne ne comprenait vraiment ce qui se jouait et ne savait y remédier. Ceux d'aujourd'hui ne l'ont pas. *Nous possédons à la fois le savoir et les outils pour mettre fin à ces souffrances.*

Et pourtant, nous ne le faisons pas. Dans les chapitres qui suivent, je m'efforcerai d'expliquer pourquoi – comment un mélange d'intérêts particuliers et d'idéologie perverse nous empêche de résoudre un problème à notre portée. Et je dois avouer que le constat d'une incapacité si totale à faire ce qui exige d'être fait me conduit par moments à désespérer.

Mais cette réaction n'est pas la bonne.

À mesure que l'on s'enfonçait dans la crise, il m'est souvent arrivé d'écouter une très belle chanson qu'interprétèrent Peter Gabriel et Kate Bush dans les années 1980. Le temps et le lieu ne sont pas identifiés, mais il y règne le chômage de masse ; le désespoir dans la voix, l'homme chante sa douleur : « *For every job, so many men* » (Pour chaque emploi, il y a tant d'hommes). Mais la femme fait ce qu'elle peut pour l'encourager : « *Don't give up* » (Tiens bon).

Nous vivons des temps terribles, d'autant plus terribles que tout cela est inutile. Mais tenez bon : nous pouvons en finir avec cette récession, il faut juste que nous trouvions la lucidité et la volonté nécessaires.

Chapitre 2

ÉCONOMIE DE LA CRISE

Il a fallu du temps pour que le monde se rende compte que notre vie se déroule cette année dans l'orbe de l'une des plus grandes catastrophes économiques de l'histoire moderne. Mais maintenant que l'homme de la rue a pris conscience de ce qui se passe, son ignorance des tenants et aboutissants du phénomène le remplit de frayeurs qui se révéleront peut-être exagérées, de même qu'auparavant elle était source d'indifférence au moment où le début de nos difficultés aurait justifié une certaine préoccupation. Le voici qui commence à douter de l'avenir. Est-ce la fin d'un beau rêve dont il s'éveillerait maintenant pour affronter la noirceur des faits ? Ou bien est-il en train de sombrer dans un cauchemar qui va s'évanouir ?

Il n'a point à hésiter. La situation antérieure n'était pas un rêve. C'est maintenant qu'il a affaire à un cauchemar qui s'évanouira avec la lumière du matin. Car les ressources de la nature et les inventions de l'homme sont tout aussi riches et fécondes qu'elles l'étaient auparavant. Notre aptitude à résoudre les problèmes matériels de l'existence progresse à un rythme qui n'est pas moins rapide. Nous sommes tout aussi capables que naguère d'offrir à chaque individu un niveau de vie élevé par comparaison avec le niveau d'il y a vingt ans, et nous apprendrons bientôt à dégager les ressources rendant possible un niveau plus élevé encore. Auparavant nous n'étions pas victimes d'une illusion, mais nous nous sommes empêtrés maintenant dans un désordre gigantesque parce que nous avons fait une fausse manœuvre en conduisant une machine délicate dont le fonctionnement échappe à notre compréhension. Il s'ensuit que nos richesses potentielles vont peut-être se dissiper en pure perte pendant un temps, et même un temps relativement long.

John Maynard Keynes, « La grande crise de 1930 », (*Essais sur la monnaie et l'économie*, traduit par Michel Panoff, Payot, 1990)

Les phrases qui précèdent ont été écrites voici plus de quatre-vingts ans, alors que le monde s'enfonçait dans ce qu'on nommerait plus tard la Grande Dépression. Au-delà de quelques tournures un peu désuètes, elles pourraient avoir été écrites aujourd'hui. Aujourd'hui comme alors nous vivons dans l'orbe de la catastrophe économique. Aujourd'hui comme alors nous nous sommes brusquement appauvris – pourtant, pas plus nos ressources que notre savoir ne se sont détériorés, d'où vient alors cette soudaine pauvreté ? Aujourd'hui comme alors, nos richesses potentielles paraissent appelées à se dissiper pendant un temps relativement long.

Comment l'expliquer ? En vérité, ce n'est pas un mystère. Nous savons bien comment survient ce genre de choses – du moins *pourrions-nous* le savoir si tant de monde ne faisait pas la sourde oreille. Keynes a fourni l'essentiel de la grille de lecture permettant de comprendre les crises ; nos économistes actuels peuvent aussi se référer à ses contemporains John Hicks et Irving Fisher, dont les enseignements ont été développés et sophistiqués par un certain nombre d'économistes modernes.

Le message central qui ressort de l'ensemble de ces travaux nous dit que *tout cela n'est pas inexorable*. Dans le même essai, Keynes explique que l'économie souffrait alors de « problèmes de bobine », une expression aujourd'hui surannée qui désigne les pannes du système électrique d'une voiture. Pour établir une analogie plus moderne et probablement plus exacte, on pourrait dire que nous souffrons d'un plantage informatique. Ce qu'il faut retenir, dans un cas comme dans l'autre, c'est que le problème ne réside pas dans le moteur économique, plus puissant que jamais. Il s'agit plutôt d'un problème technique, un problème d'organisation et de coordination – un « désordre gigantesque », comme dit Keynes. Si nous résolvons ce problème technique, l'économie retrouvera une santé vrombissante.

Or, beaucoup jugent ce message peu plausible, et même globalement choquant. On suppose naturellement que tout problème de taille doit nécessairement avoir de grandes causes, que le chômage de masse résulte forcément de quelque chose de plus profond qu'un simple désordre. C'est ce qui a conduit Keynes à employer l'analogie de la bobine. Nous savons tous qu'il suffit parfois de remplacer une batterie à 100 dollars pour remettre en marche une voiture à 30 000 dollars restée en panne, et il espérait faire comprendre au lecteur qu'une telle disproportion entre la cause et l'effet s'applique aux crises. Mais cet argument était, et demeure, difficile à admettre pour beaucoup, y compris ceux qui passent pour informés.

Cela s'explique en partie par le fait qu'attribuer de si gros dégâts à un dysfonctionnement relativement mineur sonne faux. C'est aussi en partie lié à notre propension très forte à considérer l'économie comme un théâtre moral, où les mauvaises périodes viennent inéluctablement sanctionner des excès passés. En 2010, ma femme et moi avons eu l'occasion d'entendre Wolfgang Schäuble, le ministre allemand des Finances, donner une conférence sur la politique économique ; vers la moitié du discours, ma femme s'est penchée vers moi pour me murmurer : « Tu vas voir qu'ils vont nous distribuer des fouets à la sortie pour que nous nous flagellions. » Schäuble passe généralement pour un prêcheur plus apocalyptique encore que la plupart des responsables officiels de la finance, mais beaucoup partagent ses penchants. Et les personnes qui tiennent ce genre de propos – qui déclarent doctement que nos problèmes ont des racines profondes et qu'il n'y a pas de solution aisée, qu'il faut se résigner à un avenir plus austère – paraissent sages et réalistes, même s'ils se trompent du tout au tout.

Mon propos dans le présent chapitre sera de vous convaincre que nous souffrons bel et bien de « problèmes de bobine ». De manière générale, les causes de notre mal sont relativement ordinaires et l'on pourrait y remédier de façon rapide et assez simple si les personnes occupant des positions de pouvoir comprenaient les réalités. En outre, pour l'immense majorité des gens, la procédure de redressement de l'économie ne serait *pas* douloureuse et ne réclamerait pas de sacrifices ; au contraire, mettre fin à cette récession serait une expérience plaisante pour quasiment tout le monde excepté ceux qui sont politiquement, émotionnellement et professionnellement attachés à des doctrines économiques mal inspirées.

Une petite précision, toutefois : en disant que les causes de la catastrophe économique sont relativement ordinaires, je ne cherche nullement à insinuer qu'elles doivent tout au hasard ou qu'elles sont venues de nulle part. Pas plus que je ne prétends qu'il soit facile, en termes *politiques*, de nous tirer de ce bourbier. Il a fallu des décennies de mauvaises mesures et d'idées fausses pour nous plonger dans cette crise – des mauvaises mesures et des idées fausses qui, nous le verrons au chapitre 4, ont proliféré parce qu'elles ont très bien fonctionné pendant longtemps, pas pour la nation dans son ensemble, mais pour une poignée d'individus très riches et très influents. Et ces mauvaises mesures et ces idées fausses ont profondément imprégné notre culture politique, ce qui rend très difficile toute altération du cours des choses, y compris face à la catastrophe économique. En termes purement économiques, cependant, cette crise n'est pas difficile à résoudre ; il suffirait pour obtenir une reprise rapide et puissante de trouver la lucidité intellectuelle et la volonté politique d'agir.

Imaginez la situation suivante : mettons que votre époux, pour quelque raison, refuse depuis des années de procéder à l'entretien du système électrique de la voiture familiale. À présent que le véhicule ne démarre plus, votre époux refuse ne serait-ce que d'envisager de remplacer la batterie, notamment parce que cela reviendrait à reconnaître qu'il a eu tort auparavant, et il insiste au contraire pour que la famille s'habitue à marcher et à prendre l'autobus. Vous avez manifestement un problème, et peut-être même est-il parfaitement insoluble pour vous. Mais c'est un problème qui tient à votre mari, pas à l'automobile, que l'on pourrait, et devrait, réparer très facilement.

Laissons là les métaphores. Voyons plutôt ce qui a mal tourné dans l'économie mondiale.

Tout est affaire de demande

Pourquoi le chômage est-il si répandu et la production économique si faible ? Parce que nous – et par « nous » j'entends les consommateurs, les entreprises et les gouvernements, tous confondus – ne dépensons pas assez. Les dépenses en matière de construction immobilière et de biens de consommation ont plongé au moment de l'éclatement des bulles jumelles de l'immobilier en Amérique et en Europe. L'investissement des entreprises n'a pas tardé à suivre, parce qu'il n'y a guère de sens à développer ses capacités quand les ventes diminuent. Puis ce fut une bonne part de la dépense publique, quand les autorités, tant au niveau local qu'à celui des États et même certains gouvernements nationaux, ont commencé à manquer de recettes fiscales. La faiblesse des dépenses signifie à son tour la baisse de l'emploi, parce que les entreprises ne vont pas produire ce qu'elles ne peuvent pas vendre, et qu'elles ne vont pas embaucher de la main-d'œuvre dont elles n'ont pas besoin pour produire. Nous souffrons d'une insuffisance sévère et généralisée de demande.

Face à ce qui précède, les attitudes sont très variables. Pour certains commentateurs, c'est tellement évident qu'il n'y a pas matière à débat. D'autres, en revanche, estiment que c'est absurde. Certains acteurs du paysage politique – des acteurs importants, qui exercent une influence réelle – ne croient pas à la possibilité que l'économie tout entière souffre d'une insuffisance de demande. Il arrive que l'on constate une demande trop faible pour certains biens, disent-ils, mais il ne peut y avoir carence dans tous les secteurs à la fois. Pourquoi ? Parce que, affirment-ils, il faut bien que les gens dépensent leurs revenus pour *quelque chose*.

C'est l'idée fausse que Keynes appelait « loi de Say » ; on l'appelle aussi parfois le « point de vue du Trésor » (Treasury View), en référence non pas à notre département des Finances, mais au Trésor de Sa Majesté[1], dans les années 1930, une institution qui affirmait avec insistance que toute dépense de l'État supplante toujours un montant égal de dépense privée. Pour bien montrer que je ne crée pas un argument spécieux, voici ce qu'a dit Brian Riedl, de la Heritage Foundation (un groupe de réflexion orienté à droite) dans un entretien accordé début 2009 à la *National Review* :

> Le grand mythe keynésien veut qu'il soit possible en dépensant de l'argent d'accroître la demande. Il s'agit d'un mythe parce que le Congrès ne dispose pas d'un coffre rempli d'argent à distribuer dans le circuit économique. Chaque dollar que le congrès injecte dans l'économie doit d'abord être *retiré* à l'économie à travers l'impôt ou l'emprunt. On ne crée pas de nouvelle demande, on ne fait que la transférer d'un groupe d'individus à un autre.

Accordons ceci à Riedl : à la différence de nombre de conservateurs, il reconnaît que son argument s'applique à toute source de nouvelle dépense. C'est-à-dire qu'il admet que l'argument selon lequel un programme de dépense publique ne peut pas favoriser l'emploi signifie aussi, par

---

1. Trésor britannique (NdT).

exemple, qu'un accroissement de l'investissement privé ne le peut pas davantage. Et cela doit s'appliquer à la baisse des dépenses aussi bien qu'à leur augmentation. Si, par exemple, les consommateurs endettés choisissent de dépenser 500 milliards de dollars de moins, cet argent, selon les partisans de la thèse de Riedl, doit revenir aux banques, qui le prêteront afin que les entreprises ou d'autres consommateurs dépensent 500 milliards de plus. Si les entreprises qui ont peur de l'occupant socialiste de la Maison-Blanche réduisent les sommes qu'elles investissent, l'argent qu'elles libèrent ainsi doit être dépensé par des entreprises ou des consommateurs moins inquiets. Selon la logique de Riedl, l'insuffisance généralisée de la demande ne peut pas nuire à l'économie pour la bonne raison que ce phénomène ne se produit jamais.

De toute évidence, je n'y souscris pas, et dans l'ensemble, les gens raisonnables non plus. Mais comment démontrer que c'est faux ? On peut toujours en appeler à la logique, par le verbe, mais l'expérience m'a appris que lorsqu'on se lance dans ce genre de discussion avec un anti-keynésien résolu, on en vient assez vite à jouer sur les mots et personne n'en ressort convaincu. On peut aussi rédiger un petit modèle mathématique pour illustrer les questions en présence, mais cela ne fonctionne qu'auprès des économistes, pas des gens normaux (et encore, pas forcément avec tous les économistes).

Ou alors on peut se fonder sur un fait authentique – et cela me conduit à l'histoire que je préfère en économie : celle de la coopérative de baby-sitting.

L'anecdote a paru pour la première fois en 1977, dans un article du *Journal of Money, Credit and Banking*, sous la plume de Joan et Richard Sweeney, qui l'avaient personnellement vécue, avec pour titre : « Monetary Theory and the Great Capitol Hill Baby Sitting Co-op Crisis » (La théorie monétaire et la grande crise de la coopérative de baby-sitting du Capitole). Les Sweeney étaient adhérents d'une coopérative de garde d'enfants, une association d'environ 150 jeunes couples, employés du Congrès pour la plupart, qui faisaient des économies en mutualisant la garde de leurs enfants.

La taille relativement importante de la coopérative constituait un avantage considérable, puisqu'elle augmentait les chances de trouver quelqu'un pour garder ses enfants le soir où l'on voudrait sortir. Mais un problème se posait : comment les fondateurs de la coopérative allaient-ils s'assurer que chaque couple effectue la part de garde qui lui revenait ?

Ils ont résolu le problème en mettant en place un système de titres convertibles : les couples adhérents recevaient vingt coupons correspondant chacun à une demi-heure de baby-sitting. (Le jour où l'on quittait la coopérative, on était censé rendre autant de coupons qu'on en avait reçu.) À chaque garde, les parents des baby-sittés remettaient au baby-sittant le nombre de coupons requis. À la longue, chaque couple devait donc offrir autant de gardes qu'il en recevait, puisqu'il fallait forcément remplacer les coupons donnés.

Mais la coopérative a fini par connaître de gros problèmes de fonctionnement. Dans l'ensemble, les couples s'efforçaient de conserver une réserve de coupons dans un tiroir, en cas de sorties successives. Mais pour des raisons qui ne méritent pas qu'on s'y attarde, il est arrivé un moment où le nombre de coupons en circulation est devenu très inférieur à celui des réserves que les couples tenaient à conserver sous la main.

Que s'est-il passé alors ? Inquiets de ne pas disposer d'une réserve suffisante de coupons, les couples ont commencé à rechigner à sortir avant d'avoir approvisionné leur stock en allant garder les enfants des autres. Mais précisément parce que de nombreux couples ont commencé à moins sortir, les occasions de gagner des coupons se sont raréfiées. Les couples dont les réserves étaient basses se sont montrés plus réticents encore, et le volume des gardes effectuées dans la coopérative a brutalement diminué.

Pour le dire simplement, la coopérative de baby-sitting est entrée en récession, et cela a duré jusqu'à ce que les économistes du groupe parviennent à persuader la direction d'augmenter le nombre de coupons en circulation.

Que nous dit cette histoire ? Si vous répondez « rien » sous prétexte qu'il s'agit d'un cas particulier forcément anecdotique, honte à vous ! Aussi limitée qu'elle fût, la coopérative de baby-sitting du Capitole n'en constituait pas moins une réelle économie monétaire. Sans doute lui manquait-il nombre des caractéristiques de ce système gigantesque qu'on appelle l'économie mondiale, mais elle possédait un élément essentiel pour qui veut comprendre ce qui a détraqué cette dernière – un élément qui semble obstinément échapper à l'entendement des politiciens et des décideurs.

Lequel ? Le fait que tes dépenses sont mes revenus et que tes revenus sont mes dépenses.

Vous trouvez cela évident ? Beaucoup d'individus influents ne pensent pas comme vous.

Comme John Boehner, par exemple, le porte-parole de la Chambre des représentants américaine, qui s'est opposé au programme économique du président Obama en affirmant que les souffrances qu'enduraient les Américains imposaient au gouvernement de se serrer lui aussi la ceinture. (À la grande consternation des économistes de gauche, Obama a fini par reprendre l'idée dans ses propres discours.) Mais Boehner omettait de se poser la question suivante : si les citoyens ordinaires se serrent la ceinture – en dépensant moins – et si l'État en fait autant, qui va acheter les produits américains ?

De même, l'idée que tout revenu individuel – mais aussi tout revenu national – constitue la dépense d'un autre n'est manifestement pas évidente pour bon nombre de dirigeants allemands, qui érigent en modèle le virage qu'a accompli leur pays entre la fin des années 1990 et aujourd'hui. La clé de ce virage a été le passage de la balance commerciale d'une position déficitaire à une position excédentaire – c'est-à-dire que l'Allemagne est passée d'une situation où elle achetait plus qu'elle ne vendait à l'étranger, à la situation inverse. Mais cela n'a été possible que parce que d'autres pays (essentiellement ceux d'Europe du Sud) ont suivi un mouvement symétrique vers les profondeurs de leur déficit commercial.

Tout le monde est aujourd'hui dans le pétrin, mais tout le monde ne peut pas, comme l'Allemagne, vendre plus qu'il n'achète. Cela, les Allemands semblent ne pas le percevoir – ou peut-être n'en ont-ils pas envie.

Le cas de la coopérative de baby-sitting, si élémentaire et limité soit-il, possédait cette caractéristique loin d'être évidente et qui vaut aussi pour l'économie mondiale ; il peut donc servir de « validation de principe » à certaines grandes idées économiques. En l'occurrence, on peut tirer de cet épisode trois grands enseignements.

D'abord, l'insuffisance généralisée de la demande est une possibilité bien réelle. Lorsque les membres de la coopérative manquant de coupons ont décidé d'arrêter d'en dépenser en réduisant leurs sorties, cela n'a déclenché aucune augmentation automatique de la dépense des autres membres ; au contraire, la raréfaction des occasions de garder des enfants a incité tout le monde à dépenser moins. Brian Riedl et ses émules ont raison de dire que la dépense est forcément toujours égale au revenu : le nombre de coupons reçus une semaine donnée était toujours égal à celui des coupons donnés. Mais cela ne signifie pas que les gens dépenseront toujours assez pour faire plein usage des capacités productives de l'économie ; en revanche, cela peut signifier qu'une part suffisante de ces capacités reste en sommeil pour *abaisser* le revenu jusqu'au niveau de la dépense.

Deuxièmement, une économie peut bel et bien se déprimer à cause de « problèmes de bobine », c'est-à-dire de défaillances de coordination plutôt que par manque de capacités de production. Le problème de la coopérative n'était pas que les parents faisaient de piètres baby-sitters, ni que des taux d'imposition élevés ou des subventions trop généreuses des pouvoirs publics avaient fini par rendre les couples réticents à accepter des offres de baby-sitting, ni même qu'on payait le prix inexorable des excès du passé. Très clairement, le problème avait une cause banale : la masse des coupons était trop faible, et cela a créé un « désordre gigantesque », pour le dire comme Keynes, face auquel les membres de la coopérative ont individuellement cherché à faire quelque chose – étoffer leur stock de coupons – qui était en fait impraticable collectivement.

Cette notion est déterminante. La crise actuelle de l'économie mondiale – une économie dont le volume est à peu près quarante millions de fois supérieur à celui de notre coopérative de baby-sitting – est, malgré toutes les différences d'échelle, très semblable en nature à celle de la coopérative. Collectivement, les habitants du monde cherchent à acheter moins de choses que ce qu'ils sont capables de produire, à dépenser moins qu'ils ne gagnent. Cette attitude est viable pour un individu, mais pas pour le monde dans son ensemble. C'est ce qui produit les dégâts que nous observons tout autour de nous.

Permettez-moi d'en dire un peu plus à ce sujet en vous offrant un aperçu rapide d'une explication que je développerai plus loin. Si l'on observe l'état du monde à la veille de la crise – disons en 2005-2007 –, on voit un tableau où certaines personnes se font une joie de prêter beaucoup d'argent à d'autres, qui se font une joie de le dépenser. Les entreprises américaines prêtaient leur excès de liquidités aux banques d'investissement, qui utilisaient ces fonds pour financer à leur tour des prêts immobiliers ; les banques allemandes prêtaient leur excès de liquidités aux banques espagnoles, qui employaient aussi ces fonds pour financer des prêts immobiliers, et ainsi de suite. Certains de ces prêts ont servi à acheter des maisons neuves, si bien que les fonds ont été dépensés dans la construction. Une partie de ces prêts a servi à extraire de l'argent sur valeur domiciliaire, qui a été dépensé dans l'achat de biens de consommation. Et parce que ta dépense est mon revenu, il y avait beaucoup de ventes, et il était assez facile de trouver un emploi.

Puis la musique s'est arrêtée. Les prêteurs ont redoublé de prudence avant d'accorder de nouveaux prêts ; les emprunteurs ont été contraints de faire des coupes claires dans leurs dépenses. Et c'est là que réside le problème : personne d'autre n'a souhaité sortir du rang pour dépenser à leur place. D'un coup, les dépenses totales de l'économie mondiale sont tombées en flèche, et puisque ma dépense est ton revenu et que ta dépense est le mien, les revenus et l'emploi ont plongé à leur tour.

Y peut-on quelque chose, alors ? C'est ici qu'intervient le troisième enseignement de la coopérative de baby-sitting : les grands problèmes économiques ont parfois des solutions simples et aisées. Pour se tirer d'affaire, il a suffi à la coopérative d'émettre davantage de coupons.

Ce qui pose la question centrale : pourrait-on appliquer le même traitement à la crise mondiale ? Suffirait-il d'imprimer davantage de coupons de baby-sitting, c'est-à-dire d'accroître la masse monétaire, pour remettre les Américains au travail ?

Eh bien, à vrai dire, c'est précisément de cette façon, en imprimant des coupons supplémentaires, que l'on sort habituellement de la récession. Depuis cinquante ans, la tâche de mettre fin aux récessions a essentiellement incombé à la Réserve fédérale, qui (globalement) contrôle la masse d'argent qui circule dans l'économie ; quand cette dernière bat de l'aile, la Fed actionne la presse à billets. Et jusqu'à ce jour, ça a toujours fonctionné, notamment de façon spectaculaire après la sévère récession de 1981-82, que la Fed n'a mis que quelques mois à transformer en reprise économique rapide – la fameuse « aube de l'Amérique ». La méthode a de nouveau fonctionné, bien que plus lentement et de façon plus hésitante, après les récessions de 1990-91 et de 2001.

Mais cette fois-ci, elle a échoué. Je viens de dire que la Fed contrôle la masse monétaire « globalement » ; ce qu'elle contrôle en vérité, c'est la « base monétaire », c'est-à-dire la monnaie en circulation à laquelle s'ajoutent les réserves détenues par les banques. Depuis 2008, la Fed a triplé le volume de la base monétaire ; l'économie ne sort pourtant pas de la crise. Ma thèse selon laquelle nous souffrons d'une insuffisance de la demande est-elle pour autant fausse ?

Non, elle ne l'est pas. En fait, l'impuissance de la politique monétaire à résoudre la crise était prévisible – et elle a été prédite. C'est en 1999 que j'ai écrit la première version de

Pourquoi les crises reviennent toujours, dont le propos était fondamentalement d'avertir les Américains que le Japon s'était déjà trouvé dans la situation où émettre de la monnaie ne suffisait pas à revigorer une économie déprimée, et que la même chose pouvait nous arriver. À l'époque, un certain nombre d'économistes partageaient mon inquiétude. Parmi eux, il y avait Ben Bernanke lui-même, qui dirige aujourd'hui la Fed.

Que nous est-il arrivé, alors ? Nous sommes tombés dans le piège fâcheux qu'on appelle la « trappe à liquidité ».

La trappe à liquidité

Au milieu de la dernière décennie, l'économie américaine était propulsée par deux grands moteurs : la construction massive de logements et le niveau élevé de la dépense du consommateur. Ces deux moteurs puisaient à leur tour leur force dans des cours de l'immobilier élevés et croissants, ce qui a provoqué à la fois un boom de la construction et un surcroît de dépenses du consommateur qui s'est senti riche. Mais il est apparu que le cours de l'immobilier était une bulle fondée sur des attentes irréalistes. Quand celle-ci a éclaté, la construction et la dépense du consommateur se sont effondrées avec elle. En 2006, au plus fort de la bulle, les promoteurs ont mis en chantier 1,8 millions de logements ; en 2010, seulement 585 000. En 2006, les consommateurs américains ont acheté 16,5 millions de voitures et de camionnettes ; en 2010, seulement 11,6 millions. Pendant environ un an après l'éclatement de la bulle, l'économie américaine a maintenu la tête hors de l'eau grâce à l'accroissement de ses exportations, mais fin 2007 elle coulait à pic, pour ne jamais vraiment s'en remettre.

La Réserve fédérale, on l'a vu, a promptement réagi en augmentant la base monétaire. Mais contrairement à la direction de la coopérative de baby-sitting, la Fed ne remet pas de coupons aux familles ; quand elle souhaite augmenter la masse monétaire, elle procède fondamentalement en prêtant les fonds aux banques, avec l'espoir que les banques les prêteront à leur tour. (En général, elle ne réalise pas directement de prêt aux banques, mais elle leur achète des obligations.)

Cela paraît très différent de ce qu'a fait la coopérative, mais dans les faits, ça ne l'est pas tant. Souvenez-vous, la règle de la coopérative disait qu'il fallait rendre le même nombre de coupons en partant qu'on en avait reçu en arrivant, si bien que ces coupons étaient en quelque sorte un prêt de la direction de la coopérative. L'accroissement de la masse des coupons n'a donc pas rendu les couples plus riches – ils devaient toujours accomplir autant de gardes d'enfants qu'ils en recevaient. En revanche, il leur a donné de la *liquidité*, en leur permettant de dépenser quand ils le désiraient sans avoir à craindre de manquer de fonds.

Dans le monde au-delà du baby-sitting, les personnes et les entreprises peuvent toujours ajouter à leur liquidité, mais cela a un prix : s'ils empruntent des espèces, ils auront à payer des intérêts sur les fonds empruntés. Ce que fait la Fed en injectant davantage de liquidités dans les banques, c'est provoquer la baisse des taux d'intérêt, c'est-à-dire du prix de la liquidité – et aussi, bien sûr, celui de l'emprunt souscrit pour financer un investissement ou d'autres dépenses. Ainsi, dans l'économie au-delà du baby-sitting, la Fed tire sa capacité de pilotage de sa capacité à faire varier les taux d'intérêt.

Seulement voilà : elle ne peut les pousser à la baisse que jusqu'à un certain point. Plus précisément, elle ne peut pas les amener au-dessous de zéro, parce que lorsque les taux approchent de zéro, il devient plus intéressant de s'asseoir sur son argent que de le prêter à autrui. Et dans la crise actuelle, la Fed n'a pas mis longtemps à atteindre ce « plancher zéro » : elle a commencé à baisser les taux d'intérêt à la fin 2007 et ils ont atteint zéro fin 2008. Malheureusement, le taux zéro ne s'est pas avéré assez bas, car l'éclatement de la bulle immobilière avait fait trop de dégâts. La dépense du consommateur est restée faible ; l'immobilier est resté au tapis ; l'investissement des entreprises n'a pas augmenté : pourquoi voudrait-on se développer alors que les ventes sont mauvaises ? Et le chômage est resté catastrophiquement élevé.

Voilà ce qu'est la trappe à liquidité : c'est ce qu'il advient quand zéro n'est pas assez bas, quand la Fed sature l'économie de liquidités au point qu'il ne coûte rien de détenir davantage d'espèces, mais que la demande demeure trop faible.

Permettez-moi de revenir une dernière fois à notre coopérative de baby-sitting, pour établir une analogie que j'espère utile. Supposons que, pour une raison ou une autre, tous les adhérents de la coopérative, ou au moins la majorité, aient décidé d'avoir un bilan excédentaire dans l'année, en accomplissant davantage d'heures de garde d'enfants qu'ils n'en recevaient, dans l'intention de faire l'inverse l'année suivante. La coopérative aurait alors rencontré des problèmes, quelle que soit la quantité de coupons émis par la direction. Chaque couple pouvait bien accumuler individuellement les coupons et les garder pour l'année suivante, mais pas la coopérative dans son ensemble, puisque le temps de garde d'enfants n'est pas une denrée stockable. Il y aurait donc eu une contradiction de fond entre ce que cherchaient à accomplir les couples et ce qui était possible au niveau de la coopérative : collectivement, les adhérents ne pouvaient pas dépenser moins que leurs revenus. Là encore, cela nous renvoie à l'idée essentielle que mes dépenses sont tes revenus et tes dépenses mes revenus. En tentant de faire individuellement ce qui n'était pas faisable collectivement, les couples auraient conduit la coopérative à la crise (et probablement à la faillite), aussi prodigue qu'ait été la politique d'émission des coupons.

C'est à peu près ce qui est arrivé à l'Amérique et à l'ensemble de l'économie mondiale. Quand tout le monde a décidé d'un coup que les niveaux de dette étaient trop élevés, les débiteurs ont été contraints de dépenser moins, mais les créanciers n'étaient pas disposés à dépenser plus, et cela a provoqué une dépression – pas la Grande Dépression, mais une dépression quand même.

Il doit pourtant bien y avoir des remèdes à cette situation. Il est parfaitement insensé qu'une telle part de la capacité mondiale de production reste en sommeil, alors que tant de candidats au travail ne parviennent pas à en trouver. Et, oui, il y a bien une façon d'en sortir. Mais avant d'en arriver là, évoquons brièvement les thèses de ceux qui ne croient pas un mot de ce que je viens d'exposer.

Un problème structurel ?

> Il me semble que la main-d'œuvre dont nous disposons actuellement est singulièrement inadaptable et peu formée. Elle n'est pas en mesure de répondre aux opportunités que l'industrie peut offrir. Cela crée une situation de grande inégalité – le plein-emploi, beaucoup d'heures supplémentaires, des salaires élevés et une grande prospérité pour certains groupes favorisés, et en même temps les bas salaires, le temps partiel, le chômage et le risque de pauvreté pour d'autres.
>
> Ewan Clague

La citation qui précède est extraite d'un article du *Journal of the American Statistical Association*. Elle avance un argument qu'on entend dans différents milieux ces temps-ci : les problèmes fondamentaux qui nous affligent sont plus profonds qu'une simple insuffisance de la demande, un trop grand nombre de nos travailleurs ne possèdent pas les compétences que requiert l'économie du XXIᵉ siècle, ou alors c'est qu'ils restent coincés au mauvais endroit ou dans le mauvais secteur d'activité.

Sauf que je viens de vous jouer un petit tour : l'article en question a paru en 1935. L'auteur y affirmait que, même si la reprise de la demande devait pouvoir bénéficier aux travailleurs américains, le chômage resterait élevé parce que ces travailleurs n'étaient pas à la hauteur des emplois. Mais il se trompait profondément : quand cette reprise de la demande est enfin venue, grâce au développement militaire qui a précédé l'entrée des États-Unis dans la Seconde Guerre mondiale, ces millions de travailleurs sans emploi se sont montrés parfaitement capables de reprendre un rôle productif.

Il n'empêche qu'aujourd'hui comme alors, on perçoit une très forte tentation – tentation qui ne se cantonne pas à un bord de l'échiquier politique – de considérer que notre problème est « structurel », qu'il n'est pas possible d'y remédier par le simple accroissement de la demande. Pour reprendre l'analogie du « problème de bobine », ce qu'affirment beaucoup de personnages influents, c'est que le remplacement de la batterie ne donnera rien, parce qu'il y a forcément de gros soucis au niveau du moteur et de la transmission.

Cet argument se décline parfois en termes de baisse générale des compétences. L'ancien président Bill Clinton, par exemple (je vous ai bien dit que cela ne venait pas que d'un seul côté de l'échiquier politique), a déclaré dans l'émission de télévision *60 minutes* que le chômage restait fort « parce que les gens n'ont pas les compétences professionnelles requises pour les emplois disponibles ». L'argument prend aussi parfois la forme d'un récit selon lequel les progrès de la technologie rendent tout bonnement la main-d'œuvre inutile – c'est ce qu'a semblé vouloir dire le président Obama quand il a déclaré au *Today Show* :

> Il y a certains problèmes structurels dans notre économie, car *un grand nombre d'entreprises ont appris à devenir bien plus efficaces avec moins d'employés. On le constate quand on va à la banque retirer de l'argent au distributeur automatique, on ne passe plus par le guichetier. On le voit aussi à l'aéroport, quand on fait son enregistrement à la borne automatique au lieu d'aller au comptoir. [C'est moi qui souligne.]

Ce qui revient le plus souvent, c'est l'affirmation selon laquelle il ne faut pas s'attendre à retrouver le plein-emploi avant longtemps, parce qu'il va falloir déplacer la main-d'œuvre du secteur archi-saturé de l'immobilier et la former à d'autres emplois. Voici ce que dit Charles Plosser, président de la Federal Reserve Bank de Richmond, l'un des ténors de l'opposition à toute politique visant à accroître la demande :

> *On ne transforme pas facilement le menuisier en infirmière, pas plus qu'on ne transforme facilement l'agent immobilier en expert informatique dans une usine.* Tout ça finira par se régler tout seul. Les gens recevront une formation et ils trouveront un emploi dans un autre secteur. Mais la politique monétaire ne peut pas donner une nouvelle formation aux gens. La politique monétaire ne peut pas résoudre ces problèmes-là. [C'est moi qui souligne.]

Très bien, comment savons-nous que tout cela est faux ?

La réponse tient en partie au fait que l'image implicite que se fait Plosser du chômeur – le chômeur typique serait une personne qui travaillait dans le bâtiment et qui ne s'est pas adaptée au monde du travail après l'éclatement de la bulle immobilière – est tout simplement inexacte. Sur les treize millions d'actifs américains sans emploi en octobre 2011, seuls 1,1 million (à peine 8 %) travaillaient préalablement dans le bâtiment.

Plus généralement, si le problème est que de nombreux travailleurs possèdent les mauvaises qualifications, ou qu'ils se trouvent au mauvais endroit, ceux qui possèdent les bonnes qualifications au bon endroit devraient bien s'en sortir. Ils devraient jouir du plein-emploi et de salaires en augmentation. Où sont ces gens, alors ?

Pour être honnête, on trouve bien le plein-emploi, et même un manque de main-d'œuvre, dans les Hautes Plaines : au Nebraska et dans les deux Dakota, le chômage a atteint un plancher historique, grâce pour une bonne part à l'essor du forage gazier. Mais la population de ces trois États combinés dépasse tout juste celle du quartier new-yorkais de Brooklyn, et le chômage est élevé partout ailleurs.

Et aucune profession majeure ou domaine de compétences ne se porte bien. Entre 2007 et 2010, le chômage a plus ou moins doublé dans quasiment tous les secteurs – chez les ouvriers comme les employés de bureau, dans l'industrie comme dans les services, parmi les diplômés comme parmi les faiblement instruits. Personne n'a vu son salaire vraiment augmenter ; en fait, je l'ai dit au chapitre premier, les diplômés ont même accepté une baisse de revenus exceptionnellement forte parce qu'ils étaient contraints de prendre un emploi sans rapport avec les études qu'ils avaient faites.

L'idée de fond, c'est que si le chômage de masse était lié au fait que trop de travailleurs ne possèdent pas les bonnes compétences, on devrait trouver un nombre significatif de travailleurs qui les possèdent et les font fructifier – or, ce n'est pas le cas. Ce qu'on voit, en revanche, c'est un appauvrissement généralisé, ce qui survient lorsque l'économie souffre d'une insuffisance de la demande.

Nous voilà donc avec une économie handicapée par la faiblesse de la demande ; le secteur privé, collectivement, cherche à dépenser moins que ce qu'il gagne, et cela a fait chuter les revenus. Mais nous nous trouvons dans une trappe à liquidité : la Fed ne peut pas persuader le secteur privé de dépenser davantage en se contentant d'augmenter la quantité de monnaie en circulation. Quelle est la solution ? La réponse est évidente ; le hic, c'est qu'un très grand nombre de personnages influents s'obstinent à ne pas la voir.

Dépenser plus pour gagner plus

Au milieu de l'année 1939, l'économie américaine avait traversé l'essentiel de la Grande Dépression, mais la dépression n'était absolument pas finie. L'État ne s'occupait pas encore de recueillir des statistiques exhaustives sur l'emploi et le chômage, mais pour autant qu'on le sache, le taux de chômage tel que nous le définissons aujourd'hui dépassait les 11 %. Beaucoup de gens considéraient que c'était là un état définitif : l'optimisme des premières années du New Deal avait reçu un sacré coup en 1937, lorsqu'on était entré dans une nouvelle phase de récession aiguë.

Pourtant, deux ans plus tard, l'économie était en plein essor, et le chômage avait fondu. Que s'était-il passé ?

La réponse est que quelqu'un s'était enfin mis à dépenser suffisamment pour que l'économie se remette à ronronner. Ce « quelqu'un », bien entendu, c'était l'État.

L'objet de cette dépense était fondamentalement destructif plutôt que constructif ; comme le disent les économistes Robert Gordon et Robert Krenn, à l'été 1940, l'économie américaine entrait en guerre. Bien avant Pearl Harbor, les dépenses militaires ont grimpé en flèche, l'Amérique s'empressant de remplacer les navires et autres armements envoyés en Grande-Bretagne dans le cadre du programme prêt-bail, et de bâtir des camps militaires pour héberger les millions de recrues apportées par la conscription. Les dépenses militaires générant de l'emploi et le revenu des ménages s'accroissant, la dépense du consommateur a suivi la tendance (elle finira par se restreindre avec le rationnement, mais cela n'est venu que plus tard). Les entreprises voyant leurs ventes augmenter, elles ont réagi à leur tour en dépensant plus.

Et d'un coup, la Dépression a pris fin et tous ces travailleurs « inadaptables et peu formés » se sont remis au travail.

Le fait que les dépenses aient été consacrées à la défense plutôt qu'à des programmes intérieurs a-t-il de l'importance ? En termes économiques, aucune : la dépense crée de la demande, quelle que soit son affectation. Sur le plan politique, en revanche, cela a évidemment eu une importance considérable : pendant toute la Dépression, des voix influentes avaient multiplié les mises en garde contre les dangers de l'excès de dépense publique, ce qui a eu pour effet d'inhiber tous les programmes de création d'emploi du New Deal, bien trop timides au regard de l'ampleur de la crise. La menace de la guerre a fini par faire taire ces champions du conservatisme budgétaire, ouvrant la voie au rétablissement – et c'est ce qui m'a amené à dire en plaisantant, à l'été 2011, que ce qu'il nous faudrait vraiment aujourd'hui, c'est une fausse menace d'invasion extraterrestre, qui déclencherait des dépenses massives pour la défense anti-martiens.

L'essentiel est de retenir que ce qu'il nous faut pour sortir de la dépression actuelle, c'est une nouvelle vague de dépense publique.

Est-ce vraiment si simple que cela ? Ce serait vraiment facile à ce point ? Fondamentalement, oui. Il faut incontestablement discuter du rôle de la politique monétaire, des implications de l'endettement des États et de ce qu'il convient de faire pour s'assurer que l'économie ne retombera pas automatiquement dans la crise quand l'État cessera de dépenser. Il faut discuter des façons de réduire l'excès d'endettement privé, dont on peut penser qu'il est à la source de notre crise. Il faut aussi aborder les questions internationales, notamment le piège singulier que l'Europe s'est tendu à elle-même. Tout cela sera traité plus loin dans ce livre. Mais l'idée centrale – ce dont le monde a besoin aujourd'hui, c'est que les pouvoirs publics augmentent leurs dépenses pour nous sortir de cette dépression – en ressortira intacte. Mettre un terme à cette crise devrait être, pourrait être d'une facilité quasiment incroyable.

Alors pourquoi ne le faisons-nous pas ? Pour répondre à cette question, il faut faire un peu d'histoire économique et, surtout, politique. Mais commençons par revenir sur la crise de 2008.

Chapitre 3

LE MOMENT MINSKY

Une fois frappés par ce resserrement massif du crédit, nous n'avons pas mis longtemps à entrer en récession. À son tour, la récession a aggravé le resserrement du crédit à mesure que plongeaient la demande et l'emploi, et les pertes sur créances des institutions financières se sont multipliées. En fait, nous sommes restés dans les griffes de ce type précis de spirale vicieuse pendant plus d'un an. Une dynamique de réduction du bilan s'est étendue à quasiment chaque recoin de l'économie. Les consommateurs retiennent leurs achats, notamment de biens durables, afin de constituer leur épargne. Les entreprises annulent les investissements prévus et licencient des travailleurs pour conserver leurs liquidités. Et puis, les institutions financières réduisent leurs actifs pour renforcer leur capital et améliorer leurs chances d'essuyer la tempête actuelle. Une fois encore, Minsky avait compris cette dynamique. Il a parlé du paradoxe du désendettement, par lequel des précautions qui sont opportunes pour les individus ou les entreprises – et absolument essentielles pour ramener l'économie à un état normal – n'en aggravent pas moins la crise économique dans son ensemble.

Janet Yellen, vice-présidente de la Réserve fédérale, dans un discours intitulé « Le krach selon Minsky : enseignements pour les dirigeants des banques centrales » (*A Minsky Meltdown : Lessons for Central Bankers*), 16 avril 2009.

En avril 2011, l'Institute for New Economic Thinking (Institut pour une nouvelle pensée économique) – un organisme fondé à la veille de la crise financière de 2008 pour promouvoir… de nouvelles façons de penser l'économie – a organisé une conférence à Bretton Woods, dans le New Hampshire, où se tint la célèbre rencontre de 1944 qui posa les bases du système monétaire mondial de l'après-guerre. Après avoir entendu différents débats, l'un des participants, Mark Thoma, de l'université de l'Oregon, qui anime l'influent blog *Economist's View*, a lâché pour rire que « la nouvelle pensée économique signifie qu'il faut lire de vieux livres ».

D'autres se sont empressés de souligner qu'il n'avait pas complètement tort, et ceci pour une bonne raison. Oui, suite à la crise financière, les économistes ont bien apporté certaines idées nouvelles. Mais on peut dire que le plus gros changement survenu dans la pensée – du moins parmi les économistes peu ou prou disposés à revoir leurs notions sous le nouveau jour du désastre en cours, un groupe plus restreint qu'on ne l'aurait souhaité – a été le retour en grâce de certaines idées d'économistes du passé. Parmi ces derniers, il y a évidemment John Maynard Keynes : le monde dans lequel nous vivons ressemble très manifestement à celui qu'a décrit Keynes. Mais deux autres économistes défunts ont fait un *come back* aussi manifeste que justifié : un contemporain de Keynes, l'économiste américain Irving Fisher, et un économiste plus récent, feu Hyman Minsky. Ce qui frappe au sujet de la distinction aujourd'hui accordée à Minsky, c'est qu'elle consacre un homme resté toute sa vie en marge du courant économique dominant. Qu'est-ce qui incite alors un si grand nombre d'économistes – y compris, on l'a vu au début de ce chapitre, les principaux dirigeants de la Réserve fédérale – à invoquer aujourd'hui son nom ?

La nuit où ils ont relu Minsky

Longtemps avant la crise de 2008, Hyman Minsky émettait un avertissement à l'attention de confrères largement indifférents : non seulement une crise de ce type risquait de se produire, mais elle *allait* se produire.

Très peu l'ont écouté alors. Minsky, qui enseignait à l'université Washington de Saint-Louis, avait été une figure marginalisée pendant toute sa carrière, et il l'était encore à sa mort, survenue en 1996. Et pour tout dire, l'hétérodoxie de Minsky n'était pas la seule cause du dédain que lui vouait le courant dominant. Ses ouvrages ne sont pas, c'est le moins qu'on puisse dire, particulièrement abordables ; quelques pépites géniales sont disséminées parmi des kilomètres de prose ampoulée et d'équations inutiles. Il faut dire aussi qu'il a trop souvent crié au loup ; pour paraphraser la plaisanterie de Paul Samuelson, Minsky a prédit environ neuf des trois dernières grandes crises financières.

Aujourd'hui pourtant, bon nombre d'économistes, votre serviteur inclus, reconnaissent l'importance de « l'hypothèse d'instabilité financière » de Minsky. Et certains d'entre nous qui sont venus relativement tard aux travaux de Minsky, dont à nouveau votre serviteur, aimeraient l'avoir lu bien plus tôt.

La grande idée de Minsky a été de se focaliser sur l'endettement – sur l'accumulation de la dette relative aux actifs ou aux revenus. Les périodes de stabilité économique, expliquait-il, conduisent à l'accroissement de l'endettement, parce que tout le monde fait preuve de complaisance face au risque que l'emprunteur ne soit pas en mesure de rembourser. Mais cet accroissement de l'endettement finit par conduire à l'instabilité économique. En fait, il prépare le terrain à la crise économique et financière.

Voyons cela étape par étape.

Disons d'emblée que la dette est une chose très utile. Nous serions une société beaucoup plus pauvre si tous ceux qui voulaient acheter une maison devaient la payer comptant, si tous les chefs de PME qui cherchent à se développer n'avaient d'autre choix que de payer cette expansion de leur poche, ou de prendre de nouveaux partenaires dont ils ne veulent pas forcément. La dette permet aussi à ceux qui ne trouvent pas de bon usage immédiat à leur argent de le faire travailler, contre rétribution, au service de ceux qui savent quoi en faire.

Ainsi, contrairement à ce que vous pourriez penser, l'endettement ne rend pas une société plus pauvre : la dette d'un individu constitue l'actif d'un autre, si bien que la richesse totale n'est pas affectée par la quantité de dette en cours. Au sens strict, cela ne vaut que pour l'économie mondiale dans son ensemble, pas pour un pays donné, et certains États ont une dette extérieure très supérieure à leurs actifs extérieurs. Mais malgré tout ce que vous avez pu entendre à propos d'emprunts faits à la Chine, les États-Unis ne sont pas dans ce cas : notre « bilan net des investissements internationaux », c'est-à-dire la différence entre notre actif et notre passif à l'étranger, n'est dans le rouge à hauteur « que » de 2,5 billions de dollars. Cela paraît beaucoup, mais ce n'est en fait pas si énorme dans le contexte d'une économie qui produit chaque année pour 15 billions de biens et de services. L'endettement des États-Unis s'est précipité depuis 1980, mais cette accélération ne nous a pas mis en délicatesse pour autant auprès du reste du monde.

Elle a quand même suffi à nous rendre vulnérables au type de crise qui a frappé en 2008.

De toute évidence, l'endettement excessif – quand les dettes sont trop élevées par rapport au revenu ou aux actifs – est un facteur de fragilisation quand les choses tournent mal. Une famille qui a acheté sa maison sans apport, par l'intermédiaire d'un crédit *in fine*, va boire la tasse et rencontrer de gros problèmes aussitôt que le marché immobilier passera à la baisse, ne serait-ce que très légèrement ; une famille qui a apporté 20 % et paye le principal depuis le premier jour a de bien meilleures chances de supporter une telle baisse du marché. Une entreprise contrainte de consacrer l'essentiel de sa trésorerie au remboursement d'une dette contractée par « LBO » (*leveraged buy-out*, acquisition par emprunt) risque assez vite de se trouver la tête sous l'eau si les ventes déclinent, alors qu'une entreprise sans dettes sera mieux armée pour traverser la tempête.

Ce qui est peut-être moins évident, c'est que lorsqu'un grand nombre de particuliers et d'entreprises sont fortement endettés, l'économie dans son ensemble est plus vulnérable si la conjoncture tourne mal. Parce qu'un fort niveau d'endettement fait subir le risque à l'économie d'entrer dans une spirale mortelle tout à fait particulière, où tout effort du débiteur pour se « désendetter », pour réduire sa dette, crée un environnement qui ne fait qu'aggraver son problème d'endettement.

Le grand économiste américain Irving Fisher a décrit ce cas de figure dans un célèbre article de 1933 intitulé « La théorie des grandes dépressions par la dette et la déflation » – un article qui, comme l'essai de Keynes cité en ouverture du chapitre 2, semble, archaïsmes de style mis à part, avoir été écrit ces jours-ci. Imaginons, dit Fisher, qu'un ralentissement de l'économie crée une situation dans laquelle beaucoup de débiteurs se voient dans l'obligation d'agir rapidement pour réduire leur dette. Ils peuvent « liquider », c'est-à-dire tenter de vendre les biens qu'ils possèdent, et/ou réduire leurs dépenses et employer leur revenu au remboursement de leur dette. Ces mesures sont susceptibles de fonctionner si les individus et les entreprises qui cherchent à réduire leur dette en même temps ne sont pas trop nombreux.

Mais lorsqu'un trop grand nombre d'acteurs de l'économie connaissent simultanément des problèmes de dette, leur effort collectif pour se sortir du pétrin sera contre-productif. Quand des millions de propriétaires immobiliers en difficulté cherchent à vendre leur maison pour rembourser leur emprunt – ou, en l'occurrence, si leur maison est saisie par les créanciers qui cherchent eux-mêmes à la revendre –, cela conduit à la chute des cours, ce qui met un plus grand nombre de propriétaires en péril et aboutit à davantage de saisies. Si les banques s'inquiètent de la quantité de dette espagnole ou italienne dans leurs livres de compte et décident de réduire leur exposition en vendant une partie de cette dette, le cours des obligations espagnoles et italiennes s'effondre – et cela met en danger la stabilité des banques, les obligeant à vendre encore plus d'actifs. Si le consommateur coupe dans ses dépenses pour payer sa dette de carte de crédit, l'économie s'effondre, les emplois disparaissent et le fardeau de la dette du consommateur s'alourdit encore. Et lorsque l'ensemble prend des proportions suffisamment importantes, c'est l'économie tout entière qui peut entrer en déflation – les prix chutent dans tous les domaines –, ce qui signifie que le pouvoir d'achat du dollar monte, et donc que le poids *réel* de la dette augmente même si la valeur en dollars des dettes baisse.

Irving Fisher l'a résumé d'une formule lapidaire, un peu triviale, mais qui dit bien l'essentiel : *plus le débiteur paye, plus il doit*. Il a montré que cette mécanique était celle qui avait sous-tendu la Grande Dépression – l'économie américaine était entrée en récession avec un niveau d'endettement inédit qui l'exposait à entrer dans une spirale baissière autoalimentée. Il est à peu près certain qu'il avait vu juste. Et je le redis, son article pourrait avoir été écrit aujourd'hui ; c'està-dire que la crise que nous connaissons actuellement obéit à un scénario similaire, même s'il est moins extrême.

Le moment Minsky

Je vais essayer de faire aussi bien que Fisher et son slogan lapidaire sur la déflation par la dette avec une formule sur l'état actuel de l'économie mondiale tout aussi imprécise, mais que j'espère évocatrice : à l'heure actuelle, *les débiteurs ne peuvent pas dépenser, et les créanciers ne veulent pas dépenser.*

Cette dynamique apparaît très clairement dans le comportement des gouvernements européens. Les pays débiteurs d'Europe, comme la Grèce et l'Espagne, qui ont beaucoup emprunté pendant les bonnes années précédant la crise (essentiellement pour financer de la dépense privée, pas publique, mais laissons cela de côté pour l'instant), sont tous confrontés à une crise budgétaire : ils ne peuvent plus emprunter d'argent du tout, ou alors à des taux d'intérêt extrêmement élevés. Ils sont jusqu'à présent parvenus à éviter de tomber à court de liquidités parce que, par divers moyens, les économies européennes plus fortes ont acheminé des prêts dans leur direction. Cette aide, toutefois, s'est assortie de contraintes : les gouvernements des pays débiteurs ont dû imposer des plans d'austérité brutaux, coupant les dépenses dans des domaines aussi fondamentaux que la santé.

Dans le même temps, les pays créditeurs n'ont pas compensé en augmentant leurs dépenses. En fait, pris à leur tour d'inquiétude envers les risques de l'endettement, ils se sont engagés eux aussi dans des programmes d'austérité, certes moins draconiens que ceux des pays débiteurs.

Voilà où en sont les gouvernements européens ; mais une dynamique similaire est en cours dans le secteur privé, aussi bien en Europe qu'aux États-Unis. Considérons par exemple les dépenses des ménages américains. Il n'est pas possible de retracer directement l'influence qu'ont eue les différents niveaux d'endettement sur ces dépenses, mais les économistes Atif Mian et Amir Sufi ont rassemblé des données locales, au niveau des comtés, sur l'endettement et la dépense concernant des produits tels que les maisons et les voitures – en Amérique le niveau d'endettement est extrêmement variable d'un comté à l'autre. Sans surprise, Mian et Sufi ont constaté dans les comtés à fort niveau d'endettement une baisse radicale des ventes de voitures et des constructions de maisons, qui a épargné les comtés faiblement endettés ; mais ces derniers n'achètent pas plus qu'ils ne le faisaient avant la crise, si bien que la demande globale a connu une chute.

Comme nous l'avons vu au chapitre 2, cette chute de la demande globale a entraîné une dépression de l'économie et un taux de chômage élevé.

Mais pourquoi cela survient-il aujourd'hui, et pas il y a cinq ou six ans ? Et comment les débiteurs ont-ils pu à l'origine s'enfoncer si profondément dans la dette ? C'est ici qu'intervient Hyman Minsky.

Minsky l'a bien montré, l'endettement – l'augmentation de la dette comparée au revenu ou aux actifs – est une chose formidable jusqu'au moment où elle devient terrible. Dans une économie en croissance, où les prix augmentent, notamment celui des biens immobiliers, l'emprunteur est généralement gagnant. On achète une maison sans quasiment aucun apport et l'on se retrouve quelques années plus tard avec une augmentation substantielle de sa participation, pour la simple raison que le cours de l'immobilier a monté. Un spéculateur acquiert des actions à découvert, le cours monte, et plus il a emprunté, plus son bénéfice est important.

Mais pourquoi les prêteurs consentent-ils à ce genre d'emprunt ? Parce que tant que l'ensemble de l'économie se porte assez bien, la dette n'apparaît pas très risquée. Prenons le cas du crédit immobilier. Il y a quelques années, des chercheurs de la Federal Reserve Bank de Boston ont examiné les causes déterminantes des cas de défaut de crédit, où l'emprunteur ne peut ou ne veut pas payer. Ils ont constaté que, tant que le prix de l'immobilier continue de grimper, même les emprunteurs qui ont perdu leur emploi ne manquent que rarement d'honorer leurs engagements ; ils n'ont qu'à vendre la maison et rembourser leur crédit. Le principe vaut pour de nombreuses catégories d'emprunteurs. Tant que rien de très grave n'arrive à l'économie, prêter n'est pas considéré comme très risqué.

Et c'est là que le bât blesse : tant que les niveaux d'endettement demeurent relativement bas, il y a toutes les chances que les accidents économiques demeurent rares et espacés.

De sorte qu'une économie ayant un faible taux d'endettement est une économie où la dette semble sûre, où le souvenir des effets négatifs qu'elle peut avoir s'estompe dans les brumes du passé. Au fil du temps, l'idée que la dette est sûre conduit au relâchement des critères de prêt ; les entreprises comme les familles s'habituent à emprunter et le niveau général d'endettement de l'économie s'élève.

Ce qui, bien entendu, prépare le terrain de la catastrophe future. Il y a dans cette séquence un « moment Minsky », selon l'expression de l'économiste Paul McCulley, du fonds obligataire Pimco. Ce moment est aussi parfois dit « du vil coyote », en référence au personnage de dessin animé qui poursuit sa course au-dessus de la falaise en restant suspendu en l'air jusqu'au moment où il regarde en bas – et que, conformément aux lois de la physique du dessin animé, il tombe alors.

Une fois que les niveaux d'endettement sont suffisamment élevés, tout peut déclencher le moment Minsky – une récession ordinaire, l'éclatement d'une bulle immobilière et ainsi de suite. La cause immédiate importe peu ; ce qui compte, c'est que les prêteurs redécouvrent le risque de la dette, le débiteur est forcé d'entreprendre son désendettement, et la spirale dette-déflation de Fisher est amorcée.

Examinons à présent quelques chiffres. Le graphique de la page 67 représente la dette des ménages en pourcentage du PIB. Je divise par le PIB, le revenu total de l'économie, parce que ce chiffre comprend le réajustement correspondant à l'inflation et à la croissance économique ; la dette des ménages était en 1955 à peu près quatre fois supérieure en dollars à celle de 1929, mais grâce à l'inflation et la croissance, elle était très inférieure en termes économiques.

Signalons aussi que les données ne sont pas parfaitement homogènes dans la durée. On a une série de chiffres pour la période 1916-1976 ; une autre, qui pour des raisons techniques présente des valeurs un peu inférieures, s'étend de 1950 à nos jours. J'ai choisi de montrer les deux, chevauchement compris, car je pense qu'elles offrent une vision du phénomène dans le temps.

Évolution de la dette des ménages

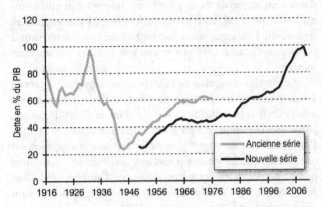

Les ménages américains ont réduit le fardeau de leur dette pendant la Seconde Guerre mondiale, préparant ainsi le retour à la prospérité, mais les niveaux d'endettement ont de nouveau explosé après 1980, ce qui a semé les germes de la crise actuelle.

Source : *Historical Statistics of the United States*, millenial ed. (Oxford University Press), et Federal Reserve Board.

Et quel phénomène ! La hausse impressionnante du rapport dette/PIB qui survient entre 1929 et 1933 illustre bien la théorie de Fisher sur la déflation par la dette : la dette n'était pas galopante, mais le PIB a plongé, car, en cherchant à se désendetter, les débiteurs ont créé un mélange de dépression et de déflation qui n'a fait qu'aggraver leur problème. La reprise du New Deal, pour imparfaite qu'elle fut, a ramené le rapport d'endettement à peu près à son niveau initial.

C'est alors qu'est survenue la Seconde Guerre mondiale. Pendant le conflit, quasiment aucun nouveau prêt n'a été consenti au secteur privé, même lorsque les revenus et les prix ont monté. À la fin de la guerre, le niveau de la dette privée était très faible par rapport aux revenus, ce qui a permis à la demande du privé de monter en flèche aussitôt qu'ont pris fin le rationnement et les restrictions de l'économie de guerre. Beaucoup d'économistes (et un certain nombre d'hommes d'affaires) s'attendaient à voir l'Amérique retomber dans la dépression au sortir de la guerre. En fait, on a assisté à une explosion de la dépense privée, notamment par l'acquisition de nouvelles maisons, qui a fait ronronner l'économie jusqu'à ce que la Grande Dépression ne soit plus qu'un souvenir lointain.

Et cet oubli progressif de la Dépression a préparé le terrain à une hausse extraordinaire de l'endettement, amorcée vers 1980. Oui, cela coïncide avec l'élection de Ronald Reagan, parce que la politique a joué son rôle. Si la dette s'est remise à monter, c'est en partie parce que prêteurs et emprunteurs ont oublié que les choses pouvaient mal tourner, mais aussi parce que politiciens et supposés experts l'avaient oublié eux aussi, ce qui les a conduits à supprimer les régulations financières introduites dans les années 1930.

Alors, évidement, les choses ont de nouveau mal tourné. Cela n'a pas seulement engendré une crise économique, mais une crise économique d'un type particulier, où les mesures apparemment sensées que prennent les responsables politiques sont très précisément ce qu'il ne faut pas faire.

L'économie de l'autre côté du miroir

Quand on prend le temps d'écouter ce que des gens apparemment sérieux ont à dire de l'état actuel de l'économie – et c'est bien en cela que consiste mon rôle d'expert –, on finit par distinguer l'un des principaux problèmes qu'ils rencontrent : ils utilisent des métaphores incorrectes. Ils perçoivent l'économie américaine comme s'il s'agissait d'une famille frappée par l'adversité, dont les revenus diminuent pour des raisons échappant à son contrôle et accablée par une dette trop importante par rapport à ce qu'elle gagne. Et pour remédier à cette situation, ils prescrivent un régime de vertu et de prudence : il faut se serrer la ceinture, réduire les dépenses, rembourser une partie de la dette, faire baisser les coûts.

Mais la crise actuelle n'est pas de ce type-là. Nos revenus sont faibles précisément parce que nous dépensons trop peu, et continuer de couper dans nos dépenses ne fera que déprimer l'économie encore plus. Nous avons bien un problème d'excès d'endettement, mais il ne s'agit pas d'argent que nous devons à un agent extérieur ; nous nous le devons les uns aux autres, ce qui change tout. Quant à diminuer les coûts, soit, mais par rapport à qui ? Si tout le monde cherche à diminuer les coûts, cela ne fera qu'aggraver les choses.

Nous sommes, pour simplifier, provisoirement passés de l'autre côté du miroir. L'effet combiné de la trappe à liquidité – même à zéro, les taux d'intérêt ne sont pas assez bas pour rétablir le plein-emploi – et de l'excès d'endettement nous a fait atterrir dans un monde de paradoxes, un monde où la vertu devient le vice et la prudence devient folie, et où ce qu'exigent de nous les gens sérieux ne fait qu'aggraver la situation.

Quels sont ces paradoxes ? L'un d'eux, le « paradoxe de l'épargne », était communément enseigné dans les cours d'introduction à l'économie, mais il a perdu de son prestige à mesure que s'est effacé le souvenir de la Grande Dépression. Voici ce qu'il dit : supposons que tout le monde se mette en même temps à vouloir épargner davantage. On pourrait s'attendre à voir ce désir se traduire par une hausse de l'investissement – dans les nouvelles usines, les immeubles de bureaux, les centres commerciaux et ainsi de suite – qui accroîtrait notre richesse future. Mais dans une économie déprimée, la seule chose qui se produit quand tout le monde cherche à épargner davantage (et donc à dépenser moins), c'est que les revenus baissent et que l'économie ralentit. Et comme cette dernière se déprime encore plus, les entreprises investissent moins, pas plus : en cherchant à économiser davantage à titre individuel, les consommateurs finissent par économiser moins en tant que collectivité.

Le paradoxe de l'épargne, tel qu'on le définit habituellement, n'est pas nécessairement conditionné à un excès d'emprunt hérité du passé, même si c'est ainsi qu'on arrive en pratique à une économie continuellement déprimée. Mais l'endettement excessif donne lieu à deux autres paradoxes liés l'un à l'autre.

Il y a d'abord le « paradoxe du désendettement », que nous avons déjà rencontré sous une forme concise dans la formule lapidaire de Fisher selon laquelle plus le débiteur paye, plus il doit. Un monde où une part importante des individus et/ou des entreprises, tous ensemble, cherche à réduire son endettement est un monde où les revenus et la valeur des actifs s'effondrent, où les problèmes d'endettement tendent à s'aggraver plutôt qu'à s'atténuer.

Vient ensuite le « paradoxe de la flexibilité », qui apparaît plus ou moins implicitement dans l'essai de Fisher, mais dont on doit à ma connaissance la version moderne à l'économiste Gauti Eggertsson de la Fed de New York. Voici ce dont il s'agit : d'ordinaire, quand on a du mal à vendre quelque chose, la solution consiste à en baisser le prix. Il paraît donc naturel de supposer que la solution au chômage de masse réside dans la baisse des salaires. D'ailleurs, les économistes conservateurs affirment souvent que Roosevelt n'a fait que retarder la reprise économique dans les années 1930 parce que les politiques de relance de l'emploi du New Deal ont provoqué l'augmentation des salaires alors que ces derniers auraient dû baisser. Et l'on entend souvent dire aujourd'hui que ce qu'il nous faut, c'est davantage de « flexibilité » de l'emploi – un euphémisme pour désigner la baisse des salaires.

Mais s'il est possible qu'un individu multiplie ses chances de trouver du travail en acceptant un salaire plus bas, parce que cela le rend plus attractif que d'autres, la baisse généralisée des salaires laisse tout le monde au même point, à un détail près : elle réduit les revenus de chacun, tandis que le niveau de la dette demeure inchangé. Si bien qu'une plus grande flexibilité dans les salaires (et les prix) ne ferait qu'aggraver les choses.

Certains lecteurs se seront à ce stade peut-être déjà dit ceci : si, comme je viens de l'expliquer, les actions qui passent habituellement pour vertueuses et prudentes nous désavantagent dans la situation actuelle, ne devrions-nous pas faire le contraire ? La réponse, en gros, est oui. Quand un grand nombre de débiteurs s'efforcent d'épargner davantage et de rembourser une partie de leur dette, il est important que *quelqu'un* fasse l'inverse, qu'il dépense plus et réalise des emprunts – ce quelqu'un tout désigné étant l'État. On aboutit donc par un autre chemin à l'argument keynésien de la dépense publique comme réaction nécessaire au type de crise que nous affrontons actuellement.

Quant à l'argument selon lequel la chute des salaires et des prix ne fait qu'aggraver la situation, revient-il à dire qu'une augmentation des salaires et des prix l'améliorerait, que l'inflation serait en vérité une chose utile ? Oui, on peut le dire, parce que l'inflation réduirait le poids de la dette (entre autres effets utiles que nous aborderons plus loin). Plus généralement, des politiques visant d'une façon ou d'une autre à réduire le poids de la dette, comme les allègements fiscaux pour encourager les prêts immobiliers, peuvent et doivent faire partie du dispositif qui nous sortira durablement de la dépression.

Mais nous allons un peu vite en besogne. Avant d'en venir aux détails d'une stratégie de reprise, je voudrais consacrer les quelques chapitres qui suivent à analyser plus à fond ce qui au départ nous a conduits dans cette crise.

Chapitre 4

LES BANQUIERS SE DÉCHAÎNENT

La récente réforme de la régulation, associée à certaines technologies novatrices, a stimulé l'élaboration de produits financiers tels que les titres adossés à des actifs, les obligations structurées adossées à des prêts et les dérivés sur événement de crédit (CDS), qui permettent une meilleure dispersion du risque…

Ces instruments de plus en plus complexes ont contribué à la création d'un système financier bien plus flexible, efficace et donc plus résilient que celui qui existait voici à peine un quart de siècle.

Alan Greenspan, 12 octobre 2005.

En 2005, Alan Greenspan passait encore pour un maestro, une sorte de grand oracle diffusant la sagesse économique. Et ses commentaires sur le merveilleux processus par lequel la finance moderne avait accouché d'une nouvelle ère de stabilité étaient censés refléter cette sagesse. Les sorciers de Wall Street, disait Greenspan, avaient définitivement chassé le spectre des grandes perturbations financières du passé.

En relisant ses propos aujourd'hui, on est frappé de l'application qu'a mis Greenspan à se tromper. Les innovations financières qu'il désigne comme source de stabilité sont précisément – *très précisément* – celles qui moins de trois ans plus tard précipiteraient le système financier au bord de l'effondrement. On sait aujourd'hui que la vente de « titres adossés à des actifs » – qui constituent fondamentalement la possibilité pour les banques de vendre des paquets d'hypothèques et d'autres types de crédit à des investisseurs mal informés au lieu de les conserver dans leurs bilans – a favorisé l'octroi de prêts à tout va. Les obligations adossées à des prêts – obtenues par la réduction de dettes douteuses en tranches, en dés et en purée – ont dans un premier temps été notées AAA, ce qui n'a pas manqué d'attirer encore les investisseurs crédules, mais dès que les choses ont commencé à mal tourner, ces actifs ont reçu l'appellation commune de « déchets toxiques ». Quant aux Credit Default Swaps (dérivés sur événement de crédit), ils ont permis aux banques de faire croire que leurs investissements étaient sûrs parce que quelqu'un les avait garantis contre toute perte ; quand les choses se sont gâtées, il est apparu très clairement que les assureurs, notamment l'entreprise AIG, étaient loin d'avoir l'argent pour honorer leurs engagements.

Il faut dire que Greenspan n'était pas tout seul à se bercer d'illusions. À la veille de la crise, le débat autour du système financier, tant aux États-Unis qu'en Europe, se distinguait par son extraordinaire complaisance. Les rares économistes qui se sont inquiétés des niveaux qu'atteignait l'endettement et de la décontraction croissante affichée à l'égard du risque ont été marginalisés, parfois raillés.

Et cette marginalisation s'est fait sentir aussi bien dans le secteur privé que dans la politique publique : petit à petit, les règles et dispositifs de régulation mis en place dans les années 1930 pour nous prémunir contre les crises bancaires ont été démantelés.

Banquiers en folie

Je ne sais pas ce que nous prépare le gouvernement. Au lieu de protéger les businessmen, il met son nez dans les affaires ! Voilà même qu'on parle de nommer des contrôleurs bancaires. Comme si nous, banquiers, ne savions pas conduire nos propres établissements ! J'ai à la maison la lettre d'un olibrius de l'État annonçant qu'ils vont vérifier mes livres de comptes. J'ai un slogan qu'il faudrait imprimer en première page de tous les journaux du pays : L'Amérique aux Américains ! L'État ne doit pas se mêler de nos affaires ! Baissez les impôts ! Notre dette nationale est choquante. Plus d'un milliard de dollars par an ! Ce qu'il faut à ce pays, c'est un homme d'affaires à la Maison-Blanche !

Gatewood, le banquier dans
La Chevauchée fantastique (1939).

Comme les autres répliques que j'ai été puiser dans le répertoire des années 1930, la diatribe du banquier dans le classique de John Ford *La Chevauchée fantastique* semble avoir été prononcée hier – exception faite de l'emploi du terme « olibrius ». Ce qu'il faut savoir, au cas où vous n'auriez jamais vu le film (une lacune à combler absolument), c'est que Gatewood est en vérité un escroc. S'il se trouve avec les autres dans la diligence, c'est parce qu'il a détourné les fonds de sa banque et qu'il fuit la ville.

John Ford ne portait manifestement pas les banquiers en très haute estime. Et en 1939, tout le monde pensait comme lui. L'expérience des décennies précédentes, et plus particulièrement la vague de faillites bancaires qui avait balayé l'Amérique en 1930-31, avait suscité à la fois une perte de confiance généralisée et la demande d'une régulation plus stricte. Certaines des réglementations imposées dans les années 1930 sont encore en vigueur aujourd'hui, et elles expliquent que l'on n'ait pas beaucoup vu de paniques bancaires au cours de cette crise. D'autres, cependant, ont été démantelées dans les années 1980 et 1990. Tout aussi grave, les textes restants n'ont jamais été mis à jour pour accompagner l'évolution d'un système financier en mutation. La dérégulation associée à l'incapacité d'actualiser les règles en vigueur ont joué un rôle important dans la hausse brutale de la dette et la crise qui s'est ensuivie.

Commençons par évoquer la fonction des banques, et les raisons qui rendent nécessaire leur régulation.

Le métier de banquier tel que nous le connaissons aujourd'hui est presque un accident de l'histoire, une conséquence inattendue d'un métier tout à fait différent : l'orfèvrerie. Du fait de la grande valeur de leur matière première, les orfèvres possédaient depuis toujours des coffres-forts très solides, résistants au vol. Certains se sont mis à louer l'usage de ces coffres : les individus qui possédaient de l'or sans disposer d'un lieu sûr pour le conserver le confiaient à l'orfèvre contre un ticket les autorisant à le retirer quand ils le souhaitaient.

Deux choses intéressantes se sont alors produites. D'abord, les orfèvres ont découvert qu'ils n'étaient pas vraiment obligés de conserver tout cet or dans leurs coffres. Les chances étant assez faibles de voir la totalité des déposants réclamer en même temps le leur, il n'y avait (généralement) pas de risque à prêter une bonne partie de l'or et n'en conserver qu'une fraction en réserve. Ensuite, les tickets correspondant à l'or déposé se sont mis à circuler comme une forme de monnaie ; au lieu de payer quelqu'un en pièces d'or, il suffisait de lui transférer la propriété d'une partie de celles que l'on avait déposées auprès d'un orfèvre, si bien que le morceau de papier correspondant à ces pièces a acquis, d'une certaine façon, valeur d'or.

Et voilà ce qu'est la banque. Les investisseurs se trouvent généralement face à un arbitrage entre les *liquidités* – la possibilité de mettre rapidement la main sur des fonds – et *le rendement*, qui permet de faire de l'argent avec de l'argent. Les espèces dans votre poche sont parfaitement liquides ; un investissement dans une start-up prometteuse, par exemple, vous rétribue joliment si tout va bien, mais ne peut être facilement converti en argent comptant en cas d'urgence financière. Ce que font les banques, c'est précisément vous prémunir en partie de la nécessité d'arbitrer entre liquidité et rendement. Une banque garantit à ses déposants la liquidité (ils peuvent retirer des fonds quand ils le souhaitent) mais fait fructifier la plupart de ces fonds pour en tirer des bénéfices, en prêtant aux particuliers (pour des achats immobiliers) ou aux entreprises.

Jusqu'ici, tout va bien – et la banque est une très bonne chose, pas seulement pour les banquiers, mais pour l'économie tout entière, le plus souvent. De temps à autre, toutefois, la pratique bancaire peut très mal tourner, car l'ensemble de l'édifice repose sur le fait que les déposants ne voudront pas retirer leurs fonds tous en même temps. Si pour quelque raison, tous les déposants, ou au moins un grand nombre d'entre eux, décidaient de retirer leurs fonds simultanément, la banque se trouverait confrontée à un problème grave : elle n'aurait pas le liquide sous la main, et si elle cherchait à en obtenir rapidement en revendant ses prêts et autres actifs, elle devrait le faire au rabais – et risquer la banqueroute dans la manœuvre.

Qu'est-ce qui pourrait conduire une part importante des déposants d'une banque à tenter de retirer leurs fonds au même moment ? Mais pardi, la peur que la banque fasse faillite, peut-être parce que tant de déposants cherchent à en sortir.

Voilà pourquoi le risque de panique est inhérent à l'activité bancaire : la perte brutale de confiance alimente les paniques à la manière d'une prophétie autoréalisatrice. Qui plus est, les paniques bancaires sont souvent contagieuses, à la fois parce que la panique touche par ricochet les autres banques, mais aussi parce que les ventes à perte des actifs d'une banque en difficulté font baisser le prix des actifs des autres banques, baisse qui peut conduire ces dernières au même type de difficultés financières.

Certains lecteurs l'auront peut-être remarqué, il y a claire-ment un air de famille entre la logique des paniques bancaires – en particulier si elles sont contagieuses – et celle du moment Minsky, où tout le monde cherche en même temps à réduire sa dette. La principale différence, c'est que l'écono-mie dans son ensemble ne connaît que rarement des niveaux d'endettement susceptibles de rendre possible un moment Minsky, alors que pour les banques, il est *normal* que l'endet-tement soit suffisant pour qu'une perte de confiance devienne une prophétie autoréalisatrice. La possibilité de panique est donc bien plus ou moins inhérente à la nature des banques.

Avant les années 1930, il y avait essentiellement deux façons de réagir au problème des paniques bancaires. D'abord, les banques elles-mêmes s'efforçaient d'avoir l'air aussi solides que possible, à la fois en apparence – c'est la raison pour laquelle elles occupaient si souvent d'imposants immeubles de marbre – et par une prudence extrême dans les actes. Au XIXe siècle, les banques affichaient souvent un « coefficient de liquidité » de 20 ou 25 % – c'est-à-dire que la valeur de leurs dépôts ne représentait que 75 à 80 % de celle de leurs actifs. Cela signifie qu'une banque du XIXᵉ siècle pouvait perdre jusqu'à 20 ou 25 % de l'argent qu'elle avait prêté et rembourser intégralement ses déposants malgré tout. À titre comparatif, à la veille de la crise de 2008, de nombreuses institutions financières n'avaient de capital pour garantir que quelques points de pourcentage de leurs actifs, si bien que même des pertes légères pouvaient « faire sauter la banque ».

Ensuite, on s'est donné la peine de créer des « prêteurs en dernier ressort » – des institutions capables d'avancer les fonds aux banques saisies de panique, assurant le remboursement des déposants et conséquemment la fin de la panique. En Grande-Bretagne, c'est au XIXᵉ siècle que la Bank of England a assumé cette fonction. Aux États-Unis, la panique de 1907 fut contenue par une intervention ad hoc organisée par J. P. Morgan, et la conscience qu'on ne pourrait pas toujours compter sur la présence de J. P. Morgan a conduit à la création de la Réserve fédérale.

Mais dans les années 1930, ces dispositifs traditionnels se sont avérés gravement lacunaires, conduisant le Congrès à intervenir. Pour protéger l'économie des crues financières, la loi Glass-Steagall de 1933 (et des textes équivalents dans d'autres pays) a mis en place ce qui revenait en fait à un système de digues. Et pendant près d'un demi-siècle, ce système a plutôt bien fonctionné.

D'un côté, Glass-Steagall a créé la Federal Deposit Insurance Corporation (FDIC), qui garantissait (et continue de le faire) les déposants contre toute perte si leur banque venait à faire faillite. Si jamais vous avez vu le film *La vie est belle*, où la banque de James Stewart subit une crise de panique, peut-être serez-vous intéressé de savoir que la scène est parfaitement anachronique : à l'époque où cette panique est censée se produire, au sortir de la Seconde Guerre mondiale, les dépôts étaient déjà assurés, et les paniques à l'ancienne appartenaient au passé.

De l'autre côté, la loi Glass-Steagall posait des limites aux risques que pouvait prendre une banque. Cette mesure était rendue particulièrement nécessaire par l'institution de la garantie des dépôts, qui aurait pu créer un immense « aléa moral ». C'est-à-dire qu'elle aurait pu donner lieu à une situation où les banquiers auraient été libres de lever beaucoup d'argent sans qu'aucune question ne leur soit posée – merci la garantie publique ! – puis de placer cet argent dans des investissements à haut risque, aux enjeux élevés, bien conscients que pile, ils gagneraient et face, le contribuable perdrait. L'une des premières catastrophes de la dérégulation, parmi beaucoup d'autres, s'est produite dans les années 1980, quand les caisses d'épargne et de crédit ont fait la démonstration, et de belle façon, que ce type de petit jeu aux frais du contribuable était bien plus qu'une simple possibilité théorique.

Les banques ont donc été assujetties à un certain nombre de règles visant à les empêcher de jouer avec les fonds du déposant. Plus particulièrement, toute banque acceptant des dépôts devait se borner à faire des prêts ; on ne pouvait pas utiliser les fonds des déposants pour spéculer en bourse ou sur le cours des matières premières, et l'on ne pouvait même pas héberger ce type d'activité spéculative sous le même toit institutionnel. La loi séparait donc très nettement la banque ordinaire, l'activité pratiquée par des établissements comme la Chase Manhattan, de la « banque d'investissement », l'activité du type de celle de Goldman Sachs et ses semblables.

Grâce à la garantie des dépôts, je l'ai dit, les pratiques bancaires antérieures sont devenues une chose du passé. Et grâce à la régulation, les banques sont devenues beaucoup plus précautionneuses dans leurs prêts qu'elles ne l'avaient été avant la Grande Dépression. Cela a donné ce que Gary Gorton, de Yale, a appelé « la période tranquille », une longue phase de relative stabilité et d'absence de crise financière.

Tout cela, toutefois, est entré en mutation en 1980.

Cette année-là, comme vous le savez, Ronald Reagan a été élu président des États-Unis, ce qui a initié un grand basculement à droite de la politique américaine. Mais d'une certaine façon, l'élection de Reagan ne faisait que formaliser un changement d'attitude à l'égard de l'intervention de l'État déjà largement entamé pendant le mandat de Jimmy Carter. Carter a mis en œuvre la dérégulation des compagnies d'aviation, qui a transformé la façon de voyager des Américains, celle du transport routier, qui a transformé la distribution des marchandises, ainsi que celles du pétrole et du gaz naturel. Ces mesures, soit dit en passant, ont rencontré l'approbation quasi universelle des économistes, à l'époque comme aujourd'hui : il n'y a vraiment pas de raison que l'État décide du prix des billets d'avion ou des tarifs du transport routier, et l'intensification de la concurrence dans ces secteurs a entraîné d'importants gains d'efficacité.

Si l'on considère l'esprit qui régnait alors, il n'est pas étonnant que la finance ait été à son tour soumise à dérégulation. L'un des plus grands pas dans cette direction a été accompli à nouveau sous Carter, qui a fait adopter le Monetary Control Act de 1980, levant l'interdiction faite aux banques de verser des intérêts sur un grand nombre de types de dépôt. Reagan lui a emboîté le pas avec le Garn-St. Germain Act de 1982, qui a assoupli les restrictions sur le type de prêts que les banques pouvaient consentir.

Malheureusement, la banque n'est pas le transport routier, et l'effet de la dérégulation n'a pas tant promu l'efficacité que la prise de risque. Laisser les banques se faire concurrence en offrant des intérêts sur les dépôts semblait être une bonne affaire pour le consommateur. Mais cela a progressivement fait de la banque un milieu où ne survit que le plus téméraire, car seuls ceux qui étaient disposés à consentir des prêts douteux étaient en mesure d'offrir au déposant un taux compétitif. La levée des restrictions sur les taux d'intérêt praticables par les banques a rendu les prêts à risque plus attrayants, car les banquiers ont pu prêter aux clients qui promettaient de payer beaucoup – mais risquaient aussi de ne pas honorer leurs engagements. Les perspectives pour la haute voltige financière se sont encore améliorées quand les règles n'autorisant l'exposition qu'à certains secteurs d'activité ou aux emprunteurs individuels ont été assouplies.

Ces changements ont provoqué une forte recrudescence des prêts, et une aggravation du risque qu'ils comportaient, puis, à peine quelques années plus tard, ils ont provoqué de gros ennuis dans le secteur bancaire – exacerbés par le fait que certaines banques finançaient leurs prêts en empruntant à d'autres banques.

Et la tendance à la dérégulation n'a pas pris fin avec le départ de Reagan. Un nouvel assouplissement sensible des règles s'est produit sous le mandat du président démocrate suivant : Bill Clinton a porté le dernier coup à la régulation de l'ère de la Grande Dépression en supprimant les dispositions de la loi Glass-Steagall qui séparaient la banque commerciale de la banque d'investissement.

On peut dire, toutefois, que les modifications apportées à la régulation ont eu moins de conséquences que ce qui est resté intouché – les règles existantes n'ont pas été mises à jour pour s'adapter au changement de nature de l'activité bancaire.

Car en fin de compte, en quoi consiste cette activité ? Traditionnellement, la banque était une institution de dépôt, un endroit où l'on déposait de l'argent à un guichet et d'où l'on pouvait le retirer à loisir, au même guichet. Mais du point de vue de l'économie, une banque est toute institution qui emprunte court et prête long, qui promet aux clients d'accéder facilement à leurs fonds, même si elle utilise l'essentiel de ces fonds pour effectuer des investissements qui ne sont pas rapidement convertibles en espèces. Les établissements de dépôt – ces grands édifices de marbre avec leurs rangées de guichets – sont le moyen traditionnel d'accomplir cela. Mais il y a d'autres façons de procéder.

Il y a évidemment les fonds de placement monétaire, qui n'ont pas d'existence physique comme les banques et n'apportent pas littéralement d'espèces (vous savez, ces morceaux de papier vert où figure le portrait d'un président mort), mais qui fonctionnent en grande mesure comme des comptes courants. Les entreprises à la recherche d'un lieu où

entreposer leurs espèces recourent souvent à la « mise en pension », par laquelle des emprunteurs comme Lehman Brothers empruntent de l'argent pour de très courtes périodes
– souvent du soir au matin – avec pour <u>nantissement</u> des
actifs tels que des titres adossés à des créances immobilières ;
ils emploient l'argent ainsi levé pour acheter encore plus de
ces actifs. Et il existe encore d'autres montages, comme les
« ARS » (*auction rate securities* ou obligations à taux par adju-
dication, ne me demandez pas de vous en expliquer le fonctionnement), qui une fois encore remplissent essentiellement les
mêmes fonctions que les banques ordinaires, sans être soumis
aux mêmes règles.

Cet ensemble de façons alternatives de pratiquer l'activité
bancaire a fini par être désigné sous l'expression « système
bancaire fantôme ». Il y a trente ans, le système bancaire fantôme ne constituait qu'une faible part du système financier ;
l'activité bancaire se déroulait réellement aux guichets des
grands immeubles de marbre. En 2007, toutefois, le système
bancaire fantôme était devenu plus important que la banque
traditionnelle.

Ce qui est apparu clairement en 2008 – et que l'on aurait
dû percevoir bien plus tôt –, c'est que les banques fantômes
présentent les mêmes risques que les banques conventionnelles. Comme les institutions de dépôt, elles sont hautement
endettées ; comme les établissements traditionnels, elles peuvent s'effondrer à la suite de paniques autoréalisatrices. Alors
quand le système bancaire fantôme s'est mis à prendre de
l'importance, il aurait fallu le soumettre à des règles similaires
à celles qui régissaient les banques traditionnelles.

Mais compte tenu du tempérament politique de l'époque,
il n'y avait guère de chances que cela se produise. On a laissé
se développer la banque fantôme sans intervenir – et c'est
précisément parce qu'elle avait le droit de prendre plus de
risques que les établissements traditionnels qu'elle a grandi
aussi vite.

Sans surprise, les banques conventionnelles n'ont pas voulu
être en reste, et dans un système politique de plus en plus

dominé par l'argent, elles ont obtenu gain de cause. La séparation obligatoire imposée par la loi Glass-Steagall entre la banque de dépôt et celle d'investissement a été supprimée en 1999 à la demande spécifique de Citicorp, société mère de Citibank, qui voulait fusionner avec Travelers Group, une entreprise s'occupant d'investissement, pour constituer Citigroup.

Cela a donné lieu à un système de plus en plus dérégulé où les banques étaient libres de se laisser aller à l'excès de confiance auquel avait donné lieu la période tranquille. La dette a explosé, le risque s'est démultiplié et les germes de la crise étaient semés.

Le grand mensonge

J'entends vos réclamations. Certaines n'ont aucun fondement. Ce ne sont pas les banques qui ont provoqué la crise du crédit immobilier. C'est clairement et simplement le Congrès, qui a forcé tout le monde à aller distribuer des crédits immobiliers à des gens qui étaient très limite. Maintenant, je ne suis pas en train de dire que c'était une mauvaise politique, parce que beaucoup de ceux qui ont pu obtenir une maison l'ont conservée, et qu'ils ne l'auraient pas eue sans cela.

Mais ce sont eux [les membres du Congrès] qui ont poussé Fannie et Freddie à accorder tout un tas de prêts qui étaient imprudents. Ce sont eux qui ont poussé les banques à prêter à tout le monde. Et maintenant on voudrait s'en prendre aux banques parce qu'elles constituent une cible unique, c'est facile de leur faire des reproches et le Congrès ne va évidemment pas s'en prendre à lui-même. Dans le même temps, le Congrès fait pression sur les banques pour qu'elles assouplissent leurs critères et accordent davantage de crédits. C'est exactement pour ce genre de discours qu'on les a critiqués.

Michael Bloomberg, maire de New York,
à propos des manifestations *Occupy Wall Street*.

L'histoire de complaisance et de dérégulation que je viens de raconter est, dans les faits, celle qui s'est déroulée dans la période précédant la crise. Mais peut-être en avez-vous entendu une autre – celle qu'esquisse Michael Bloomberg dans la citation ci-dessus. Selon cette version, l'accroissement de la dette serait imputable aux progressistes bien-pensants et aux organismes publics, qui auraient forcé les banques à prêter aux acquéreurs issus des minorités et subventionné des crédits immobiliers douteux. Cette autre histoire, qui accable l'État, est un dogme de la droite. Aux yeux de la plupart des républicains, en fait quasiment tous, c'est une vérité qui ne se discute pas.

Or, cette histoire n'est pas vraie, bien sûr. Pour Barry Ritzhold, gestionnaire de fonds et animateur de blog qui n'est pas particulièrement versé en politique mais a l'œil pour déceler les arnaques, il s'agit là du Grand Mensonge de la crise financière.

Comment savons-nous que le Grand Mensonge en est un ? Les preuves se répartissent en deux grandes catégories.

D'abord, toute explication qui met l'explosion du crédit sur le compte du Congrès américain et de son supposé désir de voir les familles à faible revenu accéder à la propriété se heurte au fait dérangeant que les booms du crédit et la bulle immobilière ont été extrêmement répandus, ils ont touché de nombreux marchés et actifs sans aucun rapport avec les emprunteurs à faible revenu. Il y a eu des bulles immobilières et des explosions du crédit en Europe ; il y a eu une flambée des prix, suivie de défauts de paiement et de pertes après l'éclatement de la bulle, dans l'immobilier commercial ; au sein même des États-Unis, les cas les plus visibles d'expansion suivie d'éclatement ne se sont pas produits dans les quartiers populaires des villes, mais dans les faubourgs aisés de la proche et grande banlieue.

Ensuite, dans leur grande majorité, les prêts à risque ont été consentis par des prêteurs privés – et notamment des prêteurs privés bénéficiant d'une réglementation très souple. Plus particulièrement, les prêts subprime – les prêts immobiliers accordés à des emprunteurs dont le profil ne répond pas aux critères habituels de prudence – ont dans leur immense majorité été consentis par des firmes privées qui n'étaient pas couvertes par le Community Reinvestment Act, une loi censée encourager les prêts aux membres des minorités, ni supervisées par Fannie Mae et Freddie Mac, les organismes parrainés par l'État chargés de stimuler le crédit immobilier. En fait, durant l'essentiel de la bulle immobilière, Fannie et Freddie ont rapidement perdu leur part de marché, parce que les prêteurs privés ont accepté les clients dont ne voulaient pas les organismes publics. Freddie Mac s'est bien mis à acheter des subprimes aux émetteurs de prêts à un stade déjà avancé de la crise, mais il a clairement été en cela un suiveur, pas un meneur.

Cherchant à réfuter ce dernier point, les analystes des groupes de réflexion de la droite – notamment Edward Pinto, de l'American Enterprise Institute – ont produit des données montrant que Fannie et Freddie avaient financé un grand nombre de crédits immobiliers « subprime ainsi que d'autres prêts à haut risque », mêlant les prêts à des emprunteurs dont les notes n'étaient pas excellentes à ceux consentis à des emprunteurs qui ne remplissaient pas strictement les critères d'emprunt. Le lecteur qui n'y connaît pas grand-chose est porté à croire que Fannie et Freddie se seraient profondément impliqués dans la promotion des prêts immobiliers à haut risque. Mais ils ne l'ont pas fait, et il s'avère à l'examen que les « autres prêts à haut risque » n'étaient pas à si haut risque que cela, leurs taux de défaut de paiement étant largement inférieurs à ceux des prêts subprime.

Je pourrais continuer ainsi, mais je pense que vous avez compris. La tentative de faire porter au gouvernement le chapeau de la crise financière ne résiste pas à l'examen même expéditif des faits, et la manœuvre visant à contourner ces faits sent l'imposture à plein nez. Ce qui conduit à s'interroger : pourquoi les conservateurs veulent-ils à ce point croire et faire croire que c'est l'œuvre du gouvernement ?

La réponse immédiate est évidente : croire n'importe quoi d'autre reviendrait à admettre que leur mouvement politique fait fausse route depuis plusieurs décennies. Le conservatisme moderne est tout entier voué à l'idée que le marché sans entraves et la recherche sans limites du profit et du bénéfice personnel sont les clés de la prospérité – et que le rôle considérable échu à l'État après la Grande Dépression n'a fait que du tort. L'histoire qui pourtant se fait jour est celle de l'accession au pouvoir des conservateurs qui se sont consacrés au démantèlement d'un grand nombre des protections nées de la Dépression – et l'économie a plongé dans une seconde dépression, pas aussi grave que la première, mais grave quand même. Les conservateurs ont grand besoin de noyer cette histoire embarrassante sous leurs explications, de forger un récit dans lequel c'est le gouvernement, pas l'absence de gouvernement, qui tient le mauvais rôle.

Mais cela ne fait d'une certaine manière que déplacer la question. Comment l'idéologie conservatrice, la croyance que le gouvernement est toujours le problème, pas la solution, a-t-elle pu prendre tant d'emprise sur le discours politique ? Répondre à cette question est un peu plus difficile qu'il y paraît.

Les années pas-si-bonnes-que-ça

De tout ce que j'ai dit, on pourrait déduire que l'histoire économique des États-Unis jusqu'aux environs de 1980 était celle d'une prospérité illusoire, d'une belle époque qui a montré son vrai visage le jour où la bulle de la dette a éclaté, en 2008. Et ce n'est pas totalement faux. Mais cela demande à être nuancé, parce qu'à vrai dire, même la belle époque n'a pas été si belle que cela, et ce sur différents plans.

D'abord, même si les États-Unis ont évité une crise financière débilitante jusqu'à 2008, les dangers que comportait le système bancaire dérégulé sont devenus apparents bien plus tôt pour tous ceux qui voulaient bien le voir.

En fait, la dérégulation a presque immédiatement provoqué une catastrophe. En 1982, on l'a vu, le Congrès a approuvé le Garn-St. Germain Act, décrit par Reagan au moment d'y apposer sa signature comme « le premier pas du vaste programme de dérégulation financière que notre administration entend appliquer. » Le premier propos du texte était de résoudre en partie les problèmes que rencontrait le secteur de l'épargne depuis la montée de l'inflation survenue dans les années 1970. Cette hausse avait entraîné celle des taux d'intérêt et placé les caisses d'épargne – qui avaient prêté beaucoup d'argent à long terme et à faible taux – en délicate position. Certaines de ces caisses se trouvaient à présent au bord de la faillite ; leurs dépôts étant garantis par l'État, une bonne part de leurs pertes était appelée à retomber en dernière instance sur le contribuable.

Mais, refusant d'avaler la pilule, les responsables politiques ont cherché une autre issue. Lors de la cérémonie de signature du texte de loi, Reagan a expliqué comment la manœuvre était censée fonctionner :

> La fonction de cette loi est d'étendre les pouvoirs des institutions d'épargne en autorisant le secteur à pratiquer des crédits commerciaux et à réaliser davantage de prêts aux consommateurs. Elle réduit son exposition aux fluctuations du marché immobilier et des taux d'intérêt. Cela permettra au secteur de l'épargne d'être un acteur plus fort, plus efficace dans le financement du logement pour des millions d'Américains dans les années à venir.

Mais les choses ont pris une autre tournure. En vérité, la dérégulation a créé un cas classique d'aléa moral, où tout incitait les propriétaires des caisses d'épargne à adopter des comportements à haut risque. Après tout, peu importait au déposant ce que faisait sa banque ; il était assuré contre les pertes. L'astuce pour le banquier a donc consisté à accorder des prêts à taux d'intérêt élevé à des emprunteurs douteux, généralement des promoteurs immobiliers. Si tout se passait bien, la banque encaissait d'importants bénéfices. Sinon, le banquier s'en tirait sans dommages. Pile il gagnait, face le contribuable perdait.

Au fait, l'assouplissement de la réglementation a aussi créé un environnement permissif à l'égard du vol pur et simple, où l'on accordait des prêts à des amis ou des parents qui disparaissaient avec l'argent. Rappelez-vous de Gatewood, le banquier de *La Chevauchée fantastique* : le secteur de l'épargne a abrité beaucoup de Gatewood dans les années 1980.

En 1989, il est devenu évident que le secteur de l'épargne était hors de contrôle, et les autorités ont fini par fermer le casino. À ce moment-là, toutefois, les pertes avaient déjà beaucoup gonflé. L'ardoise a fini par atteindre pour le contribuable quelque 130 milliards de dollars. La somme était considérable – relativement à la taille de l'économie, elle équivaudrait aujourd'hui à plus de 300 milliards de dollars.

Mais les ennuis du secteur de l'épargne n'ont pas été le seul signal que la dérégulation était plus dangereuse que ne voulaient l'admettre ses partisans. Au début des années 1990, les grandes banques commerciales, notamment Citi, ont connu de gros ennuis parce qu'elles avaient pris trop de risques en prêtant aux promoteurs immobiliers commerciaux. En 1998, alors qu'une bonne partie du monde émergent était en proie à la crise financière, la faillite d'un seul fonds alternatif, Long Term Capital Management, a figé les marchés financiers d'une façon très similaire à celle dont la faillite de Lehman Brothers les figerait dix ans plus tard. Un plan de sauvetage ad hoc monté par les agents de la Réserve fédérale a empêché la catastrophe de se produire en 1998, mais l'incident aurait dû servir de leçon sur les dangers d'une finance débridée. (Je l'ai en partie perçu en 1999, dans la première édition de *Pourquoi les crises reviennent toujours*, où j'établissais des parallèles entre la crise de LTCM et les crises financières qui déferlaient sur l'Asie. Il apparaît toutefois avec le recul que j'ai sous-estimé l'étendue du problème.)

La leçon n'a pas été retenue. Jusqu'à la crise de 2008, les gros bonnets, comme le montre Greenspan dans la citation donnée en début de chapitre, n'ont eu de cesse de marteler que tout allait pour le mieux. En outre, ils ont dit et redit que la dérégulation financière avait permis une très nette amélioration de la performance économique globale. On entend encore aujourd'hui ce type d'affirmation dans la bouche d'Eugene Fama, économiste influent et reconnu de l'université de Chicago :

> À partir du début des années 1980, le monde développé et certains acteurs importants du monde en voie de développement ont connu une période de croissance extraordinaire. On peut raisonnablement dire qu'en facilitant le flux de l'épargne mondiale vers des usages productifs aux quatre coins du globe, les marchés financiers et les institutions financières ont joué un rôle important dans cette croissance.

Soit dit en passant, c'est en novembre 2009 que Fama a écrit ces phrases, au beau milieu d'un effondrement que nous avons pour la plupart attribué à la finance incontrôlée. Mais même à plus long terme, on n'a rien constaté qui puisse ressembler à sa vision d'une « croissance extraordinaire ». Aux États-Unis, la croissance dans les décennies ayant suivi la dérégulation a été plus faible que dans les décennies précédentes ; la vraie période de « croissance extraordinaire » a été celle de la génération qui a suivi la Seconde Guerre mondiale, où le niveau de vie a plus ou moins doublé. En fait, pour les familles à revenu moyen, même avant la crise, l'augmentation des revenus n'a été que modeste, et généralement obtenue par un plus grand nombre d'heures de travail plutôt que par l'augmentation du salaire.

Pour une minorité, faible mais influente, toutefois, l'ère de la dérégulation financière et de l'accroissement de la dette a bien été celle d'une augmentation extraordinaire des revenus. Et sans doute peut-on voir là une cause importante de la cécité qui a frappé tant de monde devant les mises en garde contre le cours qu'empruntait l'économie.

Pour comprendre les raisons profondes de la crise actuelle, il faut brièvement évoquer l'inégalité des revenus et l'avènement d'un nouvel « Âge doré[1] ».

---

1. Le *Gilded Age* (Âge doré) est la période de développement économique accéléré mais aussi de fort creusement des inégalités qui suivit la guerre de Sécession, entre 1865 et la fin du XIXe siècle (NdT).

Chapitre 5

LE NOUVEL ÂGE DORÉ

L'acquisition et l'entretien d'une maison grande comme le Taj Mahal sont chers. Kerry Delrose, chef de l'architecture d'intérieur chez Jones Footer Margeotes Partners, à Greenwich, a bien voulu me détailler le coût de la décoration qui sied à ce genre de demeure. « La moquette est très chère », me dit-il, évoquant un modèle grande largeur à 74 000 dollars qu'il a commandé pour la chambre à coucher d'un client. « Et les rideaux. Rien que pour la quincaillerie – les tringles, les fleurons, les appliques, les anneaux – il y en a pour plusieurs milliers de dollars, facilement 10 000 dollars dans chaque pièce rien que pour la quincaillerie. Puis les tissus… Dans la plupart de ces pièces, la grande salle, la pièce familiale, il en faut 100 à 150 mètres. C'est courant. Les tissus de coton coûtent en moyenne 40 à 60 dollars le mètre, mais la plupart de ceux que nous considérons, toutes les très bonnes soies, sont à 100 dollars le mètre. »

Jusqu'ici, rien qu'avec les rideaux d'une seule pièce, il y en a eu pour 20 000 à 25 000 dollars.

« Greenwich's Outrageous Fortune » (La fortune outrancière de Greenwich), *Vanity Fair*, juillet 2006.

En 2006, juste avant que les coutures du système financier ne se mettent à craquer, Nina Munk publiait un article dans *Vanity Fair* sur la fièvre de construction de belles demeures qui avait saisi la petite ville de Greenwich, dans le Connecticut. Ainsi qu'elle le soulignait, Greenwich avait été un lieu de prédilection pour les grands nababs du début du XXᵉ siècle, un endroit où les grandes fortunes industrielles ou leurs héritiers avaient fait bâtir des maisons de maître « dignes de rivaliser avec les *palazzi*, les *châteaux* et les demeures seigneuriales d'Europe. » Mais dans l'Amérique d'après la Seconde Guerre mondiale, rares étaient ceux qui avaient les moyens d'entretenir une propriété de vingt-cinq pièces ; si bien que, pièce par pièce, les grandes propriétés ont été démantelées et vendues au rabais.

C'est alors que les gestionnaires de hedge funds ont commencé à s'y installer.

Pour l'essentiel, le secteur de la finance est évidemment regroupé autour de Wall Street (et dans la City de Londres, qui remplit une fonction similaire). Mais les gestionnaires de hedge funds – dont l'activité consiste essentiellement à spéculer avec de l'argent emprunté à des investisseurs qui espèrent que ledit gestionnaire sera assez visionnaire pour leur rapporter un joli magot – se sont rassemblés à Greenwich, à quelque quarante minutes de train de Manhattan. Les revenus de ces gestionnaires sont aussi appréciables sinon plus que ceux des industriels véreux de jadis, même en tenant compte de l'inflation. En 2006, les vingt-cinq gestionnaires de hedge funds les mieux payés ont gagné 14 milliards de dollars, soit trois fois le salaire cumulé des quatre-vingt mille enseignants de la ville de New York.

Quand des gens de cette trempe décidaient de s'acheter une maison à Greenwich, le prix n'entrait pas en ligne de compte. Ils se sont fait une joie de racheter les anciennes demeures de l'Âge doré, souvent pour les raser et y édifier des palais plus grands encore. Grand comment ? Si l'on en croit Nina Munk, la surface moyenne des demeures édifiées par les gestionnaires de hedge funds tournait autour de 1 400 mètres carrés. L'un d'eux, Larry Feinberg, d'Oracle Partners, un hedge fund spécialisé dans le secteur de la santé, s'est offert une maison à 20 millions de dollars à seule fin de la raser ; les plans qu'il a déposés à la mairie prévoyaient la construction d'un manoir de 2 858 mètres carrés. Précision utile apportée par Munk : c'est à peine moins grand que le Taj Mahal.

Que nous importe, après tout ? Tant de curiosité de notre part n'est-elle pas malsaine ? Eh bien, je ne peux pas nier qu'une certaine fascination me prend à la lecture de récits sur la vie que mènent les gens riches et frivoles. Mais il y a là un propos plus profond.

J'ai dit à la fin du chapitre 4 qu'avant même la crise de 2008, on voyait mal ce qui pouvait conduire à considérer la dérégulation comme une réussite. L'imbroglio des caisses d'épargne avait fait la coûteuse démonstration que les banquiers libérés de la tutelle publique pouvaient se déchaîner, plusieurs catastrophes évitées de justesse avaient préfiguré la crise à venir, et s'il y avait quelque chose à dire de la croissance économique, c'est qu'elle n'avait pas été aussi forte du temps de la dérégulation qu'au moment où une régulation très stricte était appliquée. On constatait pourtant (et on le constate encore) que certains commentateurs – essentiellement à la droite de l'échiquier politique, mais pas exclusivement – étaient en proie à une curieuse illusion qui voulait que la dérégulation ait été une ère économiquement glorieuse. Nous avons vu au chapitre précédent qu'Eugene Fama, illustre théoricien de la finance de l'université de Chicago, déclarait que la dérégulation avait ouvert une période de « croissance extraordinaire », alors qu'en vérité il n'en a rien été.

Qu'est-ce qui a bien pu porter Fama à croire que nous avions connu une croissance extraordinaire ? Serait-ce le fait que *certains* individus – le type d'individus qui, disons, sponsorisent les conférences de théorie financière – ont bel et bien vu leurs revenus croître extraordinairement ?

Je vous propose sur ce point deux graphiques. Le premier montre deux mesures du revenu par ménage américain depuis la Seconde Guerre mondiale, en dollars corrigés de l'inflation. L'une concerne le revenu moyen par ménage – le revenu total divisé par le nombre de ménages. Même cette mesure-là ne montre pas trace de « croissance extraordinaire ». En vérité, la croissance était plus forte avant 1980 qu'après. La seconde représente le revenu familial *médian* – le revenu du ménage typique, supérieur à celui d'une moitié de la population et inférieur à celui de l'autre. On le voit, le revenu du ménage typique a beaucoup moins augmenté après 1980 qu'avant. Pourquoi ? Parce qu'une part importante des fruits de la croissance économique a atterri dans les mains d'une poignée de personnes installées au sommet.

Le graphique du bas indique à quel point le haut du panier – en l'occurrence les « 1 % » rendus célèbres par le mouvement Occupy Wall Street – s'en est bien sorti. Pour ces gens, la croissance depuis la dérégulation financière a bel et bien été extraordinaire ; leur revenu corrigé de l'inflation a fluctué au gré des hausses et des baisses de la bourse, mais il a plus ou moins quadruplé depuis 1980. On peut donc dire que l'élite a très, très bien vécu la dérégulation, et même que la superélite et la mégasuperélite – les 0,1 % et les 0,01 % supérieurs – ont fait encore mieux, le dix millième le plus riche des États-Unis ayant vu ses revenus croître de 660 %. Voilà ce que cache la prolifération des Taj Mahal dans le Connecticut.

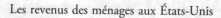

Les revenus des ménages aux États-Unis

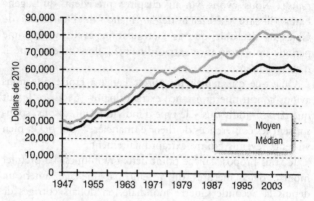

Même le revenu moyen – le revenu du ménage moyen – n'a pas décollé lors de la période de dérégulation, tandis que la croissance du revenu médian – celui des ménages situés au milieu de la répartition des revenus – a ralenti jusqu'au point mort...

Les revenus du centième supérieur

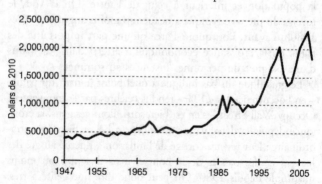

... mais le revenu moyen du centième supérieur de la population a explosé.

Source : U.S. Census, Thomas Piketty et Emmanuel Saez, « Income Inequality in the United States : 1913-1998 », *Quarterly Journal of Economics*, février 2003 (révisé en 2010).

Le remarquable enrichissement des très riches, alors même que la croissance économique est restée morne et que la classe moyenne n'a que très modestement prospéré, pose deux questions essentielles. L'une concerne les causes du phénomène – j'y viendrai brièvement, car ce n'est pas le propos de ce livre. L'autre le rapport avec la crise que nous connaissons actuellement, un sujet complexe, mais important.

Commençons donc par nous demander à quoi est due cette montée en flèche des revenus des classes supérieures.

Pourquoi les riches sont-ils devenus (vraiment beaucoup) plus riches ?

Jusqu'à présent, bon nombre de débats autour de la montée des inégalités semblent donner à penser qu'elle répondrait à un accroissement de la prime à la compétence. La technologie moderne, nous dit-on, développe la demande de travailleurs hautement qualifiés tout en diminuant la nécessité du travail routinier et/ou physique. La minorité très instruite creuserait donc l'écart avec la majorité moins instruite. En 2006, par exemple, dans un discours sur la montée des inégalités, Ben Bernanke, président de la Fed, a laissé entendre qu'elle était liée au fait que les 20 % de travailleurs hautement qualifiés distançaient les 80 % de travailleurs moins qualifiés.

Pour être franc, ce scénario n'est pas totalement inexact : en règle générale, plus on est instruit, mieux on s'en est sorti dans les trente dernières années. Le salaire des Américains diplômés a augmenté par rapport à celui des Américains n'ayant pas fait d'études supérieures, de même que celui des Américains qui ont atteint le troisième cycle par rapport à celui des Américains qui n'ont qu'une licence.

Mais si l'on se contente de considérer l'écart des salaires attribuable au niveau d'éducation, on n'ignore pas seulement une partie de l'explication, on passe à côté de l'essentiel. Parce que les augmentations vraiment importantes n'ont pas concerné les travailleurs ayant fait des études secondaires en général, mais une poignée d'individus très bien lotis. Les professeurs de lycée possèdent généralement des diplômes de second et de troisième cycle, mais ils n'ont pas connu, c'est un euphémisme, le type d'augmentation du revenu dont ont profité les gestionnaires de hedge funds. Souvenons-nous que vingt-cinq gestionnaires de ces fonds ont gagné trois fois plus d'argent que les quatre-vingt mille enseignants de la ville de New York réunis.

Le slogan autour duquel s'est rallié le mouvement Occupy Wall Street, « Nous sommes les 99 % », est bien plus proche de la réalité que le discours habituel de l'establishment au sujet de l'éducation et de l'écart des compétences. Et il n'est pas l'apanage des radicaux. À l'automne dernier, le Bureau du budget du Congrès (Congressional Budget Office – CBO), résolument non partisan et archi-respectable, a émis un rapport détaillant la montée des inégalités survenue entre 1979 et 2007 ; on peut y lire qu'à cette période, les Américains situés dans la fourchette allant des 80 aux 99 % supérieurs – c'est-à-dire les 20 % qu'évoque Bernanke moins les 1 % dont parle Occupy Wall Street – ont vu leur revenu augmenter de 65 %. C'est une performance honorable, surtout si on le compare à celle des familles situées plus bas dans l'échelle : les familles gravitant autour de la moyenne ont fait moitié moins bien, et les 20 % inférieurs n'ont gagné que 18 %. Mais les 1 % supérieurs ont vu leur revenu augmenter de 277,5 % et, on l'a vu, les 0,1 % et les 0,01 % du dessus ont fait encore mieux que cela.

Et si l'on se demande où sont passés les bénéfices de la croissance économique, l'augmentation du revenu des très riches n'a rien d'un événement de second plan. Selon le CBO, la part du revenu après imposition ayant atterri dans les mains des 1 % supérieurs est passée de 7,7 % à 17,1 % du revenu total ; cela correspond, toutes choses égales par ailleurs, à une baisse d'environ 10 % du total des revenus laissés à tous les autres. On peut aussi se demander à quelle part de l'accroissement total des inégalités correspond cette distanciation des 1 % supérieurs par rapport à tous les autres ; selon une mesure des inégalités très communément employée (le coefficient de Gini), il apparaît que l'augmentation des revenus des 1 % supérieurs rend compte d'environ la moitié du creusement de l'écart.

Qu'est-ce qui explique alors que les 1 % supérieurs, et plus encore les 0,1 % supérieurs, s'en soient à ce point mieux sortis que tous les autres ?

La question est loin de faire l'unanimité parmi les économistes, et les raisons de cette incertitude sont elles-mêmes révélatrices. Tout d'abord, de nombreux économistes considéraient jusqu'à très récemment que les revenus des très riches ne constituaient pas un sujet d'étude en soi, que cela relevait davantage de la presse sensationnaliste obsédée par les people que des pages des publications économiques sérieuses. On n'a pris conscience que très tard du fait que la question des revenus des riches n'avait rien de banal, et qu'elle se logeait bien au cœur de l'évolution actuelle de l'économie et de la société américaines.

Et même lorsque les économistes se sont mis à prendre au sérieux les 1 % et les 0,1 %, ils ont trouvé le sujet rugueux à deux égards. Le simple fait de poser la question les projetait dans un champ de bataille politique : la répartition des revenus au sommet est l'une de ces zones où quiconque lève la tête au-dessus du parapet subit les attaques féroces de ce qu'il faut bien considérer comme des tireurs d'élite protégeant les intérêts des riches. Il y a quelques années de cela, par exemple, Thomas Piketty et Emmanuel Saez, dont les travaux ont joué un rôle crucial dans la détermination des évolutions à long terme des inégalités, se sont trouvés dans la mire d'Alan Reynolds, du Cato Institute, qui affirme depuis des décennies que les inégalités n'ont pas vraiment augmenté ; à chaque fois que l'un de ses arguments est minutieusement démenti, il en sort un autre de sa manche.

En outre, considérations politiques mises à part, les revenus des tranches supérieures ne sont pas un sujet idéalement adapté aux outils qu'emploient habituellement les économistes. Ce que mes confrères et moi connaissons mieux que tout, c'est l'offre et la demande – certes, les sciences économiques vont bien au-delà de ça, mais c'est quand même le premier et le plus élémentaire des instruments d'analyse. Or, les gens qui perçoivent de hauts revenus ne vivent pas dans un monde d'offre et de demande.

De récents travaux des économistes Jon Bakija, Adam Cole et Bradley Heim nous offrent un bon aperçu de la population qui constitue les 0,1 % supérieurs. Pour résumer, ce sont surtout des dirigeants d'entreprise ou des combinards de la finance. Près de la moitié du revenu de ces 0,01 % échoit aux patrons et aux directeurs d'entreprises extérieures au monde de la finance ; un cinquième échoit aux gens de la finance ; ajoutez-y des avocats et des professionnels de l'immobilier et vous atteignez les trois quarts du total.

Or, les manuels d'économie nous disent que dans un marché concurrentiel, chaque travailleur perçoit ce qui correspond à son « produit marginal » – l'apport qu'il représente dans la production totale. Mais quel est le produit marginal d'un dirigeant d'entreprise ou d'un gestionnaire de hedge funds, ou d'ailleurs d'un avocat d'entreprise ? Nul ne le sait vraiment. Et si l'on observe la façon dont sont réellement déterminées les rétributions des représentants de cette classe, on voit des procédés dont on peut dire qu'ils n'ont pas grand rapport avec leur contribution économique.

Il est probable à ce stade qu'une voix va s'élever pour dire : « Mais que dire de Steve Jobs ou de Mark Zuckerberg ? Ne se sont-ils pas enrichis en créant des produits de valeur ? » La réponse est oui – mais seule une très faible proportion des 1 % supérieurs, ou même des 0,01 % supérieurs, a gagné son argent de cette façon. L'essentiel de cette classe se compose de dirigeants d'entreprises qu'ils n'ont pas eux-mêmes créées. Ils possèdent peut-être une bonne part des actions ou des stock-options de l'entreprise, mais ils ont reçu ces actifs à titre de rémunération, pas en tant que fondateurs de l'entreprise. Et qui décide de leur salaire et de leurs avantages complémentaires ? Il est de notoriété publique que la paye des PDG est établie par un comité des rémunérations dont les membres sont désignés par… le PDG dont ils déterminent le valeur.

Les individus percevant les plus grosses rémunérations du secteur de la finance opèrent dans un milieu plus concurrentiel, mais il y a de bonnes raisons de penser que leurs revenus sont souvent démesurés par rapport à leur performance réelle. Les gestionnaires de hedge funds, par exemple, perçoivent à la fois des honoraires pour le travail consistant à gérer l'argent d'autrui et un pourcentage sur les bénéfices. Cela leur donne toutes les incitations à réaliser des investissements risqués et à fort levier financier : si les choses tournent bien, ils sont grassement récompensés, mais si elles tournent mal, ils n'ont pas à restituer leurs gains précédents. Il en résulte qu'en moyenne – c'est-à-dire une fois pris en compte le fait que de nombreux hedge funds font faillite et que l'investisseur ne sait pas d'avance quels fonds finiront sur la liste des victimes –, les individus qui investissent dans les hedge funds ne s'en tirent pas particulièrement bien. En fait, selon un ouvrage récent, *The Hedge Fund Mirage*, de Simon Lack, lors de la dernière décennie, ces investisseurs auraient mieux fait, en moyenne, de placer leur argent sur les bons du Trésor – qui ne leur auraient rien rapporté du tout.

On aurait pu croire que les investisseurs se seraient assagis face à des incitations aussi peu claires, et plus généralement qu'ils auraient fini par entendre ce que proclament toutes les brochures : « Les résultats du passé ne constituent aucunement une garantie de ceux de l'avenir », c'est-à-dire qu'un gestionnaire qui a fait gagner de l'argent aux investisseurs l'an dernier peut très bien ne l'avoir dû qu'à la chance. Mais les faits nous montrent qu'un grand nombre d'investisseurs – et pas seulement les petits nouveaux qui n'y entendent rien – demeurent crédules et qu'ils placent naïvement leur foi dans le génie des acteurs financiers malgré d'innombrables indices qu'il s'agit généralement d'un pari perdant.

Une chose encore : même lorsque les combinards de la finance ont fait prospérer leurs investisseurs, ce n'est pas, dans de nombreux cas, en créant de la valeur pour la société dans son ensemble, mais en extorquant littéralement de la valeur auprès d'autres acteurs.

Cela n'est jamais aussi flagrant que dans le cas des « structures de défaisance ». Dans les années 1980, les propriétaires des caisses d'épargne ont réalisé d'importants bénéfices en prenant de gros risques – avant de laisser l'ardoise aux contribuables. Dans les années 2000, les banquiers ont récidivé, amassant d'immenses fortunes en octroyant des crédits immobiliers qu'ils revendaient à des investisseurs ingénus ou en profitant du renflouement par l'État après que la crise a frappé.

Mais cela vaut aussi pour un grand nombre de cas de capital-investissement, l'activité qui consiste à acheter des sociétés que l'on restructure pour les revendre. (Gordon Gekko, dans le film *Wall Street*, s'occupe de capital-investissement ; Mitt Romney a occupé cette fonction dans la vie réelle). Par souci d'honnêteté, il faut reconnaître que certaines sociétés de capital-investissement ont accompli un travail précieux en finançant de jeunes entreprises, que ce soit dans les hautes technologies ou ailleurs. Mais dans un grand nombre d'autres cas, les profits sont venus de ce que Larry Summers – oui, je dis bien Larry Summers[1] – a qualifié dans un important article d'« abus de confiance » : il s'agissait essentiellement de ruptures de contrats ou de ruptures d'accords. Prenons par exemple le cas des literies Simmons Bedding, vénérable entreprise fondée en 1870 qui s'est déclarée en faillite en 2009, mettant beaucoup de travailleurs au chômage et faisant perdre du même coup aux prêteurs l'essentiel de leur mise. Le *New York Times* a décrit de la manière suivante la dernière ligne droite avant la faillite :

> Pour un grand nombre des investisseurs de l'entreprise, la vente sera catastrophique. À eux seuls, les obligataires s'apprêtent à perdre plus de 575 millions de dollars. La ruine de

---

1. Économiste et conseiller politique américain, qui a travaillé auprès de Ronald Reagan, Bill Clinton et Barack Obama, réputé pour ses penchants ultralibéraux et son franc-parler (NdT).

l'entreprise a aussi eu un effet dévastateur sur certains employés
comme Noble Rogers, qui a passé 22 ans chez Simmons, essentiellement dans une usine de la banlieue d'Atlanta. Il fait partie
des 1 000 employés – plus du quart de la main-d'œuvre – licenciés l'an dernier.

Mais la firme Thomas H. Lee Partners, de Boston, ne s'en
est pas seulement tirée sans une égratignure, elle a réalisé des
profits. Cette compagnie d'investissement, qui a racheté Simmons en 2003, a empoché quelque 77 millions de dollars de
bénéfice, alors même que l'entreprise se portait mal. THL a
récolté des centaines de millions de dollars auprès de Simmons
sous forme de dividendes spéciaux. Elle s'est aussi attribué plusieurs millions en honoraires, d'abord pour avoir racheté
l'entreprise, puis pour avoir pris part à sa gestion.

On le voit, les revenus des classes supérieures n'ont pas
grand rapport avec ceux des échelons inférieurs ; leur relation
avec les grands principes économiques ou avec la contribution de leurs détenteurs à l'ensemble de l'économie est encore
moins évidente. Mais pourquoi ces revenus ont-ils explosé à
partir de 1980 ?

Cela s'explique certainement en partie par la dérégulation
financière que j'ai évoquée au chapitre 4. Les marchés strictement régulés qui ont caractérisé l'Amérique entre les années
1930 et 1970 étaient loin d'offrir les opportunités d'enrichissement individuel qui ont pullulé après 1980. Et les revenus
élevés du monde de la finance ont sans doute eu un effet de
« contagion » sur le salaire des dirigeants d'entreprise au sens
large. À tout le moins, les chèques vertigineux de Wall Street
auront simplifié la tâche des comités des rémunérations pour
justifier les gros salaires pratiqués en dehors de la finance.

Thomas Piketty et Emmanuel Saez, dont j'ai déjà évoqué
les travaux, ont avancé que les revenus supérieurs subissent
fortement l'influence des normes sociales. Cette idée est
reprise par des chercheurs comme Lucian Bebchuck, de la
Harvard Law School, selon qui la principale limitation de la
paye des PDG est la « contrainte du scandale ». Ces arguments donnent à penser que le climat politique des années
1980 pourrait avoir ouvert la voie à la revendication de hauts

salaires pour les postes de pouvoir, ce qui n'était pas envisageable auparavant. Sans doute est-il opportun de rappeler ici que le déclin généralisé des syndicats survenu dans les années 1980 a réduit au silence un acteur important qui n'aurait pas manqué de s'élever contre les chèques énormes accordés aux dirigeants.

Piketty et Saez ont récemment ajouté un nouvel élément à cet argumentaire : les importantes réductions d'impôts sur les gros revenus, disent-ils, ont eu pour effet d'inciter les dirigeants d'entreprise à pousser le bouchon plus loin, à se lancer dans une « quête de rente » aux dépens de la main-d'œuvre. Pourquoi ? Parce qu'il est devenu individuellement plus profitable de gagner plus avant impôts, et que cela a disposé les dirigeants d'entreprise à risquer une condamnation et/ou à heurter la morale publique dans leur quête d'intérêt personnel. Comme le soulignent Piketty et Saez, il existe une corrélation négative forte entre les taux supérieurs d'imposition et la part du revenu national accaparée par les 1 % les plus riches, aussi bien dans le temps que dans l'espace.

Ce que je déduis de tout cela, c'est qu'il faut probablement voir dans l'augmentation rapide des revenus au sommet le reflet des facteurs sociaux et politiques qui ont aussi promu l'assouplissement de la régulation financière. Le relâchement de la régulation, on l'a vu, est un élément déterminant de l'explication de notre entrée dans la crise. Mais les inégalités proprement dites y ont-elles aussi joué un rôle important ?

Les inégalités et la crise

Avant que ne frappe la crise financière de 2008, j'ai souvent été amené à évoquer la question des inégalités devant des auditoires non initiés, et je soulignais que les tranches de revenu supérieures atteignaient aujourd'hui des niveaux inédits depuis 1929. On me demandait alors invariablement si cela signifiait que nous nous trouvions au bord d'une nouvelle

Grande Dépression – et je répondais que ce n'était pas nécessairement le cas, qu'il n'y avait pas de raison de penser que
des niveaux extrêmes d'inégalité entraînent forcément une
catastrophe économique.

Vous m'en direz tant...

Il demeure que la corrélation n'est pas la causalité. Le fait
qu'un retour à des niveaux d'inégalité dignes de la pré-crise
de 1929 ait été suivi d'une dépression économique pourrait
n'être dû qu'à une coïncidence. Ou témoigner de l'existence
de causes communes aux deux phénomènes. Qu'en savons-
nous réellement, et que pouvons-nous soupçonner ?

Les causes communes jouent certainement. Aux alentours
de 1980, un important virage à droite s'est produit aux États-
Unis, au Royaume-Uni et jusqu'à un certain point dans
d'autres pays. Ce virage a entraîné à la fois des changements
politiques, notamment de fortes réductions des taux supérieurs d'imposition, et une altération des normes sociales – le
relâchement de la « contrainte du scandale » – qui ont joué
un rôle important dans la brusque flambée des plus hauts
revenus. Et le même virage à droite a induit la dérégulation
financière et la non-régulation des nouvelles pratiques bancaires, ce qui, on l'a vu au chapitre 4, n'a pas peu contribué
à faire le lit de la crise.

Mais y a-t-il une flèche de causalité directe entre l'inégalité
des revenus et la crise financière ? Peut-être, mais c'est plus
difficile à démontrer.

Une explication très répandue circule par exemple à propos des inégalités et de la crise – l'accroissement de la part
du revenu dévolue aux plus riches aurait sapé la demande
globale en réduisant le pouvoir d'achat de la classe
moyenne –, mais elle ne tient pas lorsqu'on se penche sur les
chiffres. Le scénario de la « sous-consommation » repose sur
l'idée que, lorsque les revenus se concentrent entre les mains
d'un petit nombre, la dépense du consommateur ralentit et
l'épargne croît plus vite que les occasions d'investir. Sauf
qu'en vérité, la dépense du consommateur aux États-Unis est
restée forte malgré la montée des inégalités, et que l'épargne

individuelle, loin de croître, a suivi une longue tendance à la baisse pendant la période de dérégulation financière et la montée des inégalités.

La proposition inverse paraît plus défendable – la montée des inégalités a donné lieu à trop de consommation plutôt que trop peu et, plus spécifiquement, les écarts croissants entre les revenus ont poussé les plus défavorisés à trop s'endetter. Selon Robert Frank, de l'université Cornell, l'augmentation des revenus au sommet entraîne une « cascade de dépenses » qui finit par réduire l'épargne et augmenter l'endettement :

> Les riches ont dépensé davantage pour la simple raison qu'ils ont beaucoup d'argent en plus. Leurs dépenses déplacent le cadre de référence qui façonne la demande de ceux qui se situent juste au-dessous d'eux, qui traversent des cercles sociaux qui se chevauchent. Si bien que ce deuxième groupe dépense davantage à son tour, déplaçant alors le cadre de référence de la tranche située juste en dessous, et ainsi de suite, jusqu'au bas de l'échelle des revenus. Cette cascade a eu pour effet de relever sensiblement le coût des objectifs financiers de base pour les familles appartenant à la classe moyenne.

Un message similaire se dégage des travaux d'Elizabeth Warren et Amelia Tyagi, dont l'ouvrage *The Two-Income Trap* (Le Piège des deux salaires), paru en 2004, s'intéresse à la vague de faillites personnelles amorcée bien avant la crise financière généralisée et qui aurait dû constituer un avertissement. (Elizabeth Warren, qui enseignait à la Harvard Law School, est devenue l'une des figures de proue du combat pour la réforme de la finance : c'est elle qui a récemment mis sur pied le Consumer Financial Protection Bureau. Elle brigue à présent un mandat de sénateur.) On y apprend qu'un facteur important de ces banqueroutes a été l'inégalité croissante en matière d'éducation, qui est à son tour le reflet de l'inégalité croissante des revenus : les familles de la classe moyenne font l'effort d'acheter une maison dans les quartiers où se trouvent les bonnes écoles, acceptant ainsi des niveaux d'endettement qui les rendent extrêmement vulnérables à toute perte d'emploi ou à la survenue de la maladie.

L'argument est d'importance. Mais j'ai l'intuition – et rien de plus, étant donné le peu que nous savons de certains de ces canaux de transmission – que la principale contribution du creusement des inégalités à la dépression actuelle a été et demeure politique. Quand on s'interroge sur les causes de l'aveuglement de nos décideurs face au risque que supposait la dérégulation financière – et, depuis 2008, de leur incapacité à percevoir que nous ne sommes pas en train de prendre les mesures adéquates face à la crise économique –, on est tenté d'évoquer le célèbre mot d'Upton Sinclair : « Il est difficile de faire comprendre quelque chose à un homme quand son salaire dépend du fait qu'il ne le comprenne pas. » L'argent procure de l'influence ; beaucoup d'argent procure beaucoup d'influence, et les mesures politiques qui nous ont conduits où nous nous trouvons, si elles n'ont pas fait grand-chose pour grand monde, ont été, un temps du moins, très profitables à quelques individus au sommet.

L'élite et l'économie politique des mauvaises décisions

En 1998, comme je l'évoquais au chapitre 4, Citicorp – la maison mère de Citibank – a fusionné avec Travelers Group pour constituer ce que nous connaissons aujourd'hui sous le nom de Citigroup. Pour Sandy Weill, appelé à devenir le PDG de ce nouveau géant de la finance, l'accord constituait un moment d'apothéose. Sauf qu'il y avait un tout petit problème : cette fusion était illégale. Travelers était une compagnie d'assurances qui avait aussi acquis deux banques d'investissement, Smith Barney et Shearson Lehman. Or, selon la loi Glass-Steagall, il était interdit aux banques commerciales comme Citi de se lancer dans les assurances ou la banque d'investissement.

Alors, l'Amérique moderne étant ce qu'elle est, Weill s'est attelé à faire modifier la loi, avec le concours du sénateur texan Phil Gramm, qui présidait la Commission sénatoriale chargée de la banque, du logement et de l'urbanisme. Dans le cadre de cette fonction, Gramm a mené un certain nombre de mesures de dérégulation ; son chef-d'œuvre, toutefois, a été la loi Gramm-Leach-Bliley, en 1999, qui abrogeait de fait la loi Glass-Steagall et légalisait rétroactivement la fusion Citi-Travelers.

Pourquoi Gramm s'est-il montré accommodant à ce point ? Il ne fait guère de doute qu'il croyait sincèrement aux vertus de la dérégulation. Mais il y avait aussi de substantielles motivations pour renforcer en lui cette croyance. Alors qu'il était toujours en poste, sa campagne a reçu d'importantes contributions du secteur financier, le premier de ses soutiens. Et quand il a quitté ses fonctions, il a intégré le conseil d'administration d'UBS, un autre géant de la finance. Mais gardons-nous d'en faire une question partisane. Les démocrates aussi ont soutenu l'abrogation de la loi Glass-Steagall et la dérégulation en général. L'agent déterminant du soutien démocrate à l'initiative de Gramm a été Robert Rubin, alors secrétaire au Trésor. Avant d'entrer au gouvernement, Rubin avait été coprésident de Goldman Sachs ; en le quittant il est devenu vice-président de... Citigroup.

J'ai eu plusieurs fois l'occasion de rencontrer Rubin, et je doute fort que l'homme se soit laissé acheter – ne serait-ce que parce qu'il était déjà tellement riche qu'il n'avait pas vraiment besoin de cet emploi en quittant le service public. N'empêche qu'il l'a accepté. Quant à Gramm, pour ce que j'en sais, il a toujours sincèrement cru et croit encore à toutes les positions qu'il a prises. Il demeure que ces prises de position ont rempli les coffres de sa campagne quand il était au Sénat et garni son compte en banque personnel après, et que cela a dû rendre ses convictions politiques, dirons-nous, plus tenaces.

De façon générale, il faut comprendre que l'influence de l'argent dans la politique s'exerce à de nombreux niveaux. Il y a beaucoup de corruption pure et simple – certains politiciens se laissent tout bonnement acheter, que ce soit par le biais de contributions à leur campagne ou de pots-de-vin personnels. Mais dans de nombreux cas, peut-être la plupart, la corruption est plus subtile et moins aisément identifiable : un politicien se voit récompensé pour avoir soutenu certaines positions, et cela l'incite à les tenir plus fermement, jusqu'à ce qu'il finisse par ne plus vraiment considérer dans son esprit qu'on l'a acheté, même si de l'extérieur, il est difficile de faire la différence entre ce qu'il croit « sincèrement » et ce qu'il croit parce qu'on le paie pour ça.

À un niveau moins tangible encore, l'argent ouvre certaines portes, qui procurent de l'influence personnelle. Il est possible aux grands banquiers d'entrer dans les bureaux de la Maison-Blanche ou d'un sénateur, pas à l'homme de la rue. Une fois dans ces bureaux, il savent se montrer persuasifs, pas seulement à travers les petits cadeaux qu'ils apportent, mais par le simple fait d'être qui ils sont. Les riches ne sont pas des gens comme vous et moi, et pas seulement parce qu'ils ont un meilleur tailleur : ils possèdent l'aplomb, l'air de savoir ce qu'il faut faire, que confère la réussite matérielle. Leur mode de vie est séduisant, même pour ceux qui n'ont aucune intention de chercher à s'offrir le même. Et pour ce qui est des gens de Wall Street, au moins, il s'agit vraiment en général d'individus extrêmement intelligents qui savent faire très forte impression dans la conversation.

Le type d'influence que les riches sont en mesure d'exercer sur un politicien, fût-il honnête, a été joliment résumé voici longtemps par l'essayiste H. L. Mencken dans son récit de la déchéance de l'homme politique Al Smith, passé dans les années 1930 des croisades réformistes à l'opposition virulente au New Deal : « L'Al d'aujourd'hui a cessé d'être un politicien de premier rang. Son compagnonnage avec les riches l'a manifestement secoué et transformé. C'est devenu un joueur de golf… »

Certes, tout ceci a toujours existé dans l'histoire. Mais l'influence politique des riches devient plus forte quand les riches sont plus riches. Considérons, par exemple, la porte-tambour que franchissent à la fin de leur mandat les politiciens et fonctionnaires lorsqu'ils s'en vont travailler pour le secteur qu'ils étaient précédemment censés superviser. Cette porte existe depuis longtemps, mais le salaire que vous pouvez obtenir si le secteur vous apprécie est largement supérieur à ce qu'il était, et cela vous incite forcément davantage aujourd'hui qu'il y a trente ans à faire plaisir aux gens qui se trouvent de l'autre côté, à adopter des positions qui vous rendront plus attrayant à l'embauche quand vous quitterez la politique.

Cet effet gravitationnel ne vaut pas seulement pour la politique ni seulement à l'intérieur des États-Unis. Réfléchissant à l'étonnante bonne volonté qu'ont mis les politiciens européens à prendre de rudes mesures d'austérité, Matthew Yglesias, de *Slate*, évoque le rôle de l'intérêt personnel :

> On pourrait penser que la meilleure option pour le premier ministre d'un pays consiste à s'efforcer d'accomplir les choses qui ont les plus grandes chances de le faire réélire. Aussi mince que soit cette perspective, c'est là sa stratégie dominante. Mais à l'ère de la mondialisation et de l'européanisation, il me semble que les dirigeants des petits pays se trouvent en fait dans une situation légèrement différente. Si, au moment de quitter vos fonctions, le petit monde de Davos vous tient en haute estime, un nombre considérable de boulots s'offrent à vous, que ce soit à la Commission européenne, au FMI ou que sais-je encore, même si vous êtes absolument détesté par vos concitoyens. D'ailleurs, à certains égards, cette détestation constitue même un petit plus. L'ultime démonstration de solidarité envers la « communauté internationale » consisterait à faire ce que celle-ci désire quitte à affronter l'opposition massive de l'électorat de votre pays.
>
> Je subodore que, même si Brian Cowen finit par définitivement démolir le Fianna Fáil[1] autrefois dominant, son avenir sur le circuit international, à discourir de la nécessité de faire des « choix difficiles », est prometteur.

Une chose encore : si le secteur financier a exercé une forte influence sur les deux grands partis américains, l'effet plus

---

1. Parti républicain irlandais, dont Brian Cowen a été le président (NdT).

général de l'argent sur la politique a été plus marqué chez les
républicains, qui sont idéologiquement plus enclins à soutenir les intérêts des 1 % ou des 0,1 % supérieurs en toute
circonstance. Cette différence d'intérêt permet sans doute
d'expliquer la découverte frappante qu'ont fait les politologues Keith Poole et Howard Rosenthal, en mesurant la
polarisation politique, le fossé séparant les partis, dans les
votes du Congrès au cours du dernier siècle. Ils ont relevé
l'existence d'une forte corrélation entre la part du revenu
total dévolue aux 1 % supérieurs et le degré de polarisation
du Congrès. Les trente premières années qui ont suivi la
Seconde Guerre mondiale, marquées par une répartition relativement équitable des revenus, ont aussi été celles d'une forte
tendance à la coopération entre les partis, une frange importante de politiciens centristes prenant plus ou moins les
décisions par consensus. Depuis 1980, cependant, le parti
républicain s'est déplacé vers la droite à mesure qu'augmen-
taient les revenus de l'élite, et le compromis politique est
devenu à peu près impossible.

Ce qui me ramène au rapport entre les inégalités et la crise
actuelle.

L'influence croissante des riches a favorisé un grand
nombre de décisions politiques très peu prisées des progressistes de mon acabit – la progressivité réduite des impôts, le
reflux de l'aide aux pauvres, le déclin du système public
d'éducation et ainsi de suite. Ce qui est plus important au
regard du sujet de ce livre, toutefois, c'est la façon dont le
système politique a persisté à maintenir la dérégulation et la
non-régulation malgré les nombreux signaux indiquant qu'un
système financier dérégulé ne pouvait qu'être source
d'ennuis.

Le fait est que cette persistance paraît beaucoup moins
surprenante aussitôt que l'on prend en considération
l'influence croissante des très riches. D'une part, un certain
nombre de ces très riches tirant leur argent de la finance
dérégulée, ils avaient un intérêt direct à voir se perpétuer le
mouvement contre la régulation. Plus généralement, quoi

qu'on ait pu dire des performances de l'économie après 1980, elle se portait particulièrement bien, merci, pour les classes supérieures.

Ainsi, si la montée des inégalités n'est probablement pas la première cause directe de la crise, elle a créé un environnement politique dans lequel il a été impossible de percevoir les périls ou d'y faire face. Nous le verrons dans les deux prochains chapitres, elle a aussi favorisé un environnement intellectuel et politique qui a sapé notre aptitude à réagir comme il le fallait quand la crise a frappé.

Chapitre 6

ÉCONOMIE DE L'ÂGE OBSCUR

C'est dans les années 1940 qu'est née la macro-économie en tant que champ d'étude à part entière, dans le cadre de la réaction intellectuelle à la Grande Dépression. Le terme désignait alors le corpus de connaissance et d'expertise dont on espérait qu'il préviendrait la résurgence d'une catastrophe économique de cette ampleur. La thèse que j'entends soutenir ici veut que la macroéconomie au sens originel soit parvenue à ses fins : en pratique, ce qui constituait son problème central, la prévention des dépressions, est résolu, et il est d'ailleurs résolu pour de nombreuses décennies.

Robert Lucas, discours de la présidence
devant l'American Economic Association, 2003.

Sachant ce que l'on sait à présent, l'affirmation sereine par Robert Lucas selon laquelle les dépressions appartiennent désormais au passé ressemble à s'y méprendre à un vœu pieux. En fait, elle donnait déjà cette impression à certains d'entre nous à l'époque : la crise financière survenue en Asie en 1997-98 et les difficultés persistantes du Japon présentaient de fortes ressemblances avec les événements de 1930, et cela posait sérieusement la question de savoir si l'on détenait vraiment quelque contrôle que ce soit sur la situation. Ces doutes m'ont inspiré un livre, *Pourquoi les crises reviennent toujours*, paru en 1999, dont j'ai produit une édition révisée en 2008, quand tous mes cauchemars sont devenus réalité.

Pourtant Lucas, lauréat du prix Nobel et figure éminente, quasi dominante, de la macroéconomie dans les années 1970 et 1980, n'avait pas tort de dire que les économistes ont beaucoup appris depuis les années 1930. En 1970, par exemple, la profession en savait assez pour prévenir le retour de tout ce qui pouvait ressembler de près ou de loin à la Grande Dépression.

Mais ensuite, une part importante de la profession s'est employée à oublier ce qu'elle avait appris.

À présent que nous sommes à notre tour confrontés à la crise, il est déroutant de constater à quel point les économistes ont constitué jusqu'ici un élément du problème, pas de sa solution. Certes pas tous, mais beaucoup parmi les plus éminents ont plaidé en faveur de la dérégulation financière malgré le fait qu'elle rendait l'économie plus vulnérable encore aux crises. Puis, quand la crise a frappé, beaucoup trop d'économistes de renom se sont élevés, avec autant de férocité que d'ignorance, contre tout type de réaction efficace. Et aussi triste qu'il soit de le dire, l'un de ceux qui a produit des arguments à la fois ineptes et destructeurs a été Robert Lucas.

Il y a environ trois ans, percevant à quel point la profession se montrait défaillante dans ce moment de vérité, j'ai trouvé une formule pour décrire ce que j'observais : nous vivions « un âge obscur de la macroéconomie ». Ce que j'entendais par là, c'est que nous n'étions pas dans la même situation qu'en 1930, où nul ne savait trop quoi penser du phénomène de la dépression et où il avait fallu faire preuve de réflexion économique novatrice pour trouver la voie de sortie. Nous étions alors, si vous voulez, à l'âge de pierre de l'économie, les arts de la civilisation restaient à découvrir. Mais en 2009, les arts de la civilisation avaient été découverts – mais on les avait perdus. Une nouvelle barbarie s'était emparée de la discipline.

Comment cela avait-il pu se produire ? Il a fallu, à mon sens, un mélange de politique et de sociologie théorique débridée.

L'anti-keynésianisme

En 2008, nous nous sommes brusquement trouvés projetés dans un monde keynésien – c'est-à-dire un monde qui présentait nombre des caractéristiques observées par John Maynard Keynes dans son chef-d'œuvre de 1936, *Théorie générale de l'emploi, de l'intérêt et de la monnaie*. Ce que j'entends par là, c'est que nous nous sommes retrouvés dans un monde où l'insuffisance de la demande était devenue le problème économique central, et où les solutions technocratiques étriquées, telle que la réduction du taux d'intérêt directeur de la

Réserve fédérale, n'étaient pas adaptées à la situation. Pour un traitement efficace de la crise, il fallait des mesures gouvernementales plus énergiques, sous une forme associant la dépense publique temporaire pour soutenir l'emploi à un effort pour atténuer l'excédent de la dette immobilière.

On peut toujours penser que ces solutions-là demeurent technocratiques et qu'elles ne traitent pas la question plus profonde de la répartition des revenus. Keynes lui-même avait qualifié sa théorie de « modérément conservatrice dans ses implications », cohérente avec une économie fondée sur les principes de l'entreprise privée. Cela n'a pas empêché les conservateurs – notamment les plus soucieux de défendre la position des riches – de mener dès le début une opposition féroce aux idées keynésiennes.

Et quand je dis féroce, je pèse mes mots. On croit généralement que c'est avec le manuel *Économie* de Paul Samuelson, dont la première édition a paru en 1948, que les idées de Keynes sont entrées dans les universités américaines. Mais il s'agissait en vérité d'une seconde tentative. Un ouvrage plus ancien de l'économiste canadien Lorie Tarshis avait auparavant été mis à l'index par une opposition venue de la droite, dont la campagne savamment orchestrée avait réussi à persuader plusieurs universités de le bannir. Un peu plus tard, dans *God and Man at Yale*, le journaliste William F. Buckley ne mâcherait pas ses mots pour reprocher à l'université Yale d'avoir autorisé l'enseignement de l'économie selon Keynes.

Cette tradition s'est perpétuée dans le temps. En 2005, le magazine de droite *Human Events* classait la *Théorie générale* de Keynes parmi les dix livres les plus nocifs du XIXe et du XXe siècles, aux côtés de *Mein Kampf* et du *Capital*.

Pourquoi tant d'animosité à l'égard d'un livre au message « modérément conservateur » ? La réponse semble en partie tenir au fait que même si l'économie keynésienne revendique une intervention modérée et ciblée de l'État, les conservateurs ont toujours vu là une pente glissante : on commence par admettre que l'État peut jouer un rôle utile dans la résolution des crises et c'est le socialisme qui finit par s'installer. L'amalgame rhétorique entre le keynésianisme et la planification centrale et la redistribution radicale – que Keynes a lui-même explicitement démenti, écrivant notamment : « Il existe des activités humaines utiles qui, pour porter tous leurs fruits, exigent l'aiguillon du lucre et le cadre de la propriété privée » – est à peu près universel à droite, y compris parmi les économistes, qui devraient en principe être plus clairvoyants. Il y a aussi les raisons avancées en 1943 par Michal Kalecki, un contemporain de Keynes (et, rappelons-le, socialiste lui-même), dans un essai devenu classique :

> Nous aurons d'abord à affronter la répugnance des « capitaines d'industrie » à accepter l'intervention de l'État en matière d'emploi. Toute extension de l'activité de l'État est considérée avec suspicion par le monde des affaires, mais la création d'emplois à travers la dépense publique possède une caractéristique qui rend l'opposition singulièrement intense. Dans un système de laissez-faire, le niveau de l'emploi dépend dans une large mesure du prétendu état de la confiance. Si celle-ci se dégrade, l'investissement privé décline et cela fait chuter la production et l'emploi (tant directement qu'à travers l'effet collatéral qu'exerce la baisse des revenus sur la consommation et l'investissement). Ceci donne aux capitalistes un puissant instrument de contrôle indirect sur la politique gouvernementale : tout ce qui risque d'ébranler la confiance doit être scrupuleusement écarté parce que cela provoquerait une crise économique. Mais aussitôt que les pouvoirs publics apprennent l'astuce qui consiste à stimuler l'emploi à travers leurs propres achats, ce puissant instrument de contrôle perd de son efficacité. C'est pourquoi les déficits budgétaires qu'implique l'intervention de l'État doivent apparaître comme étant périlleux. La fonction sociale de la doctrine de la « finance saine » est de faire dépendre le niveau de l'emploi de l'état de la confiance.

Ces propos m'ont paru légèrement extrémistes la première fois que je les ai lus, mais ils apparaissent très plausibles à présent. On entend constamment brandir aujourd'hui l'argument de la « confiance ». Voici par exemple comment le magnat de l'immobilier et des médias Mort Zuckerman ouvrait dans le *Financial Times* une tribune visant à dissuader le président Obama de suivre toute ligne de type populiste :

La tension croissante entre l'administration Obama et le monde des affaires a de quoi susciter l'inquiétude du pays. Le président a perdu la confiance des employeurs, dont la préoccupation à l'égard des impôts et du surcoût des nouvelles régulations freine l'investissement et la croissance. Il faut que le gouvernement comprenne que la confiance est un impératif si l'on veut que le monde des affaires investisse, prenne des risques et remette les millions de chômeurs au travail.

Rien ne prouvait, ni ne prouve aujourd'hui, que « la préoccupation à l'égard des impôts et du surcoût des nouvelles régulations » intervienne dans le ralentissement de l'économie. Ce que soulignait Kalecki, en revanche, c'est que ce genre d'arguments tomberait complètement à plat si le public au sens large admettait l'idée que les politiques keynésiennes sont susceptibles de créer de l'emploi. Il existe donc une animosité particulière à l'égard des mesures publiques directement créatrices d'emplois, qui s'ajoute à la crainte plus générale que les idées keynésiennes constituent une légitimation de l'intervention de l'État.

Mises bout à bout, ces préoccupations expliquent que les acteurs et les institutions très liées aux échelons supérieurs de la distribution des revenus aient fait montre d'une hostilité si constante à l'égard des idées keynésiennes. Soixante-quinze ans après la *Théorie générale*, cette hostilité perdure. Ce qui a changé, en revanche, c'est la richesse, et donc l'influence, de cette frange supérieure. De nos jours, les conservateurs se positionnent très à la droite de Milton Friedman, qui reconnaissait à tout le moins que la politique monétaire pouvait être un instrument efficace de stabilisation de l'économie. Les idées qui occupaient la marge politique il y a quarante ans constituent aujourd'hui le cœur de la doctrine ordinaire de l'un de nos deux grands partis politiques.

Reste la question plus épineuse de savoir à quel point les intérêts particuliers des 1 %, et plus encore ceux des 0,1 %, ont pesé sur le débat des théoriciens de l'économie. Une telle influence a bien dû exister : ne serait-ce qu'à travers les préférences des donateurs des universités, l'accessibilité des bourses d'études et les contrats lucratifs des consultants, entre autres, qui ont forcément incité la profession non seulement à se détourner des idées de Keynes, mais aussi à oublier l'essentiel de ce qu'on avait appris dans les années 1930 et 1940.

Cependant, cette influence de l'argent n'aurait pas pris de telles proportions si elle n'avait pas été soutenue par une espèce de sociologie théorique effrénée, qui a hissé certaines notions profondément absurdes au rang de dogme dans l'analyse financière autant que macroéconomique.

Quelques rares exceptions

Dans les années 1930, pour des raisons évidentes, les marchés financiers n'inspiraient généralement pas grand respect. Keynes les comparait à

> ces concours organisés par les journaux où les participants ont à choisir les six plus jolis visages parmi une centaine de photographies, le prix étant attribué à celui dont les préférences s'approchent le plus de la sélection moyenne opérée par l'ensemble des concurrents. Chaque concurrent doit donc choisir non les visages qu'il juge lui-même les plus jolis, mais ceux qu'il estime les plus propres à obtenir le suffrage des autres participants.

Et Keynes estimait très inopportun de laisser ces marchés, dans lesquels les spéculateurs passaient leur temps à s'imiter les uns les autres, dicter les grandes décisions d'affaires : « Lorsque, dans un pays, l'expansion du capital devient le sous-produit de l'activité d'un casino, il risque de s'accomplir de manière défectueuse. »

Aux environs de 1970, toutefois, les analystes des marchés financiers semblaient s'inspirer du Pangloss de Voltaire, qui s'évertuait à dire que tout est pour le mieux dans le meilleur des mondes. Tout débat sur l'irrationalité de l'investisseur, sur les bulles ou sur la spéculation destructrice avait virtuellement disparu du discours théorique. Le champ était dominé

par « l'hypothèse d'efficience des marchés » promue par
Eugene Fama, de l'université de Chicago, selon laquelle les
marchés financiers déterminent précisément le prix des actifs
à leur valeur fondamentale, en fonction de toute l'information publique disponible. (Le prix d'une action d'entreprise,
par exemple, serait toujours le reflet fidèle de la valeur de
l'entreprise, selon les informations disponibles concernant les
gains qu'elle a réalisés, ses perspectives de développement,
etc.) Et dans les années 1980, les économistes financiers,
notamment Michael Jensen, de la Harvard Business School,
affirmaient que, puisque les marchés financiers ne se
trompent jamais sur les prix, la meilleure attitude pour les
grands patrons d'entreprise consistait à maximiser le prix de
leurs actions, pas seulement pour eux-mêmes, mais pour le
bien de l'économie. Autrement dit, les économistes financiers
pensaient qu'il *fallait* placer le développement du capital du
pays entre les mains de ce que Keynes avait qualifié de
« casino ».

On ne peut pas vraiment dire que cette transformation de
la profession ait été dictée par les circonstances. Certes, le
souvenir de 1929 s'estompait peu à peu, mais on voyait
encore certains marchés haussiers, généralement soupçonnés
d'excès spéculatif, être suivis de baisses prononcées. En 1973-
74, par exemple, les actions ont perdu 48 % de leur valeur.
Et l'effondrement boursier de 1987, qui a vu le Dow Jones
perdre près de 23 % dans la journée sans aucune raison apparente, aurait au moins dû susciter quelques doutes quant à la
rationalité des marchés.

Pourtant, ces événements, dans lesquels Keynes aurait vu
la preuve du manque de fiabilité des marchés, n'ont pas vraiment entamé la vigueur d'une idée qui ne manque au demeurant pas d'attrait. Le modèle théorique qu'ont développé les
économistes en partant du principe que chaque investisseur
soupèse rationnellement le risque et la récompense – le
modèle d'évaluation des actifs financiers (ou MEDAF) – est
une merveille d'élégance. Et pour peu qu'on en accepte les
prémisses, il s'avère aussi extrêmement utile. Le MEDAF ne

vous dit pas seulement comment constituer votre portefeuille, il vous dit aussi, ce qui est bien plus important du point de vue de la finance, comment mettre un prix sur des produits dérivés, placer des créances sur des créances. L'élégance et l'utilité apparente de la nouvelle théorie ont valu un chapelet de prix Nobel à ses créateurs, et nombre de ses adeptes ont aussi reçu des récompenses plus matérielles : armés de leur nouveau modèle et d'un talent formidable pour les mathématiques – les utilisations les plus impénétrables du MEDAF requièrent des calculs de physicien –, de gentils professeurs d'université se sont trouvés en position de jouer les savants de pointe pour Wall Street, qui n'a pas manqué de leur prodiguer en retour ses émoluments.

Par souci d'honnêteté, il faut dire que les théoriciens de la finance n'ont pas adopté l'hypothèse d'efficience des marchés pour ses aspects séduisants, pratiques et lucratifs. Ils l'ont aussi étayée d'un grand nombre d'éléments statistiques, qui ont d'abord paru très convaincants. Mais ces éléments étaient curieusement restrictifs. Les économistes financiers ne posaient que rarement la question apparemment évidente (même si sa réponse ne l'est pas) de savoir si le cours des actions avait un sens en rapport avec les fondamentaux du monde réel, tels que le rendement. Au lieu de cela, ils se bornaient à demander si le prix des actions avait un sens par rapport au prix d'autres actions. Larry Summers, le plus influent des conseillers économiques du président Obama pendant l'essentiel des trois premières années de son mandat, s'est un jour payé la tête des professeurs d'économie financière à travers une parabole sur les « économistes du ketchup » qui « ont démontré que les bouteilles de ketchup de deux quarts (de gallon) se vendent invariablement au double du prix de celles d'un quart », pour en conclure que le marché du ketchup est parfaitement efficient.

Mais pas plus cette pique que les critiques plus policées venues d'autres économistes n'ont eu beaucoup d'effets. Les théoriciens de la finance ont continué de penser que leurs modèles étaient fondamentalement justes, et beaucoup de décideurs du monde réel les ont imités. Parmi ces derniers, le moins zélé n'a pas été Alan Greenspan, dont le refus de freiner les prêts subprime ou de s'attaquer à la bulle immobilière qui ne cessait de gonfler a reposé dans une large mesure sur la croyance que l'économie financière moderne avait les choses bien en main.

Vous pourriez croire alors que l'ampleur de la catastrophe financière qui a frappé le monde en 2008 et le fait que ces instruments financiers prétendument sophistiqués soient devenus les vecteurs du désastre ont desserré l'emprise de la théorie d'efficience des marchés. Mais vous auriez tort.

Certes, juste après la chute de Lehman Brothers, Greenspan s'est déclaré en état d'« incrédulité consternée » parce que « l'ensemble de l'édifice intellectuel » s'était « effondré ». Mais en mars 2011, revenu à sa position antérieure, il appelait au rejet des (très modestes) tentatives de resserrer la régulation financière à la suite de la crise. Les marchés financiers se portaient bien, écrivait-il dans le *Financial Times* : « À de remarquablement rares exceptions près (2008, par exemple), la "main invisible" mondiale a créé des taux de change, des taux d'intérêt, des prix et des indices salariaux relativement stables. »

C'est vrai, au fond, qu'est-ce qu'une petite crise occasionnelle qui ravage l'économie mondiale ? Le politologue Henry Farnell s'est empressé, sur un blog, de lui répondre en invitant ses lecteurs à trouver d'autres acceptions de la notion d'« exceptions remarquablement rares » – comme par exemple : « À de remarquablement rares exceptions près, les réacteurs nucléaires du Japon ont été à l'abri des tremblements de terre. »

Le plus triste, c'est que l'attitude de Greenspan a été largement partagée. Très rares ont été les théoriciens de la finance qui sont revenus sur leurs convictions. Eugene Fama, le père de l'hypothèse d'efficience des marchés, n'a pas cédé un millimètre de terrain ; la crise, affirme-t-il, est due à l'intervention de l'État, notamment à travers le rôle de Fannie et Freddie (le Grand Mensonge que j'ai évoqué au chapitre 4).

Si l'on peut comprendre ce qui motive cette réaction, elle n'est pas pardonnable pour autant. Pour Greenspan comme pour Fama, reconnaître à quel point leur théorie de la finance a déraillé reviendrait à admettre qu'ils ont passé l'essentiel de leur carrière à avancer dans une impasse. Cela vaut aussi pour certains éminents macroéconomistes, qui soutiennent eux aussi depuis des décennies une vision du fonctionnement de l'économie que les récents événements ont totalement invalidée, et qui refusent eux aussi d'admettre leur erreur d'appréciation.

Mais ce n'est pas tout : en défendant leur erreur, ils ont aussi joué un rôle important dans le sabordage de toute réaction efficace à la crise que nous vivons en ce moment.

Murmures et ricanements

En 1965, le magazine *Time* citait Milton Friedman et sa fameuse déclaration : « Désormais nous sommes tous keynésiens. » Friedman a ensuite cherché à atténuer un peu la portée de sa déclaration, mais elle était vraie : si Friedman était le champion d'une doctrine vendue à titre d'alternative au keynésianisme et connue sous le nom de monétarisme, celle-ci n'était pas si différente de celle-là dans ses fondements conceptuels. D'ailleurs, quand en 1970 Friedman a publié un papier intitulé « Un cadre théorique pour l'analyse monétaire », bon nombre d'économistes ont été choqués par ses similitudes avec la théorie keynésienne pure jus. La vérité, c'est que dans les années 1960, les macroéconomistes avaient une vision commune du mécanisme de la récession, et s'ils divergeaient quant aux politiques qui s'imposaient, les désaccords portaient sur le plan pratique et ne révélaient pas de profonde fracture philosophique.

Depuis, toutefois, la macroéconomie s'est scindée en deux grands groupes : il y a les économistes « d'eau de mer » (essentiellement ceux des universités américaines du littoral), qui ont une vision plus ou moins keynésienne de ce que sont les récessions ; et il y a les économistes « d'eau douce » (essentiellement ceux des universités de l'intérieur du pays), qui jugent cette vision absurde.

Les économistes d'eau douce sont, pour la plupart, des puristes du laissez-faire. Ils croient que toute analyse économique valable doit avoir pour prémisses que les individus sont rationnels et que les marchés fonctionnent bien, des prémisses qui excluent a priori la possibilité qu'une économie soit mise à genoux par une simple insuffisance de la demande.

Mais les récessions n'ont-elles pas l'aspect de périodes dans lesquelles il n'y a simplement pas assez de demande pour procurer un emploi à tous ceux qui seraient prêts à travailler ? Les apparences sont parfois trompeuses, disent les théoriciens d'eau douce. L'économie bien comprise, selon eux, montre qu'il ne peut y avoir de défaillance générale de la demande – celle-ci ne se produit donc jamais.

Pourtant, les récessions se produisent bel et bien. Pourquoi ? Dans les années 1970, l'éminent macroéconomiste d'eau douce et prix Nobel Robert Lucas attribuait les récessions à une confusion passagère : travailleurs et entreprises avaient du mal à discerner entre les fluctuations du niveau général des prix dues à l'inflation et celles relevant de la situation de leur propre secteur d'activité. Et Lucas prévenait le lecteur que toute tentative de s'opposer au cycle des affaires serait contre-productive : toute politique interventionniste, soutenait-il, ne ferait qu'ajouter à la confusion.

À l'époque où étaient menés ces travaux, j'étais étudiant de troisième cycle, et je me souviens de l'excitation qu'ils soulevaient – et de l'attrait qu'exerçait leur rigueur mathématique, notamment, sur de nombreux jeunes économistes. Mais le « projet Lucas », ainsi qu'on le nommait, n'a pas tardé à dérailler.

Qu'est-ce qui a mal tourné ? Les économistes qui s'efforçaient de doter la macroéconomie de fondations microéconomiques se sont vite laissé emporter, mettant à leur projet un genre de zèle messianique qui n'acceptait pas la contradiction. Plus particulièrement, ils ont annoncé triomphalement la mort de l'économie keynésienne sans être encore parvenus à lui substituer une alternative fonctionnelle. En 1980, Robert Lucas déclarait – le mot est resté célèbre – que, dans les séminaires, la seule évocation des thèses keynésiennes provoquerait désormais « murmures et ricanements » parmi l'assistance. Keynes, et avec lui quiconque l'invoquait, s'est trouvé banni de nombreuses salles de classe et publications professionnelles.

Pourtant, au moment même où les anti-keynésiens criaient victoire, leur propre projet échouait. Leurs nouveaux modèles, en fin de compte, ne suffisaient pas à expliquer les données fondamentales des récessions. Mais ils avaient brûlé leurs vaisseaux ; après tant de murmures et de ricanements, il leur était impossible de faire demi-tour et d'admettre le simple fait que finalement, l'économie keynésienne paraissait quand même très raisonnable.

Ils se sont donc enfoncés plus profond, s'éloignant progressivement de toute appréciation réaliste des récessions et de leurs modalités. Le versant théorique de la macroéconomie est aujourd'hui largement dominé par la théorie des « cycles réels », qui considère que la récession est une réponse rationnelle, et même efficace, aux chocs technologiques adverses, qui demeurent eux-mêmes inexpliqués – et que la réduction de l'emploi qui survient lors d'une récession correspond à une décision volontaire des travailleurs qui s'offrent un peu de temps libre en attendant que la situation s'améliore. Si cela vous paraît absurde, c'est parce que ça l'est. Mais la théorie se prête aux jolies modélisations mathématiques dont on peut tirer des articles sur les cycles réels, qui offriront à leur auteur une voie directe vers la promotion et la titularisation. Et les théoriciens des cycles réels ont fini par acquérir une telle influence qu'il demeure très difficile pour un jeune économiste défendant une autre vision d'obtenir un emploi dans beaucoup de grandes universités. (Je vous ai bien dit que nous souffrions des effets d'une sociologie théorique débridée.)

Mais les économistes d'eau douce ne l'ont pas emporté sur toute la ligne pour autant. Face à l'échec flagrant du projet Lucas, certains confrères ont choisi d'accorder une nouvelle chance aux idées keynésiennes et de les « relooker ». La « nouvelle économie keynésienne » a trouvé demeure dans des écoles comme le MIT, Harvard et Princeton – oui, près de l'eau de mer – et dans des institutions de politique économique comme la Fed et le Fonds monétaire international. Les nouveaux keynésiens ont souhaité se démarquer du présupposé des marchés idéaux ou de la rationalité parfaite, ou des deux, en y ajoutant suffisamment d'imperfections pour faire place à une vision plus ou moins keynésienne des récessions. Et parmi les idées des économistes d'eau de mer, l'intervention active de l'État au moyen de programmes de lutte contre la récession est restée attrayante.

Cela dit, les économistes d'eau de mer n'étaient pas totalement immunisés contre l'attrait pernicieux de la théorie des individus rationnels et des marchés parfaits. Ils se sont efforcés de limiter autant que possible leur déviance par rapport à l'orthodoxie classique. Cela a signifié qu'il n'y a plus eu de place dans leurs modèles de référence pour des choses telles que les bulles et l'effondrement du système bancaire, malgré le fait qu'elles continuaient de se produire dans le monde réel. Il demeure que la crise économique ne contredisait pas la vision fondamentale du monde des nouveaux keynésiens ; même s'ils n'avaient pas trop réfléchi à la question des crises depuis quelques décennies, leurs modèles n'en excluaient pas la possibilité. Par conséquent, certains nouveaux keynésiens tels Christy Romer, ou d'ailleurs Ben Bernanke, ont formulé des réponses utiles à la crise, sous la forme notamment d'importantes augmentations des prêts de la Fed et d'accroissements temporaires de la dépense publique. On ne peut malheureusement pas en dire autant des économistes d'eau douce.

À propos, au cas où vous seriez en train de vous poser la question, je me considère comme un nouveau keynésien mi-figue mi-raisin ; il m'est même arrivé de publier des articles dans un style très proche du nouveau keynésianisme. Je ne suis pas vraiment convaincu par les présupposés sur la rationalité et les marchés qui sont au cœur de nombreux modèles théoriques modernes, le mien compris, et j'en viens souvent à me tourner vers les idées de l'ancien keynésianisme, mais je perçois l'utilité possible de ces modèles qui permettent de conduire sur certaines questions une réflexion poussée – attitude aujourd'hui largement partagée dans le camp de l'eau de mer. Au fond du fond, l'opposition entre eau de mer et eau douce est celle du pragmatisme contre une certitude quasi religieuse qui n'a fait que se renforcer à mesure que les faits observables contredisaient la Vraie Foi Unique.

Du coup, au lieu de se montrer utiles quand la crise a frappé, de trop nombreux économistes se sont lancés dans des guerres de religion.

L'économie de pacotille

Pendant longtemps, la question de savoir ce qui était et, surtout, n'était pas enseigné dans les facultés d'économie n'a pas vraiment eu d'importance. Pourquoi ? Parce que la Fed et ses institutions sœurs avaient les choses bien en main.

On l'a vu au chapitre 2, combattre une récession ordinaire est relativement simple : il suffit à la Fed d'émettre un peu de monnaie pour faire baisser les taux d'intérêt. En pratique, la tâche n'est pas si élémentaire qu'on le croirait, parce que la Fed doit évaluer la quantité de potion monétaire à administrer et la durée du traitement, tout cela dans un environnement où les données ne cessent de changer et où il faut qu'un temps substantiel s'écoule avant qu'on ne perçoive les effets de quelque mesure que ce soit. Mais ces difficultés n'ont pas empêché la Fed de chercher à faire son travail ; pendant qu'un grand nombre de macroéconomistes universitaires s'égaraient au pays de cocagne, la Fed gardait les pieds sur terre et continuait de financer des travaux de recherche conformes à sa mission.

Mais qu'adviendrait-il si l'économie rencontrait une récession vraiment grave, impossible à contenir par des mesures monétaires ? Eh bien cela n'était pas censé se produire ; d'ailleurs Milton Friedman nous avait appris que c'était tout bonnement impossible.

Même les détracteurs d'un grand nombre de positions politiques prises par Friedman sont bien forcés de reconnaître en lui un grand économiste, qui a vu juste sur des questions très importantes. Malheureusement, l'une de ses déclarations les plus percutantes – que la Grande Dépression n'aurait pas eu lieu si la Fed avait fait son travail, et que les interventions monétaires idoines ont le pouvoir d'empêcher la résurgence de tout événement de ce type – est très vraisemblablement fausse. Et cette erreur a eu une conséquence grave : tant au sein de la Fed que de ses institutions sœurs ou dans la recherche professionnelle, on n'a que très peu débattu des politiques que l'on peut appliquer lorsque la politique monétaire ne suffit pas à endiguer la crise.

Pour vous donner une idée de l'état d'esprit qui régnait avant la crise, voici ce qu'a déclaré Ben Bernanke en 2002 lors d'un hommage rendu à Friedman pour son quatre-vingt-dixième anniversaire : « Permettez-moi de conclure mon intervention en abusant légèrement de mon statut de représentant officiel de la Réserve fédérale. Je voudrais dire à Milton et Anna : à propos de la Grande Dépression, vous avez raison, c'est de notre faute. Nous sommes profondément désolés. Mais grâce à vous, cela ne se reproduira pas. »

Ce qui n'a pas manqué de se produire, bien entendu, c'est qu'en 2008-2009, la Fed a fait tout ce que Friedman disait qu'elle aurait dû faire dans les années 1930 – et cela ne met manifestement pas l'économie à l'abri d'un syndrome qui, sans être aussi grave que la Grande Dépression, n'en possède pas moins un air de famille. En outre, quantité d'économistes, loin de se montrer disposés à participer à l'élaboration et à la défense des mesures économiques supplémentaires, se sont évertués à faire obstacle à tout type d'intervention.

Ce que cette attitude a de frappant et de déprimant à la fois, c'est – il n'y a pas d'autre façon de le dire – l'ignorance crasse dont elle témoigne. Souvenez-vous, au chapitre 2 j'ai cité Brian Riedl, de la fondation Heritage, pour illustrer le caractère erroné de la loi de Say, selon laquelle le revenu est forcément dépensé et l'offre crée sa propre demande. Figurez-vous que début 2009, deux économistes influents de l'université de Chicago, Eugene Fama et John Cochrane, ont produit très exactement le même argument pour expliquer que la relance budgétaire n'aurait aucun effet positif – présentant cette idée depuis longtemps réputée fausse comme une idée profonde qui, allez savoir comment, avait échappé à trois générations d'économistes keynésiens.

Mais ce n'est pas le seul argument fondé sur l'ignorance qui ait été brandi contre la relance budgétaire. Robert Barro, d'Harvard, par exemple, a affirmé que l'essentiel de la relance serait contrebalancé par une baisse de la consommation privée, ce qui, signalait-il fort à propos, s'était déjà produit quand la dépense publique avait grimpé en flèche pendant la Seconde Guerre mondiale. Apparemment, personne n'a pris la peine de lui expliquer que la baisse de la dépense du consommateur pendant la guerre était peut-être due au rationnement, ou que la baisse des investissements répondait peut-être au fait que l'État avait temporairement interdit la mise en route de tout nouveau chantier qui ne soit pas essentiel. De son côté, pour expliquer l'inefficacité de la relance, Robert Lucas brandissait un principe connu sous le nom d'« équivalence ricardienne » – démontrant au passage qu'il ignorait la logique précise de ce principe, ou qu'il l'avait oubliée.

Permettez-moi un petit commentaire en aparté : parmi les économistes montés au front avec ce genre d'arguments, beaucoup ont manifesté une certaine condescendance à l'égard de ceux qui plaidaient en faveur de la relance. Cochrane, par exemple, a déclaré que la relance « a disparu du programme enseigné aux étudiants en économie depuis les années 1960. Ce ne sont [les idées keynésiennes] que des contes de fées dont l'inexactitude a été établie. Il est sans doute très réconfortant en période de tension de revenir aux contes de fées de l'enfance, mais cela ne les rend pas plus véridiques pour autant. »

De son côté, Lucas s'est permis de qualifier l'analyse de Christina Romer, première conseillère économique d'Obama et spécialiste reconnue (entre autres) de la Grande Dépression, d'« économie de pacotille », et de l'accuser de flagornerie parce qu'elle proposait la « justification pure et simple de mesures qui ont été déjà été décidées mais pour d'autres raisons. »

Et, oui, Barro a cherché à insinuer que je n'étais moi-même pas qualifié pour avancer des analyses sur les questions macroéconomiques.

Au cas où vous vous poseriez la question, tous les économistes que je viens d'évoquer sont politiquement conservateurs. Alors, dans une certaine mesure, ces économistes ont été le bras armé du parti républicain. Mais ils n'auraient pas mis tant d'empressement à dire ces choses, et n'auraient pas fait un tel étalage d'ignorance, si la profession dans son ensemble ne s'était pas si amplement égarée au cours des trois dernières décennies.

Par souci de clarté, précisons que certains économistes n'ont pas totalement oublié la Grande Dépression et ses implications, notamment Christy Romer. Et à l'heure actuelle, dans la quatrième année de la crise, on voit se développer un corpus d'excellents travaux, souvent menés par de jeunes économistes, portant sur la politique budgétaire – des travaux qui confirment largement l'efficacité de la relance et laissent implicitement entendre qu'il aurait fallu l'appliquer à bien plus grande échelle.

Il demeure qu'au moment décisif, quand nous avions plus que jamais besoin de clarté, les économistes ont offert une cacophonie de points de vue, et cela n'a fait que saper l'argumentaire justifiant le passage à l'action économique au lieu de le soutenir.

Chapitre 7

ANATOMIE D'UNE RÉACTION INADÉQUATE

> Je vois se mettre en place le scénario suivant : un plan de relance timide, peut-être plus encore que celui dont nous parlons aujourd'hui, est élaboré pour pêcher des voix supplémentaires auprès du parti républicain. Ce plan freine la montée du chômage, mais la situation demeure assez mauvaise, avec un taux culminant autour de 9 % et ne baissant que lentement. Puis, Mitch McConnell[1] dit : « Vous voyez bien que la dépense publique ne marche pas. »
>
> Espérons que je me trompe sur ce point.
>
> Extrait de mon blog, 6 janvier 2009.

---

1. Leader de l'opposition républicaine au Sénat (NdT).

Le 20 janvier 2009, Barack Obama prêtait serment en tant que président des États-Unis. Dans son discours d'investiture, reconnaissant l'état précaire de l'économie, il a promis « des actes, audacieux et rapides » pour mettre fin à la crise. Rapides, ses actes l'ont bien été – si rapides qu'à l'été 2009, l'économie avait cessé sa descente en piqué.

Mais ils n'ont pas été audacieux. La pierre angulaire de la stratégie économique d'Obama, l'American Recovery and Reinvestment Act (loi du redressement et du réinvestissement américains), restera comme le plus important programme de création d'emploi de l'histoire des États-Unis – mais il était aussi profondément inadapté à l'enjeu. Sans doute est-ce facile à dire aujourd'hui, avec le recul, mais tout le monde n'a pas attendu pour le dire. Dès janvier 2009, quand les grandes lignes du plan sont devenues apparentes, divers économistes favorables à l'administration sans toutefois y appartenir ont publiquement fait état de leur crainte des conséquences économiques et politiques des demi-mesures envisagées ; on sait aujourd'hui que certains au sein même du gouvernement, dont Christina Romer, chef du Council of Economic Advisers, partageaient ce point de vue.

Pour rendre justice à Obama, il faut reconnaître que l'ensemble du monde développé a plus ou moins commis la même erreur que lui, les dirigeants ayant visé trop court à peu près partout. L'intervention des gouvernements et des banques centrales a consisté à faire baisser le prix de l'argent et à apporter aux banques l'aide suffisante pour empêcher que se reproduise la décomposition financière généralisée survenue au début des années 1930, qui avait entraîné trois années de contraction du crédit, un élément déterminant dans les causes de la Grande Dépression. (On a connu une contraction similaire en 2008-2009, mais elle a duré beaucoup moins longtemps, de septembre 2008 à la fin du printemps 2009.) Les mesures prises ont été bien trop timides pour empêcher une hausse brutale et persistante du chômage. Et quand la première série de mesures a échoué, tous les gouvernements du monde développé, loin de reconnaître qu'ils avaient visé trop juste, ont voulu y voir la démonstration qu'il n'était pas possible ni souhaitable d'entreprendre quoi que ce soit d'autre pour créer de l'emploi.

Les mesures prises n'ont donc pas été à la hauteur des circonstances. Comment cela s'est-il produit ?

D'un côté, ceux qui avaient une vision à peu près correcte de ce que réclamait l'économie, président Obama compris, se sont montrés timorés, ils n'ont jamais voulu reconnaître l'ampleur des actions à entreprendre ni admettre ensuite qu'ils en avaient fait trop peu lors de la première intervention. De l'autre, ceux qui se faisaient des idées fausses – aussi bien les politiciens conservateurs que les économistes d'eau douce dont j'ai parlé au chapitre 6 – ont fait grand étalage de véhémence et d'incapacité à douter d'eux-mêmes. Et même lors de l'hiver rigoureux de 2008-2009, quand on aurait attendu qu'ils envisagent au moins la possibilité de s'être trompés, ils ont multiplié les efforts pour bloquer toute initiative contraire à leur idéologie. Ceux qui avaient raison ont manqué de conviction, et ceux qui avaient tort étaient habités de ferveur.

Dans les pages qui suivent, si ce n'est pour quelques rapides coups d'œil vers d'autres pays, je me focaliserai sur le cas américain, en partie parce que c'est celui que je connais le mieux et qui, sincèrement, me touche de plus près ; mais aussi parce que la tournure que prennent les événements en

Europe est très particulière, du fait des problèmes spécifiques à la monnaie commune, et que cela mérite d'être traité à part.

Alors sans plus de prolégomènes, venons-en à la façon dont est survenue la crise, puis à ces mois fatidiques de la fin 2008 et du début 2009 où les mesures adoptées se sont avérées résolument et désastreusement insuffisantes.

La crise survient

Le moment Minsky qu'a connu l'Amérique n'a pas vraiment été un moment ; c'est un processus qui s'est étalé sur plus de deux ans, avec une vive accélération vers la fin. D'abord, la grande bulle immobilière des années Bush a commencé à désenfler. Ensuite, les pertes sur les instruments financiers adossés à des créances immobilières ont commencé à peser sur les institutions financières. Les choses ont alors pris un tour critique avec la faillite de Lehman Brothers, qui a déclenché une panique générale sur le « système bancaire fantôme ». À ce stade, il aurait fallu mener des interventions radicales allant au-delà de la simple extinction des foyers d'incendie – mais elles n'ont pas vu le jour.

À l'été 2005, le cours de l'immobilier dans les principales villes des « Sand States » (États sablonneux[1]) – la Floride, l'Arizona, le Nevada et la Californie – était supérieur d'environ 150 % à ce qu'il avait été au début de la décennie. D'autres villes ont connu une augmentation plus modeste, mais il était clair que le pays entier connaissait un boom du logement présentant tous les signes de la bulle classique : la croyance que les cours ne baissent jamais, la précipitation des acheteurs avant que les prix ne grimpent encore plus haut, et beaucoup d'activité spéculative ; on a même pu voir une

---

1. Quatre États sont regroupés sous cette appellation par certains commentateurs parce que l'immobilier y a évolué de façon similaire et qu'ils possèdent des plages ou des déserts en abondance (NdT).

émission de télé-réalité intitulée *Flip this house* [1]. Mais déjà la bulle commençait à perdre de l'air ; les prix ont poursuivi leur ascension à peu près partout, mais les maisons mettaient beaucoup plus longtemps à se vendre.

Selon un indice très couramment utilisé, l'indice Case-Shiller, le prix des maisons a atteint son pic national au printemps 2006. Dans les années qui ont suivi, la croyance très répandue que l'immobilier ne baisse jamais a reçu un démenti brutal. Les villes ayant connu la plus forte hausse pendant les années de la bulle ont été celles des plus forts déclins : autour de 50 % à Miami, quasiment 60 % à Las Vegas.

De façon assez surprenante, l'éclatement de la bulle immobilière n'a pas immédiatement entraîné de récession. Le secteur du bâtiment a subi un gros coup de frein, mais ce dernier a été compensé quelque temps par l'essor des exportations dû à la faiblesse du dollar, qui rendait la production industrielle américaine très concurrentielle en matière de coûts. À l'été 2007, toutefois, les ennuis de l'immobilier ont rejailli sur les banques, qui ont commencé à enregistrer de lourdes pertes sur les titres adossés à des créances immobilières – des instruments financiers consistant à vendre une concession sur le remboursement de paquets de crédits immobiliers regroupés ; certaines de ces concessions étant prioritaires sur les autres, ce sont les premières servies.

Le risque sur ces créances prioritaires était supposément très faible ; c'est vrai, quelle pouvait être la probabilité qu'un grand nombre d'individus fassent défaut en même temps sur leur crédit immobilier ? La réponse, bien entendu, est que dans un milieu où les maisons valaient 30, 40, 50 % de moins que le prix d'origine payé par l'emprunteur, cette probabilité était assez forte. De sorte qu'un grand nombre d'actifs prétendument sûrs, des actifs notés AAA par Standard & Poor's ou Moody's, ont fini par devenir des « déchets

---

1. *To flip*, que l'on pourrait ici traduire par « métamorphoser », désigne l'opération consistant à acheter, rénover et revendre rapidement une maison (NdT).

toxiques » ne valant plus qu'une fraction de leur valeur nominale. Une part de ces déchets toxiques a été écoulée auprès d'acquéreurs peu avisés, comme la caisse de retraite des enseignants en Floride. Mais un grand nombre est resté au sein du système financier, achetés par des banques ou acquis par le secteur bancaire fantôme. Et puisque ces deux types d'établissements sont par nature lourdement endettés, il n'a pas fallu beaucoup de pertes de cette ampleur pour remettre en question la solvabilité d'un grand nombre d'institutions.

C'est le 9 août 2007 que l'on a commencé à prendre conscience de la gravité de la situation, quand la banque française d'investissement BNP Paribas a annoncé aux investisseurs de deux de ses fonds qu'ils ne pourraient plus retirer leur argent parce que les marchés de ces actifs avaient tout simplement fermé. Une contraction du crédit s'est alors amorcée quand les banques, inquiètes de possibles pertes, ont cessé de vouloir s'accorder des prêts mutuels. À la fin 2007, l'effet combiné de cette contraction du crédit et du déclin de la construction de logements, qui a fait baisser la dépense du consommateur à mesure que se faisait sentir la chute du cours de l'immobilier, a précipité l'économie américaine dans la récession.

Au début, toutefois, le déclin n'a pas été trop abrupt, à tel point qu'on a pu espérer jusqu'en septembre 2008 que le plongeon économique ne serait pas si grave que cela. D'ailleurs, beaucoup affirmaient alors que l'Amérique n'était pas vraiment en récession. Vous vous souvenez de Phil Gramm, l'ancien sénateur qui avait orchestré l'abrogation de la loi Glass-Steagall avant de s'en aller travailler dans le secteur financier ? En 2008, il était conseiller auprès de John McCain, le candidat républicain à l'élection présidentielle, et en juillet de la même année, il déclarait que la récession n'était en vérité que « mentale », pas réelle. Avant d'enfoncer le clou : « Nous sommes en quelque sorte devenus une nation de pleurnichards. »

En vérité, une dégringolade se préparait bel et bien, le taux de chômage étant déjà passé de 4,7 % à 5,8 %. Mais il est vrai que le pire restait à venir ; l'économie n'entamerait sa chute libre qu'à partir de la faillite de Lehman Brothers, survenue le 15 septembre 2008.

Pourquoi la faillite de ce qui n'était en fin de compte qu'une banque d'affaires de moyenne envergure a-t-elle occasionné tant de dégâts ? La première réponse qui vient à l'esprit, c'est que la chute de Lehman a fait souffler un vent de panique sur le système bancaire fantôme, et notamment sur une de ses composantes qu'on appelle la « mise en pension ». Nous l'avons vu au chapitre 4, c'est un mécanisme par lequel les acteurs financiers comme Lehman financent leurs investissements en contractant auprès d'autres acteurs des prêts à très court terme – souvent du soir au lendemain – qu'ils nantissent au moyen d'actifs tels que des obligations adossées à des créances immobilières. Ce n'est qu'une pratique bancaire parmi d'autres, parce que les acteurs comme Lehman possédaient des actifs à long terme (des obligations adossées à des créances immobilières, par exemple) et des passifs à brève échéance (les mises en pension). Mais c'est une pratique bancaire dépourvue de tout garde-fou de type dépôt d'assurance. Et les entreprises comme Lehman n'étant soumises qu'à une régulation très légère, elles empruntaient généralement jusqu'à l'extrême limite, avec des dettes quasiment équivalentes à leurs actifs. Le moindre petit coup du sort, comme une baisse franche de la valeur des actifs adossés à des créances immobilières, suffisait à leur mettre la tête sous l'eau.

La mise en pension était, pour résumer, extrêmement vulnérable à la version moderne de la panique bancaire. Et c'est ce qui s'est produit à l'automne 2008. Les prêteurs qui jusqu'alors avaient bien voulu procéder au refinancement des prêts qu'ils avaient consentis aux établissements comme Lehman ont perdu confiance dans le fait que l'autre partie tiendrait sa promesse de racheter les obligations qu'elle cédait de façon temporaire, si bien qu'ils se sont mis à exiger d'autres garanties sous la forme de « *haircuts* » – littéralement « coupes de cheveux », l'ajout de nouveaux actifs en nantissement. Mais les banques d'investissement ne détenant qu'un nombre limité d'actifs, cela signifiait qu'elles ne pouvaient plus suffisamment emprunter pour répondre à leurs besoins de liquidités ; elles ont donc entrepris de vendre leurs actifs avec frénésie, ce qui a en fait baissé les prix et incité les prêteurs à demander de nouvelles « coupes de cheveux ».

Quelques jours après la faillite de Lehman, cette panique bancaire façon XXIe siècle avait fait des ravages non seulement dans le système financier, mais aussi dans le financement du secteur réel. Les plus fiables des emprunteurs – l'État américain, bien sûr, et les grandes entreprises au bilan solide – pouvaient encore emprunter à des taux relativement bas. Mais tous ceux qui semblaient présenter le moindre risque se sont vu fermer l'accès à l'emprunt ou condamnés à verser des taux d'intérêt très élevés. Le diagramme ci-dessous montre le rapport des obligations d'entreprise à « haut rendement » et risque élevé, ou junk bonds, qui rapportaient moins de 8 % avant la crise ; ce taux est monté à 23 % après la chute de Lehman.

L'effet Lehman : les obligations d'entreprise
à haut rendement

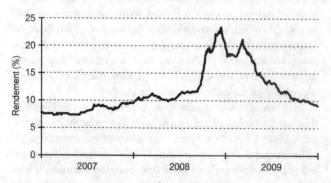

Les taux d'intérêt sur tous les actifs à l'exception des plus sûrs ont explosé après la faillite de Lehman, le 15 septembre 2008, contribuant à pousser l'économie dans une chute à pic.
Source : Federal Reserve Bank of St. Louis

La perspective d'un effondrement total du système financier a mobilisé les esprits des décideurs politiques – et quand

il a fallu sauver les banques, ils ont mené une action vigoureuse et décisive. La Réserve fédérale a consenti des prêts
immenses aux banques et aux autres institutions financières,
afin de s'assurer qu'elles ne manquent pas de liquidités. Elle
a aussi créé un entrelacs de conventions spéciales de prêt pour
combler les vides de financement créés par l'état d'infirmité
des banques. Après deux tentatives, l'administration Bush a
obtenu l'adoption par le Congrès du TARP (*Troubled Asset
Relief Program* – plan de secours des actifs toxiques), qui ins-
tituait un fonds de renflouement de 700 milliards de dollars
essentiellement alloué à la prise de participations dans les
banques afin d'améliorer leur capitalisation.

Il y a beaucoup à dire sur la façon dont a été conduit ce
renflouement. Sans doute fallait-il sauver les banques, mais
l'État aurait dû se montrer bien plus ferme dans la négociation et exiger une prise de participation sensiblement supérieure en échange de l'aide d'urgence. À l'époque, j'ai pressé
l'administration Obama de placer Citigroup et peut-être
quelques autres banques sous administration judiciaire, pas
pour en assurer la gestion à long terme, mais pour garantir
le plein bénéfice au contribuable le jour où, peut-être, ces
établissements seraient sauvés grâce à l'aide fédérale ; en agissant différemment, l'administration a consenti une grosse
subvention aux actionnaires, les plaçant dans une situation
où pile ils gagnaient, face un autre perdait.

Mais malgré ses termes trop généreux, le renflouement
financier a globalement fonctionné. Les principales institutions financières ont survécu ; la confiance est revenue parmi
les investisseurs, et au printemps 2009, les marchés financiers
avaient plus ou moins retrouvé une situation normale, la plupart des emprunteurs, mais pas tous, ayant retrouvé la capacité de lever des fonds à des taux d'intérêt relativement
raisonnables.

Malheureusement, ce n'était pas suffisant. Il n'y a pas de
prospérité sans système financier opérationnel, mais la stabilisation du système financier n'apporte pas nécessairement la
prospérité. Ce qu'il fallait à l'Amérique, c'était un plan de

sauvetage pour l'économie réelle, la production et l'emploi, aussi puissant et adapté que l'avait été le sauvetage financier. Ce que l'Amérique a réellement mis en place était loin de remplir cet objectif.

Relance inadéquate

En décembre 2008, l'équipe de transition de Barack Obama se préparait à prendre en main la gestion de l'économie américaine. Il était déjà clair qu'elle se trouvait face à une perspective particulièrement redoutable. La chute des prix du logement et des actions avait porté un coup sérieux au portefeuille du pays ; le patrimoine net des ménages avait perdu 13 billions de dollars – soit à peu près l'équivalent d'une année de production de biens et de services – dans le courant de l'année 2008. La dépense du consommateur est naturellement tombée en chute libre, suivie de celle des entreprises, qui souffraient aussi des effets de la contraction du crédit, puisqu'il n'y a aucune raison de développer une affaire dont les clients ont disparu.

Qu'aurait-il fallu faire, alors ? La première ligne de défense contre les récessions est habituellement assurée par la Réserve fédérale, qui procède à l'abaissement des taux d'intérêt quand l'économie vacille. Mais les taux d'intérêt à court terme, ceux sur lesquels la Fed exerce généralement son contrôle, étant déjà à zéro, il n'était pas possible de les baisser davantage.

Cela ne laissait plus comme réponse évidente que la relance budgétaire – un accroissement temporaire de la dépense publique et/ou des abattements fiscaux, profilés de façon à soutenir la dépense globale et créer de l'emploi. Et l'administration a bien rédigé une loi de relance qu'elle a fait passer, l'American Recovery and Reinvestment Act. Malheureusement, avec 787 milliards de dollars au départ, ce texte était très insuffisant pour ce qu'on en attendait. Sans doute a-t-il atténué la récession, mais on était loin de ce qui aurait été nécessaire pour rétablir le plein-emploi, ou même donner l'impression d'un progrès. Pire encore, l'échec manifeste de la relance a eu pour effet, dans l'esprit des électeurs, de discréditer l'idée même d'un recours à la dépense publique pour créer de l'emploi. Si bien que l'administration Obama n'a pas eu l'occasion de revoir sa copie.

Avant que j'en vienne aux raisons de l'inadéquation de la relance budgétaire, permettez-moi de répondre à deux objections que les gens comme moi sont souvent amenés à entendre. D'abord, on nous accuse de chercher des excuses, de tenir ce discours après coup pour justifier l'échec de la politique que nous préconisons. Et puis il y a l'allégation selon laquelle Obama aurait considérablement renforcé l'appareil d'État, et qu'il n'y aurait donc pas lieu de prétendre qu'il a trop peu dépensé.

La réponse à la première objection est que notre explication *ne vient pas* après coup : bon nombre d'économistes ont averti dès le départ que la proposition du gouvernement était piteusement inadéquate. Le lendemain de la signature du plan de relance, par exemple, Joseph Stiglitz (prix Nobel d'économie), de Columbia, déclarait :

> Je crois qu'il existe parmi les économistes un large consensus, pas forcément universel, autour du fait que le plan de relance budgétaire adopté est mal conçu et insuffisant. Je sais que ce n'est pas l'avis universel, mais laissez-moi expliquer. Déjà, son insuffisance devrait être assez apparente à la lumière de ce que je viens de dire : il cherche à pallier le manque de demande globale et il est tout simplement trop faible de ce point de vue.

Pour ma part, quand on a commencé à découvrir quelle forme allait prendre le plan de l'administration, je me suis quasiment arraché les cheveux en public en écrivant :

> Au compte-goutte, les informations nous parviennent sur le plan de relance Obama, juste assez pour nous permettre de griffonner sur un coin de table quelques estimations de l'effet probable qu'il aura. L'idée de fond est la suivante : il s'agit probablement d'un plan qui rognera moins de deux points au taux de chômage moyen sur les deux prochaines années, et peut-être même beaucoup moins que cela.

Après quelques calculs, je concluais par le paragraphe qui figure en exergue du présent chapitre, où je craignais le fait qu'une relance inadéquate n'échoue pas seulement à produire une reprise suffisante, mais qu'elle sape aussi toute possibilité ultérieure d'action gouvernementale.

Malheureusement, Stiglitz et moi-même avions raison de nous méfier. Le chômage a grimpé plus haut encore que je ne le pensais, à plus de 10 %, mais dans l'ensemble, le dénouement économique et ses implications politiques ont correspondu à ce que j'avais imaginé. Et comme vous pouvez le voir, nous nous sommes inquiétés de l'inadéquation de la relance dès le départ, nous n'avons pas cherché d'excuses après coup.

Qu'en est-il du renforcement considérable de l'État supposément advenu sous Obama ? Eh bien, il est vrai que la dépense publique en pourcentage du PIB a augmenté, passant de 19,7 % du PIB pour l'exercice 2007 à 24,1 % pour l'exercice 2011 (l'exercice budgétaire commence le 1er octobre de l'année précédant l'année civile.) Mais cette augmentation n'a pas le sens que lui prêtent beaucoup. Pourquoi ?

D'abord, l'importance de la dépense par rapport au PIB tient en partie au fait que le PIB soit bas. Sur la base des tendances précédentes, on aurait pu s'attendre à voir la croissance américaine tourner autour de 9 % pour les quatre années séparant 2007 de 2011. En vérité, c'est à peine s'il y a eu de la croissance, parce qu'à la chute abrupte de 2007 à 2009 n'a succédé qu'une faible reprise, au point qu'en 2011, on avait tout juste rattrapé le terrain perdu. Dès lors, même une évolution normale de la dépense publique se serait traduite par une forte augmentation en pourcentage du PIB, tout simplement parce que le PIB est très au-dessous de sa tendance habituelle.

Cela dit, la dépense publique a bien connu une accélération exceptionnelle entre 2007 et 2011. Mais cela ne traduisait pas une extension du champ d'activité de l'État ; la dépense supplémentaire a très largement été affectée à l'assistance portée à des Américains dans le besoin.

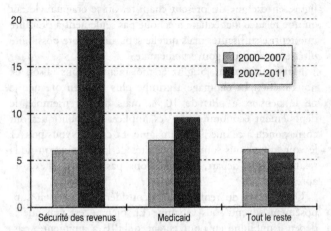

Taux d'accroissement de la dépense

La dépense a bien augmenté plus vite qu'à l'accoutumée, mais la différence s'explique par une intensification des programmes sociaux en réaction à l'urgence économique.

Source : Congressional Budget Office

La figure ci-dessus, établie à partir de données du Congressional Budget Office, montre ce qui s'est vraiment passé. Le CBO classe les dépenses selon un certain nombre de rubriques ; j'en ai distingué deux, « sécurité des revenus » et Medicaid, pour les comparer à tout le reste. Dans chaque catégorie, j'ai comparé le taux d'accroissement des dépenses survenu entre 2000 et 2007 – c'est-à-dire une période proche du plein-emploi, étalée sur deux mandats de l'administration conservatrice des républicains – avec celui survenu de 2007 à 2011, en pleine crise économique.

La « sécurité des revenus » regroupe essentiellement les allocations chômage, les tickets alimentaires et l'*earned income tax credit*, un crédit d'impôt ciblant les salariés aux revenus modestes. C'est-à-dire qu'il s'agit de programmes d'aide aux Américains en situation de pauvreté ou de quasi-pauvreté, dont l'augmentation est logique aussitôt qu'augmente le nombre d'Américains en détresse financière. De son côté, Medicaid est aussi un programme sous conditions de ressources, destiné aux pauvres et aux quasi-pauvres, il est donc logique que la dépense augmente quand le pays traverse une période difficile. Ce qui apparaît dans le graphique de façon flagrante, c'est que *toute* l'accélération de l'accroissement de la dépense est attribuable à des programmes constituant fondamentalement une aide d'urgence aux plus durement frappés par la récession. Voilà pour ceux qui prétendent qu'Obama s'est lancé dans un accroissement effréné des dépenses publiques.

Qu'a fait Obama, alors ? Concernant le montant de l'American Recovery and Reinvestment Act (ARRA), nom officiel du plan de relance, on a annoncé 787 milliards de dollars, alors qu'une partie de cette somme correspondait à des abattements fiscaux qui auraient de toute façon été votés. Concrètement, ces déductions fiscales ont constitué près de 40 % du total, et leur efficacité à stimuler la demande a probablement été deux fois inférieure, au mieux, à celle des augmentations réelles de la dépense publique.

Quant au reliquat, une part importante a été affectée à l'extension de l'allocation chômage, une autre a servi à l'entretien de Medicaid, et une troisième a été versée aux administrations locales et à celles des États pour leur permettre d'éviter d'avoir à couper dans leurs dépenses malgré la chute de leurs recettes. Seule une faible part a été allouée au type de dépenses qui vient généralement à l'esprit quand on parle de relance – construction et entretien de routes, etc. On n'a rien vu qui ressemble à la Work Progress Administration de Roosevelt. (Au plus fort de son utilisation, la WPA employait trois millions d'Américains, soit 10 % de la main-d'œuvre du pays. Un programme équivalent emploierait aujourd'hui treize millions de travailleurs.)

Il demeure que pour le grand public, 800 milliards de dollars, c'est beaucoup d'argent. Comment ceux d'entre nous qui ont sérieusement considéré les chiffres en présence ont-ils su que c'était largement insuffisant ? La réponse est double : il y a la connaissance de l'histoire, et puis une bonne appréciation de la taille de l'économie américaine.

L'histoire nous montre que le ralentissement qui suit les crises financières est généralement brutal, cruel et durable. La Suède, par exemple, a connu une crise bancaire en 1990 ; malgré l'intervention du gouvernement pour ren-flouer les banques, cette crise a été suivie d'un passage à vide qui a vu le PIB réel (corrigé de l'inflation) baisser de 4 %, et il a fallu attendre 1994 pour que l'économie retrouve un PIB équivalent à celui d'avant la crise. Tout portait à croire que ce serait au moins aussi grave pour les États-Unis, notamment parce que la Suède avait quand même pu soulager son économie en exportant ses produits vers des nations en meilleure santé, alors qu'en 2009, les États-Unis ont eu affaire à une crise mondiale. Il était donc assez réaliste de penser que la relance demeurerait néces-saire pendant au moins trois années de profondes difficul-tés économiques.

Et l'économie américaine est vraiment très, très grande, puisqu'elle produit chaque année près de 15 billions de dol-lars en biens et services. Qu'on y songe : si l'économie amé-ricaine allait devoir traverser trois années de crise, la mission de la relance consisterait à redresser une économie de 45 billions de dollars – soit trois années de production – au moyen d'un plan de 787 milliards, soit nettement moins de 2 % des dépenses totales de l'économie sur la période. Les 787 milliards ne paraissent plus si élevés, vous ne trouvez pas ?

Une chose encore : le plan de relance a été conçu comme un coup de pouce relativement bref, pas comme un soutien à long terme. L'effet positif maximal de l'ARRA s'est fait sentir à la mi-2010, avant de s'estomper assez vite. Cela aurait suffi pour une crise de courte durée, mais face à la perspective de difficultés bien plus durables – ce qui est à peu près systématique après une crise financière –, l'échec était assuré.

Tout cela invite à se demander : pourquoi a-t-on adopté un plan à ce point inadéquat ?

Les raisons de l'échec

Précisons d'emblée que nous ne nous attarderons pas trop sur l'examen des décisions prises début 2009, car l'eau a depuis coulé sous les ponts. Le propos de ce livre est de réfléchir à ce qu'il convient de faire *maintenant*, pas de distribuer les mauvais points pour les actes du passé. Il demeure que je me dois d'aborder brièvement le fait que le gouvernement d'Obama, keynésien en principe, a visé très court dans sa réaction immédiate à la crise.

Pour expliquer l'insuffisance du plan de relance d'Obama, deux théories se font concurrence. L'une met l'accent sur les limitations politiques ; Obama aurait en fait obtenu tout ce qu'il pouvait obtenir. L'autre prétend que l'administration n'a pas su apprécier les retombées politiques qu'aurait un plan insuffisant. J'estime pour ma part que les mesures de relance adéquates étaient très difficiles à imposer politiquement, mais que nous ne saurons jamais si elles seraient passées parce qu'Obama et ses conseillers n'ont jamais envisagé quoi que ce soit d'assez conséquent pour régler le problème.

Il ne fait aucun doute que le climat politique était très délicat, essentiellement à cause des règles du Sénat américain visant à prévenir l'obstruction parlementaire, prévention pour laquelle 60 voix sont normalement requises. Il semble qu'au moment de prendre ses fonctions, Obama s'attendait à ce que ses efforts pour sauver l'économie reçoivent le soutien des deux partis ; il s'est lourdement trompé. Dès le premier jour, les républicains se sont opposés avec acharnement à chacune de ses propositions. Il a fini par obtenir ses 60 voix en conquérant trois sénateurs républicains modérés, mais ceux-ci ont exigé en échange de leur suffrage que la loi soit allégée de 100 milliards de dollars d'aide aux administrations des États et locales.

Beaucoup de commentateurs voient dans cette exigence d'une relance amoindrie la claire démonstration que rien de plus n'était possible. Personnellement, je ne trouve pas que cela soit si clair. Tout d'abord, il y a peut-être eu dans l'attitude de ces trois sénateurs la volonté de donner le change : ils étaient dans l'obligation de demander des restrictions pour bien montrer qu'ils ne capitulaient pas sans condition. Il est donc raisonnable de supposer que la limite réellement imposée à la relance n'était pas 787 milliards de dollars, mais 100 milliards de moins que le plan d'Obama, quel qu'il fût ; si le président avait demandé plus, il n'aurait pas tout obtenu, mais il aurait quand même obtenu davantage.

Ensuite, on n'était pas obligé de chercher à séduire ces trois républicains : Obama aurait pu faire passer un plan de relance plus important en recourant à la procédure parlementaire dite de « réconciliation », qui contourne le risque d'obstruction en réduisant à 50 le nombre de voix requises au Sénat (parce qu'en cas d'égalité, le vice-président peut apporter la voix décisive). Les démocrates ne manqueraient d'ailleurs pas d'y recourir en 2010 pour faire passer la réforme de santé. Et la tactique n'aurait pas été particulièrement extraordinaire au regard de l'histoire : c'est ainsi que Bush a fait passer ses deux séries de coupes fiscales, en 2001 et en 2003, la seconde n'ayant justement obtenu que 50 voix au Sénat et Dick Cheney ayant été amené à trancher.

La thèse selon laquelle Obama a obtenu le maximum possible soulève une autre objection : pas plus lui-même que son administration n'ont jamais exprimé qu'ils auraient souhaité une loi de plus grande envergure. Au contraire, alors que le Sénat examinait le texte, le président a déclaré qu'« en termes généraux, ce plan de relance possède la dimension qui convient. Nous sommes à la bonne échelle. » Et aujourd'hui encore, les représentants de l'administration n'hésitent pas à répéter que le plan n'a pas été rendu trop modeste par l'opposition républicaine, mais par le fait qu'à ce moment-là nul ne percevait à quel point s'imposait un plan beaucoup plus consistant. En décembre 2011, Jay Carney, l'attaché de presse de la Maison-Blanche, déclarait encore : « Il n'est pas un seul économiste reconnu, de Wall Street ou des universités, qui ait su à l'époque, en janvier 2009, à quel point le trou dans lequel nous nous trouvions était profond. »

On l'a vu, c'est loin d'être exact. Qu'est-il vraiment arrivé alors ?

Ryan Lizza, du *New Yorker*, a rendu public le rapport de politique économique remis en décembre 2008 au président élu Obama par Larry Summers, qui serait bientôt l'économiste en chef du gouvernement. Ce document de cinquante-sept pages a clairement été rédigé à plusieurs mains, dont toutes ne s'expriment pas à l'unisson. Mais on y trouve un passage éloquent (page 11) sur les raisons qui s'opposent à l'adoption d'un plan trop coûteux. Il en ressort trois grands arguments :

1. Un plan de relance excessif risquerait d'effrayer les marchés ou le public et de s'avérer contre-productif.

2. L'économie ne peut absorber qu'une certaine quantité d'« investissements prioritaires » sur les deux prochaines années.

3. Il est plus facile de rallonger plus tard une relance budgétaire insuffisante que de retrancher à une relance excessive. Nous pourrons si nécessaire aller plus loin.

De ces trois points, le premier sous-entend la menace de ce qu'on appelle les *bonds vigilantes*, les « vigiles du Trésor », que nous évoquerons au prochain chapitre ; disons pour l'instant que cette crainte s'est avérée sans fondement. Le deuxième est clairement justifié, mais on ne voit pas trop en quoi il empêchait d'apporter davantage d'aide aux administrations des États et de niveau local. Dans les remarques qu'il a émises immédiatement après l'adoption de l'ARRA, Joe Stiglitz a signalé qu'elle apportait « un peu d'aide fédérale, mais résolument trop peu. Alors ce que nous allons faire en réalité, c'est licencier des enseignants et du personnel de santé tout en embauchant dans le bâtiment. C'est un peu étrange comme conception d'un plan de relance. »

En outre, considérant qu'un ralentissement prolongé était probable, pourquoi avoir fixé l'horizon à deux ans ?

Enfin, le troisième point, sur la possibilité de procéder plus tard à une rallonge, est totalement faux – et c'était déjà évident à l'époque, au moins pour moi. Il y a donc eu une grosse erreur de jugement politique de la part de l'équipe en charge de l'économie.

Ainsi, à divers égards, l'administration Obama a pris les bonnes mesures, mais à une échelle totalement inadaptée. Comme nous le verrons plus loin, l'Europe a connu la même défaillance, mais pour des raisons quelque peu différentes.

Le fiasco de l'immobilier

J'ai parlé jusqu'ici de l'insuffisance du plan de relance budgétaire. Mais il s'est aussi produit une grosse défaillance sur un autre front – celui du sauvetage de l'immobilier.

J'ai placé l'endettement élevé des ménages parmi les causes de la vulnérabilité de l'économie à la crise et expliqué que l'une des clés de la faiblesse persistante de l'économie américaine résidait dans le fait que les ménages s'efforcent de rembourser leur dette en consommant moins, personne ne cherchant à augmenter ses dépenses. Les arguments en faveur de mesures budgétaires tiennent précisément au fait qu'en dépensant plus, l'État peut empêcher l'économie de plonger dans une dépression profonde en attendant que les foyers endettés redressent leurs propres finances.

Mais ce scénario laisse entrevoir une alternative ou, mieux encore, une voie de rétablissement complémentaire : il suffirait de réduire directement la dette. La dette, en fin de compte, n'est pas un objet physique – c'est un contrat, une chose inscrite sur du papier dont l'État fait respecter l'exécution. Alors pourquoi ne pas réécrire les contrats ?

Et ne venez pas me dire qu'un contrat est une chose sacrée, qui ne se renégocie jamais. La faillite ordonnée, qui réduit la dette quand elle n'est tout simplement pas remboursable, est une provision inscrite de longue date dans notre système économique. Il est courant que les entreprises, souvent de façon volontaire, recourent à la procédure de sauvegarde dite du « chapitre 11 », qui les maintient en activité, mais leur permet de réviser certaines de leurs obligations à la baisse. (À l'heure où j'écris ceci, American Airlines s'est volontairement déclaré en faillite pour se soustraire à de coûteux contrats passés avec les syndicats.) Un individu aussi peut se déclarer en faillite, et l'arrangement prononcé le soulage habituellement d'une partie de ses dettes.

Les crédits immobiliers, cependant, ont toujours été tenus pour un type d'endettement différent que celui lié à l'usage des cartes de crédit, par exemple. On a toujours considéré qu'une famille qui ne rembourse pas son crédit doit commencer par perdre sa maison ; dans certains États, cela suffit à régler la question, mais dans d'autres, le prêteur peut encore poursuivre l'emprunteur si le bien immobilier ne vaut pas autant que le crédit. Dans un cas comme dans l'autre, toutefois, le propriétaire incapable d'honorer ses traites subit la saisie de son bien. Et ce système n'est peut-être pas mauvais en temps normal, notamment parce que les gens qui ne parviennent pas à rembourser leurs échéances vendent habituellement leur maison avant qu'on la leur saisisse.

Mais nous ne vivons pas des temps normaux. D'ordinaire, le nombre de propriétaires qui ont la tête sous l'eau, ceux qui doivent davantage que la valeur de leur maison à ce moment-là, est relativement faible. Il se trouve que la grosse bulle immobilière et son éclatement plongent plus de dix millions de propriétaires – plus d'un crédit sur cinq – sous l'eau, au moment précis où le marasme économique persistant contraint de nombreuses familles à ne pouvoir compter que sur une fraction de leur revenu précédent. Beaucoup de gens ne sont donc pas plus en mesure de payer leurs traites que de rembourser leur crédit en vendant leur propriété, et c'est le terrain idéal pour une épidémie de saisies.

Or, la saisie est une très mauvaise affaire pour toutes les parties impliquées. Il y a le propriétaire, évidemment, qui perd sa maison ; mais le prêteur ne s'en tire que rarement sans dommage, à la fois parce que la procédure est coûteuse et parce que les banques éprouvent les pires difficultés à vendre les biens saisis sur un marché dans un état épouvantable. Il semble donc que les deux parties auraient tout à gagner à adopter un programme offrant un certain soutien à l'emprunteur tout en épargnant au prêteur les coûts de la saisie. D'autres aussi y trouveraient bénéfice : les propriétés saisies, vidées, sont une plaie pour le quartier, et à l'échelon national, le soulagement de la dette ferait le plus grand bien sur le plan macroéconomique.

Tout semble donc plaider en faveur d'un programme de soulagement de la dette, et l'administration Obama a d'ailleurs fait l'annonce d'un plan de ce type en 2009. Mais l'entreprise tout entière a tourné à la plaisanterie de mauvais goût : très peu d'emprunteurs ont été vraiment aidés, d'autres ont même fini encore plus endettés à cause de la dimension kafkaïenne des règles et du fonctionnement général du programme.

Qu'est-ce qui a déraillé ? Les détails de l'affaire donnent le tournis tant ils sont complexes. Mais disons en un mot que l'administration Obama n'a jamais mis ses tripes dans ce programme, que ses membres ont cru jusqu'à un stade très avancé qu'il leur suffirait de stabiliser les banques pour que tout rentre dans l'ordre. En outre, ils étaient terrifiés à l'idée de voir la droite dénoncer le programme comme un cadeau fait à des individus qui ne le méritaient pas, une prime à l'irresponsabilité ; du coup, on a mis tant de soin à ne pas lui donner l'apparence d'un cadeau, qu'il est devenu à peu près inefficace.

Là encore, les mesures appliquées n'ont pas été du tout à la hauteur de la situation.

La chemin que l'on n'a pas emprunté

Historiquement, les crises financières ont généralement été suivies de longs passages à vide, et ce qu'a connu l'Amérique depuis 2007 ne fait pas exception. D'ailleurs, les chiffres américains du chômage et de la croissance ont été remarquablement proches de la moyenne historique des pays qui ont rencontré ce type de problème. Au moment où la crise s'accélérait, Carmen Reinhart, du Peterson Institute of International Economics, et Kenneth Rogoff, d'Harvard, ont publié une histoire des crises financières sous le titre ironique *Cette fois c'est différent* (parce qu'en vérité ça ne l'est jamais). Leurs travaux invitaient le lecteur à s'attendre à une période prolongée de chômage élevé, et dans le fil de son récit, Rogoff relevait que l'Amérique connaissait « une crise financière sévère de type ordinaire ».

Mais il n'y avait pas de raison que les choses soient ainsi, et il n'y en a pas que cela perdure. Ces trois dernières années, nos décideurs auraient pu entreprendre certaines actions qui auraient sensiblement amélioré la situation. Ce sont la politique et la confusion intellectuelle – pas les réalités économiques fondamentales – qui ont empêché toute intervention efficace.

Et la voie de sortie de crise conduisant au plein-emploi est encore grande ouverte. Il n'y a pas de raison que nous souffrions ainsi.

Chapitre 8

ET LE DÉFICIT, ALORS ?

Il existe peut-être certaines dispositions fiscales susceptibles d'inciter les entreprises à embaucher plus vite au lieu de rester sur la touche. Nous sommes en train de les examiner.

J'estime toutefois qu'il est important de comprendre que si nous continuons à accumuler de l'endettement, alors même que ce rétablissement est en cours, le moment viendra où les gens vont perdre confiance en l'économie américaine, et cela pourrait conduire à une récession en double creux.

Président Barack Obama,
sur la chaîne Fox News, novembre 2009.

À l'automne 2009, il est clairement apparu que ceux qui avaient dénoncé un plan de relance initial beaucoup trop modeste avaient eu raison. Certes, l'économie n'était plus en chute libre, mais la dégringolade avait été raide, et rien n'annonçait une reprise assez rapide pour faire baisser le chômage à une cadence qui ne soit pas celle de l'escargot.

C'était exactement le type de situation pour laquelle les conseillers de la Maison-Blanche avaient envisagé dès le départ de revenir devant le Congrès pour obtenir une rallonge à la relance. Mais ils n'en ont rien fait. Pourquoi ?

D'une part, ils avaient mal évalué la situation politique : comme le redoutaient certains à l'annonce du plan d'origine, l'insuffisance de la première intervention avait discrédité la notion même de relance dans l'esprit de la plupart des Américains et conforté les républicains dans leur opposition acharnée.

Mais à cette raison s'en ajoutait une autre : les débats à Washington avaient fondamentalement cessé de se focaliser sur le chômage pour se recentrer sur la dette et le déficit. Les grandes imprécations sur le péril de l'excès de déficit sont devenues le lieu commun de la posture politique ; elles offraient l'occasion aux gens qui se considèrent sérieux de proclamer leur sérieux. La citation en exergue de ce chapitre le montre clairement, Obama est lui-même entré dans ce petit jeu ; dans son premier discours sur l'état de l'Union, début 2010, il a bien parlé de couper dans les dépenses, mais pas de procéder à une nouvelle relance. Et en 2011, les prophéties glaçantes annonçant la catastrophe si l'on ne réglait pas la question du déficit immédiatement (par opposition à l'adoption de mesures à plus long terme pour éviter d'enfoncer l'économie plus loin dans la crise) sont venues des quatre coins du pays.

Le plus curieux, c'est qu'à ce moment-là comme aujourd'hui, rien ne justifiait un tel recentrage du débat de l'emploi vers les déficits. Autant le tort causé par le chômage est réel et terrible, autant celui causé par le déficit à une nation comme l'Amérique dans sa situation présente demeure, pour l'essentiel, hypothétique. Le fardeau quantifiable de la dette est bien moins lourd que ne le laissent supposer les débats, et le catastrophisme sur le risque d'une crise de la dette ne repose pas sur grand-chose. En fait, les prédictions des camelots du déficit ont été régulièrement démenties par les événements, et ceux qui ont affirmé au contraire que le déficit ne pose pas de problème dans une économie déprimée ont eu systématiquement raison. En outre, les investisseurs qui ont suivi les prédictions des alarmistes, comme Morgan Stanley en 2010 ou Pimco en 2011, ont fini par y perdre beaucoup d'argent.

Pourtant, la crainte exacerbée du déficit demeure très prégnante dans le discours politique. Je m'efforcerai d'expliquer pourquoi plus loin dans ce chapitre. D'abord, toutefois, laissez-moi vous parler de ce qu'ont annoncé les camelots du déficit et de ce qui s'est vraiment produit.

Introuvables vigiles

> Je m'étais toujours dit que si la réincarnation existait, je voudrais revenir comme président, ou pape, ou encore batteur de baseball à 400 coups de circuit. Mais aujourd'hui j'aimerais bien revenir sous forme de marché obligataire. Ça permet d'intimider tout le monde.
>
> James Carville, stratège de la campagne de Bill Clinton.

Dans les années 1980, l'économiste d'affaires Ed Yardeni a inventé l'expression « *bond vigilantes* » (les vigiles du Trésor) pour désigner les investisseurs qui se débarrassent des obligations d'un pays – faisant grimper au passage ses coûts d'emprunt – quand ils perdent confiance dans sa politique monétaire et/ou budgétaire. La crainte du déficit budgétaire découle essentiellement de celle d'une attaque de la part de ces *bond vigilantes*. Et les défenseurs de l'austérité budgétaire, des coupes franches dans les dépenses de l'État même en situation de chômage de masse, affirment régulièrement qu'il faut absolument suivre leurs recommandations pour satisfaire le marché des obligations.

Sauf que le marché lui-même ne semble pas les approuver ; au contraire, s'il dit quelque chose, c'est bien que les Américains devraient emprunter davantage, puisque les coûts de l'emprunt sont aujourd'hui très bas. À vrai dire, si l'on tient compte de l'inflation, ces coûts sont même négatifs, de sorte que les investisseurs sont en fait en train de payer l'État américain pour maintenir leur richesse à l'abri. Ah, et nous parlons là de taux d'intérêt à long terme, si bien que le marché n'est pas seulement en train de dire que tout va bien aujourd'hui ; il dit que les investisseurs ne prévoient pas de gros problèmes pour les années à venir.

Qu'importe, rétorquent les camelots du déficit, si nous ne coupons pas immédiatement dans les dépenses, le coût de l'emprunt ne tardera pas à monter en flèche. Cela revient à dire que le marché se trompe – ce qui en soi n'est pas interdit. Mais il est pour le moins étrange de fonder ses revendications sur l'affirmation qu'il faut changer de politique pour satisfaire le marché, puis de rejeter les indices flagrants du fait que le marché ne partage pas lui-même cette inquiétude.

Si les taux d'intérêt n'ont pas augmenté, ce n'est certainement pas à cause de quelque tendance annonçant la fin des déficits importants : en 2008, 2009, 2010 et 2011, la faiblesse des recettes fiscales ajoutée à la nécessité des dépenses d'urgence – résultat d'une économie déprimée – ont contraint le gouvernement fédéral à emprunter plus de 5 billions de dollars. Et sur cette période, à chaque frémissement des taux à la hausse, des voix respectées se sont élevées pour annoncer que les *bond vigilantes* étaient à nos portes, que l'Amérique ne serait bientôt plus en mesure d'emprunter de telles sommes. Pourtant, à chacun de ces frémissements a succédé une baisse, et début 2010, les coûts de l'emprunt aux États-Unis étaient proches d'un plancher historique.

Taux à 10 ans des bons du Trésor américain (DGS10)

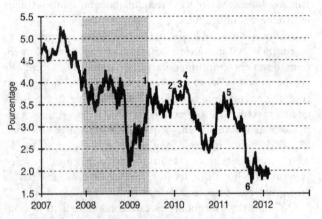

La partie grisée correspond aux récessions américaines.
Federal Reserve Bank of St. Louis research.stlouisfed.org
Source : Board of Governors of the Federal Reserve System

Le diagramme ci-dessus représente l'évolution des taux d'intérêt américains à dix ans à partir du début 2007, avec les supposées apparitions de ces insaisissables vigiles du Trésor. Voici les événements auxquels correspondent les chiffres inscrits le long de la courbe :

1. Parution dans le *Wall Street Journal* d'un éditorial intitulé « *Bond vigilantes* : le retour des gendarmes de la politique américaine », qui prédit une hausse importante des taux d'intérêt à moins d'une réduction du déficit.

2. Le président Obama déclare sur Fox News que si l'on continue d'accumuler de la dette, on risque une récession en double creux.

3. Morgan Stanley prédit que le déficit fera grimper les taux à dix ans jusqu'à 5,5 % à la fin 2010.

4. Le *Wall Street Journal* – pas dans un éditorial cette fois, mais dans ses pages d'information – publie un article intitulé « Les craintes liées à la dette font monter les taux ». On n'y trouve aucun élément de preuve que la hausse modeste des taux réponde à l'inquiétude liée à la dette plutôt qu'à l'espoir d'une reprise.

5. Bill Gross, du fonds obligataire Pimco, explique que les taux d'intérêt américains ne sont maintenus bas que par l'achat d'obligations par la Réserve fédérale, et annonce une flambée des taux dès le terme de ce plan d'achats en juin 2011.

6. Standard & Poor's abaisse la note de l'État américain en lui retirant son triple A.

Fin 2011, le coût de l'emprunt aux États-Unis était plus faible que jamais.

Ce qu'il faut bien comprendre, c'est qu'il y a derrière tout cela autre chose que de simples erreurs de prédiction, qu'il arrive à chacun de commettre de temps à autre. Il s'agit bien en revanche de la façon dont on se représente le déficit dans une économie déprimée. Voyons alors ce qui a conduit tant de monde à croire sincèrement que l'emprunt par l'État allait faire exploser les taux d'intérêt, et pourquoi l'économie keynésienne a prédit, à juste titre, que cela ne se produirait pas tant que l'économie resterait déprimée.

Comprendre les taux d'intérêt

> On ne peut pas être à la fois monétariste et keynésien – en tout cas, je ne vois pas comment on le pourrait, parce que si l'objectif de la politique monétariste est de maintenir les taux d'intérêt à bas niveau, de maintenir une liquidité élevée, la politique keynésienne doit avoir pour effet de faire monter les taux d'intérêt.

Au fond, 1,75 billions de dollars c'est une sacrée quantité de trésorerie fraîchement frappée qui atterrit sur le marché obligataire en temps de récession, et je ne vois toujours pas vraiment qui va les acheter. Ça ne sera certainement pas les Chinois. Ça a bien marché quand la période était favorable, mais ce que j'appelle la « Chimérique », le mariage entre la Chine et l'Amérique, touche à sa fin. Cela pourrait bien se conclure par un divorce difficile.

Non, le problème, c'est que seule la Fed peut acheter ces titres fraîchement imprimés, et nous allons assister, je le prédis, dans les semaines et les mois qui viennent, à une lutte acharnée entre notre politique monétaire et notre politique budgétaire à mesure que le marché va prendre conscience de la très grande quantité d'obligations que va devoir absorber le système financier cette année. Cela tendra à pousser le prix des obligations à la baisse et les taux d'intérêt à la hausse, ce qui aura aussi une incidence sur le taux des crédits immobiliers – très précisément l'inverse de ce que cherche à accomplir Ben Bernanke à la Fed.

Niall Ferguson, avril 2009.

Cette citation de Niall Ferguson, historien apprécié des plateaux de télévision qui écrit beaucoup à propos d'économie, exprime sous forme condensée ce que beaucoup pensaient et pensent encore de l'emprunt d'État : il faut bien que ça provoque la hausse des taux d'intérêt, parce que c'est un surcroît de demande pour une ressource rare – en l'occurence, les prêts – et que cette demande accrue fait logiquement monter le prix. Au fond, tout revient à savoir d'où provient l'argent.

Cette question, en fait, mérite d'être posée quand l'économie carbure plus ou moins au plein-emploi. Mais même alors, il ne rime à rien de dire que le déficit public travaille contre la politique monétariste, ce que semble affirmer Ferguson. Et la question n'a pas grand sens quand l'économie reste déprimée alors que la Fed a fait baisser jusqu'à zéro les taux d'intérêt qu'elle maîtrise – c'est-à-dire quand on se trouve dans une trappe à liquidité, ce qui était le cas au moment où Ferguson a fait ces commentaires (lors d'une conférence parrainée par le PEN club et la *New York Review of Books*), et le demeure aujourd'hui.

Nous avons vu au chapitre 2 qu'on parle de trappe à liquidité si, malgré le fait que les taux d'intérêt soient à zéro, la population refuse collectivement d'acheter autant que ce qu'elle est disposée à produire. De la même manière, le montant que les gens souhaitent épargner – c'est-à-dire la part de revenu qu'ils ne veulent pas consacrer à la consommation courante – est supérieur au montant que les entreprises sont disposées à investir.

Réagissant aux remarques de Ferguson deux jours après, je me suis efforcé d'expliquer :

> De fait, nous constatons un début d'excédent d'épargne alors même que les taux d'intérêt sont à zéro. Et c'est bien là notre problème.
>
> Alors que fait l'État en empruntant ? Il offre un point de chute à une partie de cet excédent d'épargne – et accroît au passage la demande globale, et donc le PIB. Il ne fait pas obstacle à la dépense du secteur privé, du moins pas tant que l'excédent d'épargne n'a pas été totalement résorbé, ce qui revient à dire qu'il ne fait pas obstacle tant que l'économie n'est pas sortie de la trappe à liquidité.
>
> Sans doute l'emprunt d'État à grande échelle ne va-t-il pas sans de réels inconvénients – notamment à travers son effet sur le poids de la dette publique. Je ne cherche pas à minimiser ces inconvénients ; certains pays, comme l'Irlande, n'ont d'autre choix que la contraction budgétaire malgré la dure récession qui y sévit. Mais il demeure que notre problème actuel est, de fait, un problème d'excédent d'épargne mondiale qui cherche une destination.

Depuis que j'ai écrit ces lignes, le gouvernement fédéral a emprunté environ 4 billions de dollars et, à vrai dire, les taux d'intérêt ont baissé.

D'où est venu l'argent pour financer tant d'emprunt ? Du secteur privé des États-Unis, qui a réagi à la crise financière en épargnant davantage et en investissant moins ; l'équilibre financier du secteur privé, la différence entre l'épargne et l'investissement, est passé de − 200 milliards de dollars par an avant la crise à + 1 billion de dollars aujourd'hui.

On est en droit de se demander ce qui serait advenu si le secteur privé n'avait pas décidé d'épargner plus et d'investir moins. Mais la réponse est que dans ce cas, l'économie ne se serait pas déprimée – et l'État n'aurait pas entretenu de tels déficits. Pour résumer, les choses se sont précisément passées comme l'avaient prédit ceux qui avaient compris la logique de la trappe à liquidité : dans une économie déprimée, le déficit budgétaire ne fait pas concurrence au secteur privé dans la quête de fonds et il n'y a donc pas d'explosion des taux d'intérêt. Tout ce que fait l'État, c'est trouver un usage à l'excédent d'épargne du secteur privé, c'est-à-dire au surplus de ce que le privé souhaite épargner par rapport à ce qu'il est disposé à investir. Et il était en vérité capital que l'État joue ce rôle, car sans ce déficit public, la tendance du secteur privé à dépenser moins que ce qu'il gagne aurait provoqué une profonde dépression.

Malheureusement pour la qualité du débat économique, et donc pour la réalité de la politique économique, les prophètes de la catastrophe budgétaire se sont montrés intraitables. Voilà trois ans qu'ils brandissent une excuse après l'autre pour expliquer que les taux d'intérêt ne décollent pas – c'est parce que la Fed achète de la dette ! Non, ce sont les difficultés de l'Europe, etc. – en refusant d'admettre qu'ils se sont tout bonnement trompés dans leur analyse économique.

Avant de poursuivre, permettez-moi de répondre à une question que le lecteur se sera peut-être posée à propos du graphique de la p. 164 : qu'est-ce qui a provoqué les fluctuations des taux d'intérêt que révèle la courbe ?

La réponse tient à la distinction entre taux d'intérêt à court terme et à long terme. Les premiers sont ceux sur lesquels la Fed a une emprise, et ils sont proches de zéro depuis la fin 2008 (à l'heure où j'écris ces lignes, le taux d'intérêt sur les bons du Trésor à trois mois est de 0,01 %). Mais beaucoup d'emprunteurs, dont l'État, souhaitent emprunter à taux fixe sur une longue durée, et personne ne va acheter un bon à dix ans, par exemple, à taux zéro, même si les taux à court terme sont de zéro. Pourquoi ? Parce que ces derniers risquent de remonter, et qu'ils finiront bien par le faire ; et celui qui engage son argent à plus long terme doit recevoir compensation pour l'occasion manquée d'obtenir un meilleur rendement si les taux à brève échéance remontent, ce qu'ils feront forcément.

Mais le montant de la compensation que réclament les investisseurs pour engager des fonds sur un bon à longue échéance dépend de quand et de combien ils s'attendent à voir remonter les taux à court terme. Et tout cela dépend à son tour des perspectives d'embellie économique, et plus spécifiquement du moment auquel les investisseurs estiment que l'économie pourrait émerger de la trappe à liquidité et retrouver une vigueur qui permette à la Fed de rehausser les taux pour couper court à une éventuelle inflation.

Les taux d'intérêt que vous voyez p. 164 sont le reflet des variations de l'opinion sur la durée probable de la dépression économique. La hausse des taux d'intérêt du printemps 2009, dans laquelle le *Wall Street Journal* a vu l'irruption des *bond vigilantes*, était en fait due à une poussée d'optimisme quant au fait que le pire était passé et que la vraie reprise était en bonne voie. À mesure que cet espoir s'est éteint, les taux d'intérêt ont baissé. Une deuxième vague d'optimisme les a fait remonter à la fin 2010, avant de se dissiper à nouveau. Au moment où j'écris, l'espoir est une denrée rare – et les taux sont en conséquence bas.

Mais attendez un peu, est-ce là tout ? Si cela paraît fonctionner pour les États-Unis, est-ce bien le cas pour la Grèce ou l'Italie ? Ces pays sont encore plus loin de la reprise économique que nous, mais leurs taux d'intérêt ont grimpé en flèche. Pourquoi ?

La réponse complète attendra que je traite plus en profondeur la question de l'Europe, au chapitre 10. En voici toutefois un rapide avant-goût.

Si vous lisez ma réponse à Ferguson, plus haut, vous remarquerez que j'y reconnais que le fardeau global de la dette peut poser problème – non que les emprunts de l'État américain risquent de sitôt de faire concurrence au secteur privé pour l'obtention de fonds, mais parce qu'un endettement trop élevé peut mettre en jeu la solvabilité d'un État et conduire les investisseurs à ne plus vouloir acheter ses obligations par crainte d'un prochain défaut. Et c'est la peur du défaut qui explique les taux d'intérêt élevés sur certaines dettes européennes.

Les États-Unis sont-ils un pays à risque de défaut alors, ou bien risquent-ils prochainement d'être perçus comme tels ? L'histoire nous souffle que non : si la dette et le déficit américains sont immenses, son économie l'est aussi ; relativement à la taille de cette économie gigantesque, nous ne sommes pas aussi endettés que l'ont été dans le passé certains pays, le nôtre compris, sans pour autant déclencher de panique sur le marché obligataire. Pour évaluer la dette souveraine d'un pays, on la divise habituellement par le PIB, c'est-à-dire la valeur totale des biens et services que produit le pays dans l'année, parce que le PIB est aussi, de fait, l'assiette fiscale de l'État. Le graphique de la p. 171 représente l'évolution du niveau d'endettement public en pourcentage du PIB aux États-Unis, au Royaume-Uni et au Japon ; si la dette américaine a beaucoup augmenté ces derniers temps, elle demeure inférieure à certains sommets atteints dans le passé, et très en dessous des niveaux qu'a connus la Grande-Bretagne pendant l'essentiel de son histoire moderne sans jamais avoir été menacée d'une quelconque attaque des *bond vigilantes*.

Le cas du Japon, dont la dette enfle depuis les années 1990, mérite aussi d'être souligné. Comme les États-Unis aujourd'hui, le Japon a été régulièrement montré du doigt pendant la dernière décennie, voire avant, comme un pays risquant une crise imminente de la dette ; cette crise continue pourtant de ne pas survenir, et les taux d'intérêt sur les obligations japonaises à dix ans tournent actuellement autour de 1 %. Les investisseurs qui ont misé sur une hausse prochaine

des taux d'intérêt japonais ont perdu beaucoup d'argent, au
point que la vente à découvert des JGB (Japanese Govern-
ment Bonds, les emprunts d'État japonais) a fini par recevoir
le surnom de « marché de la mort ». Et l'an dernier, quand
S&P a rabaissé la note des États-Unis, tous ceux qui avaient
un peu étudié le Japon ont eu une idée assez précise de ce
qui risquait de se produire pour les États-Unis – c'est-à-dire
strictement rien – parce que S&P en avait fait autant avec la
note du Japon en 2002, sans qu'aucun effet ne s'ensuive.

Dette comparée en fonction du PIB

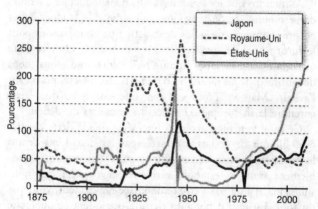

Le niveau d'endettement américain est élevé, mais pas tant que
cela au regard des normes historiques.

Source : Fond monétaire international

Que dire alors de l'Italie, de l'Espagne, de la Grèce et de
l'Irlande ? Nous le verrons, aucun de ces pays n'est aussi lourdement endetté que ne l'ont été la Grande-Bretagne pendant
l'essentiel du XXᵉ siècle ou le Japon aujourd'hui, mais ils
risquent incontestablement une attaque des *bond vigilantes*.
Pourquoi cette différence ?

La réponse, qui requiert des explications beaucoup plus
fournies, est que cela dépend immensément du fait qu'on
emprunte ou non dans sa propre devise ou dans celle d'un

autre. La Grande-Bretagne, l'Amérique et le Japon le font
dans leur monnaie respective, la livre, le dollar et le yen. En
revanche, l'Italie, l'Espagne, la Grèce et l'Irlande ne possèdent
même plus de monnaie propre, et leur dette est exprimée en
euros – ce qui, découvre-t-on, les rend extrêmement vulnérables aux crises de panique. Nous y reviendrons bien plus
longuement.

Et le poids de la dette ?

Admettons que les *bonds vigilantes* n'aient aucune intention
de se montrer et de provoquer une crise. Ne faudrait-il pas
encore s'inquiéter du poids de la dette que nous laissons pour
le futur ? Sans hésiter, je dirais « oui, mais ». Oui, la dette
que nous contractons aujourd'hui, alors que nous nous
débattons dans les méandres d'une crise financière, pèsera sur
l'avenir. Mais ce poids est très inférieur à ce que laisse
entendre la rhétorique échaudée des camelots du déficit.

Ce qu'il faut bien avoir en tête, c'est que la dette de près
de 5 billions de dollars contractée par les États-Unis depuis
le début de la crise, et les billions qui s'y ajouteront probablement avant le terme du véritable état de siège que nous
subissons, n'aura pas à être remboursée rapidement, voire pas
du tout. En fait, il n'y aura rien de tragique à ce que cette
dette continue de croître, tant que ce sera plus lentement que
la somme de l'inflation et de la croissance économique.

Pour illustrer ce point, voyons ce qu'il est advenu de la
dette de 241 milliards de dollars qu'entretenait l'État américain à la fin de la Seconde Guerre mondiale. La somme peut
sembler faible aujourd'hui, mais un dollar valait sensiblement
plus en ce temps-là et l'économie était beaucoup plus petite,
si bien que ce montant représentait environ 120 % du PIB
(à comparer avec une dette cumulée sur le plan fédéral, des
États ou local représentant 93,5 % du PIB fin 2010). Comment cette dette a-t-elle été remboursée ? Eh bien, elle ne l'a
pas été.

En revanche, dans les années qui ont suivi, les budgets de l'État ont été à peu près équilibrés. En 1962, la dette était plus ou moins équivalente à celle de 1946. Mais le rapport dette/PIB était tombé à 60 % grâce à l'effet combiné d'une inflation moyenne et d'une croissance économique substantielle. Et ce rapport dette/PIB a continué de baisser tout au long des années 1960 et 1970, alors même que le budget de l'État américain était légèrement déficitaire pendant toute cette période. Ce n'est que lorsque le déficit s'est vraiment creusé, sous Ronald Reagan, que la dette a fini par grossir plus vite que le PIB.

Voyons à présent ce que tout cela signifie à l'égard du poids futur de la dette que nous accumulons aujourd'hui. Nous n'aurons jamais à rembourser cette dette ; il n'y aura qu'à payer une part suffisante de ses intérêts de façon à ce qu'elle croisse nettement plus lentement que l'économie.

On pourrait par exemple payer une part suffisante des intérêts pour que la valeur réelle de la dette – sa valeur corrigée de l'inflation – demeure constante ; cela signifierait que le rapport dette/PIB baisserait constamment au fil de la croissance économique. Pour cela, il faudrait payer la valeur de la dette multipliée par le taux d'intérêt réel – le taux d'intérêt nominal moins celui de l'inflation. Or, il se trouve précisément que les États-Unis vendent « des titres protégés contre l'inflation », qui compensent automatiquement celle-ci ; le taux d'intérêt de ces titres donne donc la mesure du taux d'intérêt réel attendu sur les titres ordinaires.

Aujourd'hui même, le taux d'intérêt réel des titres à dix ans – référence à l'aune de laquelle on mesure généralement ce genre de choses – est en fait légèrement inférieur à zéro. Certes, c'est un reflet des difficultés que connaît l'économie, et ce taux montera bien un jour. Peut-être devrions-nous alors nous référer au taux d'intérêt réel en vigueur avant la crise, qui tournait autour de 2,5 %. Quel poids les 5 billions de dollars de dette supplémentaire contractés depuis le début de la crise pèseraient-ils si l'État avait à payer de tels intérêts ?

La réponse est 125 milliards de dollars par an. Ça a l'air de faire beaucoup comme ça, mais dans une économie à 15 billions de dollars, c'est moins de 1 % du revenu national. Mon propos n'est pas de prétendre que la dette ne pèse d'aucun poids, mais que ces chiffres, si vertigineux soient-ils, ne méritent pas tout le tintamarre qu'on fait partout à leur propos. Et une fois qu'on a perçu cela, on comprend à quel point le glissement de la préoccupation à l'égard de l'emploi vers celle pour le déficit a été un égarement.

La focalisation insensée sur le déficit de court terme

Quand le discours politique s'est déplacé de l'emploi vers le déficit – un glissement survenu, on l'a vu, fin 2009, avec le concours actif de l'administration Obama –, cela s'est à la fois traduit par la fin des propositions de relance supplémentaire et par la mise en route concrète de coupes dans les dépenses. Plus particulièrement, l'assèchement des fonds de la relance a poussé les administrations à l'échelle locale et les États américains à entreprendre des coupes radicales, réduisant l'investissement public et procédant au licenciement de centaines de milliers d'enseignants. Et on a encore entendu des voix s'élever pour demander des coupes plus franches, à cause de la persistance d'importants déficits publics.

Cela avait-il vraiment un sens du point de vue économique ?

Songez à l'effet que peut avoir une réduction des dépenses atteignant 100 milliards de dollars quand l'économie est prise dans une trappe à liquidité – ce qui signifie, redisons-le, qu'elle reste déprimée malgré le fait que les taux d'intérêt sur lesquels la Fed peut intervenir soient déjà à zéro, privant cette dernière du recours de les réduire à nouveau pour contrer l'effet récessif des coupes budgétaires. Rappelez-vous, la dépense égale le revenu, si bien que la diminution des achats de l'État ampute directement le PIB de 100 milliards de dollars. Et s'il y a moins de revenu, les gens vont à leur tour réduire leurs dépenses, ce qui entraînera encore une baisse du revenu, et davantage de coupes, et ainsi de suite.

Bon, procédons à une courte pause : certains vont s'empresser d'objecter qu'en allégeant les dépenses de l'État, on allège le futur fardeau fiscal. Ne sera-t-il pas possible alors que le secteur privé dépense davantage, pas moins ? Les coupes dans les dépenses de l'État ne susciteront-elles pas un regain de confiance et peut-être même un retour à l'expansion économique ?

C'est un fait, certains personnages influents ont soutenu cet argument, auquel on a donné le nom de doctrine de « l'austérité expansionniste ». J'évoquerai plus longuement cette doctrine au chapitre 11, et notamment les raisons qui l'ont fait peser à ce point sur les débats en Europe. Mais disons pour résumer que ni la logique de cette doctrine ni les prétendues preuves fournies pour l'étayer n'ont tenu. Tout ce que produisent les politiques de contraction, en fait, c'est de la contraction.

Reprenons donc notre fil. Couper 100 milliards de dollars dans les dépenses alors qu'on se trouve dans une trappe à liquidité provoquera une baisse du PIB, à la fois directement à travers la réduction des achats de l'État et indirectement parce qu'une économie affaiblie entraîne des coupes dans le privé. Beaucoup d'études empiriques ont été conduites sur ces effets depuis le début de la crise (dont une part est résumée dans la postface de ce livre), et elles laissent entrevoir une baisse finale du PIB avoisinant 150 milliards de dollars, voire plus.

Cela nous montre d'emblée que 100 milliards de dollars de coupe dans les dépenses ne réduiront pas notre dette future de 100 milliards de dollars, parce qu'une économie affaiblie procure moins de revenus (et conduit aussi à un accroissement des dépenses dans les programmes d'aide d'urgence, comme les coupons alimentaires ou l'assurance chômage). En fait, il est fort possible que la réduction nette de la dette n'atteigne pas la moitié de celle des dépenses annoncée.

N'empêche, cela constituerait quand même une amélioration des perspectives budgétaires, non ? Pas forcément. L'état de dépression de notre économie n'est pas seulement en train de faire beaucoup de dégâts à courte échéance, il a un effet corrosif sur nos perspectives à long terme. Les travailleurs sans emploi depuis longtemps risquent de perdre leurs qualifications ou au moins de commencer à être perçus comme inemployables. Le diplômé qui ne trouve pas d'emploi à la hauteur de ses compétences risque de se voir éternellement condamné à des petits boulots malgré son niveau d'étude. En outre, comme les entreprises ne sont pas en train d'augmenter leur production par manque de clientèle, l'économie va atteindre son goulet d'étranglement plus tôt qu'elle ne l'aurait dû quand surviendra la vraie reprise. Et tout ce qui aggrave la dépression économique ne fera qu'aggraver ces problèmes, réduisant les perspectives économiques à longue comme à brève échéance.

Songeons à présent à ce que cela signifie pour les perspectives budgétaires : même si la réduction de la dépense fait baisser la dette future, elle peut aussi faire baisser les futurs revenus, si bien que notre capacité à supporter la dette – mesurée, disons, par le rapport dette/PIB – court le risque réel de s'effondrer. Dans une économie déprimée, tenter d'améliorer les perspectives budgétaires en coupant dans les dépenses peut finir par s'avérer contre-productif même en termes purement budgétaires. Et cette possibilité n'est pas le fruit d'une extrapolation échevelée : après examen des données, des chercheurs très sérieux du Fonds monétaire international ont laissé entendre qu'elle était très concrète.

En termes de choix de politique, peu importe de savoir si l'austérité dans une économie déprimée nuit réellement à la situation budgétaire du pays ou si c'est juste qu'elle ne fait pas grand-chose pour l'améliorer. Il suffit de savoir qu'en des temps comme ceux que nous vivons, le bénéfice des coupes budgétaires est faible, voire inexistant, alors que leur coût est important. Ce n'est vraiment pas le moment de faire une fixation sur les déficits.

Pourtant, malgré tout ce que je viens de dire, ceux d'entre nous qui s'efforcent de combattre l'obsession du déficit continuent de rencontrer un argument qui ne manque pas d'efficacité rhétorique – et qui exige réponse.

Peut-on traiter par la dette un problème créé par la dette ?

Parmi les arguments que l'on nous assène couramment contre toute intervention de politique budgétaire dans la situation actuelle, il en est un apparemment sensé, qui dit ceci : « Vous affirmez vous-même que cette crise est le résultat d'un excès d'endettement. Puis vous affirmez que la solution passe par encore plus d'endettement. Ça ne tient pas debout. »

En fait, ça tient parfaitement debout. Mais l'explication réclame à la fois un peu de réflexion attentive et de considération historique.

Les gens comme moi, il est vrai, pensent que la crise que nous connaissons aujourd'hui est en grande mesure imputable à l'accumulation de la dette immobilière, qui a préparé le terrain à la survenue d'un moment Minsky lorsque les foyers lourdement endettés ont été contraints de tailler dans leurs dépenses. Comment alors un surcroît d'endettement peut-il faire partie des mesures appropriées ?

Ici, la clé réside dans le fait que cet argument contre la dépense déficitaire considère, de façon implicite, que la dette n'est jamais que de la dette – peu importe l'identité du débiteur. Il est pourtant impossible que cela soit vrai ; si ça l'était, nous n'aurions pas rencontré de problème au départ. Au bout du compte, la dette est en première approximation de l'argent que nous nous devons à nous-mêmes ; oui, les États-Unis doivent de l'argent à la Chine et à d'autres pays, mais comme on l'a vu au chapitre 3, notre endettement net à l'étranger est relativement faible, et il ne se situe pas au cœur du problème. Si l'on veut bien ne pas s'attarder sur la dimension internationale, ou si l'on considère le monde comme un tout, il apparaît clairement que le niveau global d'endettement ne change rien à la valeur nette du patrimoine cumulé – le passif d'un individu est l'actif d'un autre.

Il s'ensuit que le niveau d'endettement ne compte que dans la mesure où compte la répartition du patrimoine net, où les acteurs lourdement endettés sont soumis à diverses contraintes par ceux qui ne le sont pas tant. Et cela signifie que toute dette ne se crée pas de manière identique, et c'est pour cela que l'emprunt par certains acteurs aujourd'hui peut aider à régler des problèmes créés par l'excès d'endettement d'autres acteurs dans le passé.

Voici une autre façon de se représenter la situation : quand la dette augmente, ce n'est pas que l'économie tout entière emprunte de l'argent. C'est plutôt que certains individus moins patients – des individus qui pour une raison ou une autre choisissent de dépenser plus tôt par opposition à plus tard – empruntent à des individus plus patients. La limite principale à ce type d'emprunt est l'inquiétude de ces prêteurs plus patients quant au fait qu'ils seront remboursés, c'est elle qui met un certain type de plafond à la capacité d'emprunt de chaque individu.

Ce qui s'est produit en 2008, c'est que ces plafonds ont brusquement été revus à la baisse. Cette révision a forcé les débiteurs à rembourser une partie de leur dette, rapidement, ce qui a supposé une dépense bien moindre de leur part. Or, le problème est que leurs créanciers n'ont reçu aucune incitation du même ordre à dépenser davantage. Le faible niveau des taux d'intérêts atténue quelque peu ce fait, mais la puissance du « choc de désendettement » est telle que même à zéro, les taux d'intérêt ne sont pas assez bas pour les motiver à combler le trou créé par l'effondrement de la demande des débiteurs. Le résultat n'est pas seulement une économie déprimée : de faibles revenus et une inflation très basse (voire une déflation) rendent d'autant plus difficile aux débiteurs le remboursement partiel de leur dette.

Que faire alors ? L'une des réponses possibles consiste à trouver le moyen de réduire la valeur réelle de la dette. Ce peut être par l'allègement de la dette, ou encore à travers l'inflation, à condition d'être en mesure de l'obtenir. Cette dernière accomplirait deux choses : elle permettrait de rendre le taux d'intérêt réel négatif, et elle éroderait naturellement la dette en souffrance. Oui, ce serait d'une certaine manière accorder une prime aux débiteurs pour leurs excès passés, mais l'économie n'est pas une pièce de théâtre morale. J'en dirai davantage à propos de l'inflation au prochain chapitre.

Revenons un instant à l'idée que toutes les dettes ne se ressemblent pas : oui, en allégeant la dette on réduirait le passif des débiteurs du même montant que les actifs des créanciers. Mais ce sont les débiteurs, pas les créanciers, qui se voient aujourd'hui contraints de réduire leurs dépenses, si bien qu'à l'arrivée l'opération constituerait un apport de dépense pour l'ensemble de l'économie.

Mais qu'arrive-t-il si, pour des raisons de capacité ou de volonté, ni l'inflation ni l'allègement de la dette ne sont envisageables ?

Eh bien, imaginons l'intervention d'une troisième partie : l'État. Supposons que l'État puisse emprunter pendant un certain temps, et qu'il utilise ces sommes à des choses utiles, comme la construction de voies ferrées sous l'Hudson ou le versement d'un salaire à des professeurs d'école. Le coût social réel de ces choses-là sera très faible, parce que l'État emploiera des ressources qui sans cela n'auraient pas été employées. Et pour les débiteurs, cela simplifiera aussi considérablement le remboursement partiel de la dette ; pour peu qu'il maintienne assez longtemps sa dépense, l'État pourra accompagner les débiteurs jusqu'au point où ils ne seront plus contraints de réduire d'urgence leur dette et où il cessera d'être nécessaire de dépenser davantage pour atteindre le plein-emploi.

Oui, la dette privée aura en partie été remplacée par de la dette publique, mais l'avantage est que le poids ne pèsera plus sur les épaules d'acteurs dont l'endettement est à l'origine des difficultés économiques, si bien qu'on aura réduit les problèmes de l'économie même si le niveau d'ensemble de la dette n'a pas baissé.

L'idée centrale, par conséquent, est que l'argument d'apparence plausible selon lequel on ne soigne pas la dette par la dette est tout bonnement faux. Au contraire, c'est parfaitement possible – et l'alternative à cette méthode est un marasme économique prolongé qui ne rendra le problème de la dette que plus difficile à résoudre.

Certes, ce scénario n'est encore qu'une hypothèse. En trouve-t-on des exemples concrets dans la vie réelle ? Oui, absolument. Considérons ce qui s'est produit pendant et après la Seconde Guerre mondiale.

Le fait que la Seconde Guerre mondiale ait arraché les États-Unis à la Grande Dépression n'a jamais constitué un mystère : les dépenses militaires ont résolu, haut la main, le problème de l'insuffisance de la demande. Il est en revanche plus difficile de comprendre pourquoi l'Amérique n'est pas retombée dans la dépression à la fin de la guerre. Beaucoup à l'époque pensaient qu'elle le ferait ; c'est notoirement le cas de Montgomery Ward, l'une des principales chaînes de grands magasins du pays, entrée en déclin après la guerre parce que son PDG avait fait provision d'espèces en misant sur le retour de la Dépression, et distancée par ses concurrents qui avaient parié sur le grand boom de l'après-guerre.

Alors pourquoi la Dépression n'est-elle pas revenue ? Sans doute l'expansion associée à la période de guerre – doublée d'une inflation substantielle pendant le conflit et plus encore juste après – a-t-elle amplement allégé le fardeau de la dette des ménages. Les travailleurs qui avaient obtenu de bons salaires pendant la guerre, tout en étant plus ou moins dans l'incapacité d'emprunter, en sont ressortis avec un niveau d'endettement très inférieur à leur revenu, ce qui leur a laissé toute latitude d'emprunter et d'investir dans la construction de maisons dans les banlieues. Le boom de la consommation a progressivement pris le relais de la dépense de guerre, et dans l'économie robuste de l'après-guerre, l'État a pu laisser à son tour la croissance et l'inflation réduire sa propre dette par rapport au PIB.

En résumé, la dette contactée par l'État pour mener la guerre a fourni, de fait, une solution au problème créé par un excès de dette privée. L'argument si persuasif qui veut qu'on ne puisse pas soigner un problème de dette par la dette est donc faux.

Pourquoi cette obsession du déficit ?

Nous venons de voir que le basculement du débat de la question de l'emploi vers celle des déficits qui s'est produit aux États-Unis (ainsi, nous le verrons, qu'en Europe) a été une grave erreur. Cela n'a pas empêché les Cassandre du déficit de s'emparer du débat pour ne plus vraiment le lâcher jusqu'à ce jour.

Cela mérite clairement une explication, et la voici qui arrive. Mais avant d'y venir, je voudrais évoquer une autre grande peur qui a eu beaucoup d'effet sur le débat économique, malgré le fait que les événements ne cessent de la démentir : la peur de l'inflation.

Chapitre 9

INFLATION : LA MENACE FANTÔME

> PAYNE : Alors où vous situez-vous, Peter, par rapport à l'inflation ? Croyez-vous que ce sera la grande affaire de 2010 ?
>
> SCHIFF : Écoutez, je sais que l'inflation va s'aggraver en 2010. Va-t-elle nous échapper des mains tout de suite, ou est-ce qu'il faudra attendre pour cela 2011 ou 2012 ? Mais je sais que nous serons bientôt confrontés à une crise monétaire majeure. Elle va éclipser la crise financière et faire exploser les prix à la consommation, de même que les taux d'intérêt et le chômage.
>
> L'économiste « autrichien » Peter Schiff
> dans l'émission radiophonique de Glenn Beck,
> le 28 décembre 2009.

Le coup du Zimbabwe et de Weimar

Ces dernières années – et plus encore, bien sûr, depuis que Barack Obama a été investi de sa fonction – les ondes et les tribunes de presse se sont remplies d'affreuses mises en garde au sujet d'une inflation qui nous attendait au tournant. Et ce n'était pas qu'une inflation ordinaire : les prédictions annonçaient l'hyperinflation dans toute sa splendeur, l'Amérique était dans les pas du Zimbabwe moderne ou de l'Allemagne de Weimar dans les années 1920.

La droite de l'éventail politique américain a allègrement cédé à cette crainte. Ron Paul, dévot autoproclamé de l'école économique autrichienne, qui émet constamment des avertissements apocalyptiques à propos de l'inflation, est le président de la sous-commission à la politique monétaire de la Chambre des représentants, et le fait que ses ambitions présidentielles aient tourné court ne doit pas nous masquer à quel point il a su imprégner l'orthodoxie républicaine de son idéologie économique. Les députés républicains reprochent à Ben Bernanke d'avoir « avili » le dollar ; les candidats républicains à la présidence ont rivalisé de véhémence pour dénoncer la politique prétendument inflationniste de la Fed, Rick Perry remportant la palme en avertissant le président de la Fed qu'il pourrait lui arriver « d'assez vilaines choses au Texas » s'il s'avisait de prendre quelque nouvelle mesure expansionniste.

Mais les éternels allumés n'ont pas été les seuls à jouer l'air de l'épouvante à propos de l'inflation ; les économistes conservateurs reconnus et établis ont eux aussi entonné le refrain. Ainsi Allan Meltzer, économiste monétaire réputé et spécialiste de l'histoire de la Fed, a choisi les pages du *New York Times* le 3 mai 2009 pour diffuser un inquiétant message :

> [L]e taux d'intérêt que maîtrise la Fed est proche de zéro ; et l'immense accroissement des réserves des banques – qu'a provoqué la Fed en achetant des obligations et des crédits immobiliers – ne manquera pas d'entraîner une sévère inflation si on laisse les choses en l'état.
>
> [A]ucun pays jamais confronté à un déficit budgétaire énorme, à la croissance rapide des réserves monétaires et à la perspective d'une dévaluation prolongée de la monnaie, comme nous le sommes aujourd'hui, n'a rencontré la déflation. Ces facteurs sont les signes avant-coureurs de l'inflation.

Sauf qu'il se trompait. Deux ans et demi après ce cri d'alarme, les taux d'intérêt que maîtrise la Fed demeurent proches de zéro ; la Fed a poursuivi ses achats d'obligations et de crédits immobiliers, garnissant davantage encore les réserves des banques ; et le déficit budgétaire reste énorme. Pourtant, le taux d'inflation moyen sur cette période n'a été que de 2,5 %, et si l'on exclut du calcul les cours fluctuants des denrées alimentaires et de l'énergie – ce que Meltzer lui-même nous invite à faire –, ce taux d'inflation moyen n'a été que de 1,7 %. Ce sont des valeurs inférieures à la norme historique. Et les économistes de gauche peuvent même s'offrir le malin plaisir de souligner que l'inflation a été nettement inférieure sous Obama que lors du second mandat supposément paradisiaque de Ronald Reagan, la fameuse « aube de l'Amérique ».

D'ailleurs, certains d'entre nous savaient parfaitement à quoi s'attendre – il n'y aurait pas d'inflation galopante tant que l'économie ne serait pas sortie de la dépression. Nous le savions à la fois du fait de la théorie et par l'histoire, parce qu'il se trouve qu'à partir de 2000, le Japon a cumulé d'importants déficits avec une croissance rapide de la masse monétaire dans le contexte d'une économie déprimée et que, loin de subir une inflation brutale, il s'est au contraire trouvé pris dans la déflation. Pour ne rien cacher, j'ai cru un moment que nous pourrions connaître nous aussi une réelle déflation ; j'évoquerai au prochain chapitre pourquoi il n'en a rien été. Toujours est-il que la prédiction selon laquelle l'action supposément inflationniste de la Fed ne déboucherait pas, en fait, sur une hausse de l'inflation, s'est vérifiée.

Pourtant, la mise en garde de Meltzer paraît plausible, non ? Si la Fed émet beaucoup d'argent – car, en gros, c'est bien de cette façon qu'elle paye tous ces achats d'obligations et de crédits immobiliers – et si l'État accumule des billions de déficit, pourquoi *n'assiste-t-on pas* à une flambée de l'inflation ?

La réponse tient à l'économie de crise, plus particulièrement à ce concept de la trappe à liquidité, dont j'espère qu'il vous est à présent familier, où même à zéro les taux d'intérêt ne sont pas assez faibles pour susciter la dépense nécessaire au retour du plein-emploi. Quand on *ne se trouve pas* dans une trappe à liquidité, l'émission de grandes quantités de monnaie est incontestablement de nature à susciter l'inflation. Mais quand on s'y trouve, elle ne l'est pas ; d'ailleurs, la question de la masse d'argent qu'émet la Fed est quasiment hors sujet.

Revenons un peu à des notions fondamentales, et observons ce qui s'est réellement produit.

La monnaie, la demande et l'inflation (ou son absence)

Chacun sait que l'émission de grandes quantités de monnaie entraîne normalement de l'inflation. Mais comment cela se passe-t-il exactement ? Répondre à cette question est essentiel si l'on veut comprendre pourquoi cela ne *se passe pas* dans les circonstances actuelles.

Commençons par le commencement : la Fed n'émet pas vraiment de l'argent, même si, par ce qu'elle entreprend, elle peut conduire le Trésor à le faire. La méthode de la Fed, quand elle décide de l'appliquer, consiste à acheter des actifs – habituellement des bons du Trésor, c'est-à-dire de la dette de l'État américain à court terme, mais aussi ces derniers temps une gamme très élargie de produits. Elle souscrit également des emprunts directement auprès des banques, mais dans les faits cela revient au même ; dites-vous qu'elle achète ces emprunts. L'essentiel, c'est l'endroit où la Fed obtient les fonds au moyen desquels elle achète des actifs. Et la réponse, c'est qu'elle fabrique ces fonds à partir de rien. La Fed aborde Citibank, par exemple, et lui fait une offre pour l'acquisition d'un milliard en bons du Trésor. Quand Citi accepte cette offre, elle transfère la propriété de ces bons à la Fed, et en retour la Fed crédite Citi d'un milliard sur le compte de réserve que cette dernière, comme toutes les banques commerciales, détient à la Fed. (Les banques font de ces comptes de réserve un usage très similaire à celui que nous faisons de notre compte en banque : elles peuvent émettre des chèques, et aussi retirer des espèces si leurs clients le réclament.) Et derrière ce crédit, il n'y a rien ; la Fed détient le droit exclusif d'amener l'argent à existence réelle quand elle le décide.

Que se passe-t-il alors ? En temps normal, Citi ne souhaite pas laisser dormir ses fonds sur un compte de réserve qui ne rapporte que peu d'intérêts, voire pas du tout, si bien qu'elle les retire et les prête ailleurs. L'essentiel des fonds prêtés finit par revenir à Citi ou à quelque autre banque – l'essentiel, mais pas la totalité, parce que le public aime détenir une part de son patrimoine en espèces, c'est-à-dire sous forme de rectangles de papier vert où figure le portrait d'un président défunt. Le reste, la part qui revient bel et bien à Citi, est à nouveau prêté, et ainsi de suite.

Et alors, pourquoi cela se traduit-il par de l'inflation ? Cela ne survient pas de façon directe. L'animateur de blog Karl Smith a trouvé une appellation utile pour désigner la croyance dans le fait que l'émission de monnaie puisse faire grimper les prix d'une façon qui transcende les forces habituelles de l'offre et la demande : « l'immaculée inflation ». Car ce n'est pas comme cela que ça marche. Une entreprise ne choisit pas d'augmenter ses tarifs parce que la masse monétaire a gonflé ; si elle augmente ses tarifs, c'est parce que la demande pour ce qu'elle produit a augmenté, et qu'elle pense pouvoir augmenter ses prix sans sacrifier trop de ventes. Les salariés ne réclament pas une augmentation parce qu'ils ont lu des articles sur l'expansion du crédit ; ils veulent une meilleure paye parce que l'emploi est devenu plus disponible et que leur pouvoir de négociation s'est accru. Si l'« émission de monnaie » – en vérité l'achat d'actifs par la Fed au moyen de fonds créés par décret, ou presque – peut produire de l'inflation, c'est parce que l'expansion du crédit déclenchée par ces achats de la Fed aboutit à davantage de dépense et de demande.

Et cela nous montre d'emblée que si l'émission de monnaie cause de l'inflation, c'est à travers un boom qui met l'économie en surchauffe. Pas de boom, pas d'inflation ; si l'économie reste déprimée, il n'y a pas à craindre les conséquences inflationnistes de la création de monnaie.

Mais que dire alors de la stagflation, ce mal infâme où l'inflation se double d'un taux de chômage élevé ? Oui, cela se produit parfois. Il se peut que les « chocs d'offre » – des événements tels qu'une mauvaise récolte ou un embargo sur le pétrole – fassent augmenter le cours des matières premières même lorsque l'économie au sens plus large est déprimée. Et ces hausses peuvent tourner à l'inflation généralisée si le contrat d'un grand nombre de travailleurs prévoit que leur paye est indexée au coût de la vie, comme c'était le cas dans les années 1970, la décennie de la stagflation. Mais dans l'économie américaine du XXIe siècle, ce type de contrat n'est pas très fréquent, et nous avons d'ailleurs subi plusieurs chocs pétroliers, notamment en 2007-2008, qui ont fait monter les prix à la consommation sans jamais déborder sur les salaires ni, par conséquent, donner lieu à une spirale salaires/prix.

N'empêche, il reste concevable que tant d'actifs achetés par la Fed aient pu donner lieu à un boom incontrôlé, et donc à une poussée d'inflation. Mais cela, de toute évidence, ne s'est pas produit. Pourquoi ?

La réponse est que nous sommes dans une trappe à liquidité ; l'économie est déprimée alors même que les taux d'intérêt à court terme sont proches de zéro. Cela a pour effet de court-circuiter le processus par lequel les achats de la Fed produisent normalement un boom et, éventuellement, de l'inflation.

Gardons en tête ce que je viens de dire et observons l'enchaînement des événements qui commence au moment où la Fed achète un paquet d'obligations auprès des banques, qu'elle paye en créditant les comptes de réserve de ces banques. En temps normal, les banques ne veulent pas laisser dormir là cet argent ; elles préfèrent le prêter. Mais on n'est pas en temps normal. Les actifs sûrs ont un rendement quasi-nul, ce qui signifie que les prêts sûrs ne rapportent à peu près rien – pourquoi prêter, alors ? Les prêts moins sûrs, ceux que l'on accorde, disons, à des petits commerces ou à des entreprises dont les perspectives sont quelque peu hasardeuses, rapportent des taux d'intérêt plus élevés – mais ils sont... moins sûrs.

Si bien que lorsque la Fed achète des actifs en créditant les comptes de réserve des banques, ces dernières, dans l'ensemble, laissent dormir les fonds où ils sont. Le graphique de la page 191 montre l'évolution dans le temps de la valeur totale de ces comptes en banque ; ils sont brusquement passés d'un niveau ordinaire à un niveau extrêmement élevé après la chute de Lehman Brothers, ce qui revient à dire que la Fed a « émis » beaucoup d'argent qui n'est en vérité allé nulle part.

Sans doute vaut-il la peine de signaler que les achats de la Fed n'ont pas été inutiles pour autant. Dans les mois qui ont suivi la faillite de Lehman Brothers, la Fed a accordé à des banques et à d'autres institutions financières des prêts importants qui ont probablement empêché une panique bancaire plus forte encore que celle que nous avons subie. La Fed est alors intervenue sur le marché du papier commercial, que les entreprises utilisent pour leur financement à court terme, ce qui a permis de mettre de l'huile dans les rouages du commerce à un moment où les banques n'allaient probablement pas fournir les finances nécessaires. La Fed a donc mené des activités dont il est permis de dire qu'elles ont empêché une crise financière beaucoup plus grave. Mais elle n'a rien fait qui soit susceptible de faire décoller l'inflation.

Solde des comptes de réserve
des banques à la Réserve fédérale

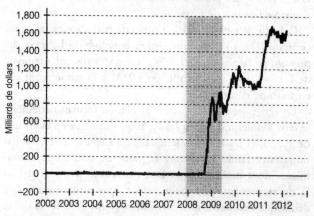

Depuis l'intervention de la Fed, les réserves des banques ont explosé, mais sans provoquer d'inflation.

Source : Board of Governors of the Federal Reserve System

Minute, protestent déjà certains lecteurs – nous *avons* beaucoup d'inflation. Vraiment ? Voyons ce que disent les chiffres.

Et d'abord, quel est vraiment le niveau de l'inflation ?

Comment mesure-t-on l'inflation ? La première façon, logiquement, est l'indice des prix à la consommation qu'établit le Bureau of Labor Statistics en calculant le prix d'un panier de biens et services censé représenter les achats du ménage moyen. Que nous dit l'IPC ?

Prenons par exemple comme point de départ le mois de septembre 2008, celui de la chute de Lehman – mais aussi, ce n'est pas une coïncidence, celui où la Fed s'est lancée dans ses achats à grande échelle, « émettant de l'argent » de façon massive. Au cours des trois années qui ont suivi, les prix à la consommation ont augmenté du montant considérable de 3,6 %, soit 1,2 % par an. Cela ne ressemble guère à l'« inflation sévère » que prédisaient beaucoup, et encore moins à la zimbabwification de l'Amérique.

Cela dit, le taux d'inflation sur cette période n'est pas resté constant. Dans l'année qui a suivi la faillite de Lehman, les prix ont en fait baissé de 1,3 % ; la suivante, ils ont augmenté de 1,1 % ; dans la troisième, de 3,9 %. L'inflation serait-elle en train de décoller ?

En vérité, non. Début 2012, l'inflation reculait nettement, le taux annuel moyen sur les six mois précédents n'étant que de 1,8 %, et les marchés semblaient s'attendre à voir l'inflation rester faible à l'avenir. Et pour de nombreux économistes, dont moi-même (et Ben Bernanke), il n'y avait rien là de surprenant. Car nous avions tous affirmé depuis le début que l'éruption inflationniste survenue à la fin 2010 et au premier semestre de 2011 n'était qu'un accident temporaire, le reflet d'une poussée des cours mondiaux du pétrole et d'autres matières premières, et qu'aucun processus inflationniste réel n'était en cours, qu'il n'y avait pas aux États-Unis de forte augmentation de l'inflation sous-jacente.

Mais qu'est-ce que j'entends par « inflation sous-jacente » ? Il faut ici que nous abordions brièvement un concept profondément mal compris, celui d'« inflation de base ». À quoi sert un tel concept, et comment se mesure-t-il ?

L'inflation de base se mesure habituellement en retirant de l'indice des prix le cours des denrées alimentaires et de l'énergie ; il existe un certain nombre de mesures, dont chacune vise à en venir au même point.

Permettez-moi d'abord de rectifier une ou deux idées fausses. L'inflation de base ne *sert pas* à calculer des choses telles que le coût de la vie corrigé des cotisations sociales ; on emploie pour cela l'IPC ordinaire.

Et ceux qui disent des choses du style « c'est un concept idiot – il faut bien que les gens dépensent de l'argent pour la nourriture et l'essence, alors cela doit figurer dans vos mesures de l'inflation » passent à côté du sujet. L'inflation de base n'est pas censée mesurer le coût de la vie ; elle sert à mesurer autre chose : l'inertie de l'inflation.

Prenez-le comme ça. Certains prix dans l'économie ne cessent de fluctuer en fonction de l'offre et de la demande ; les denrées alimentaires et le carburant en sont l'exemple le plus évident. Beaucoup de prix, toutefois, ne fluctuent pas ainsi ; ils sont fixés par des entreprises qui n'ont que peu de concurrents, ou sont négociés par le biais de contrats à long terme, si bien qu'on ne les révise qu'à des intervalles allant de plusieurs mois à plusieurs années. Bon nombre de salaires sont établis de la même façon.

L'essentiel à propos de ces prix moins flexibles, c'est que du fait de la relative rareté de leur révision, ils sont déterminés en tenant compte de l'inflation à venir. Supposons que je sois en train d'établir mes prix pour l'an prochain, et que je m'attende à voir le niveau global des prix – y compris le prix moyen de biens concurrents – augmenter de 10 % dans l'année. Les prix que je fixerai seront alors probablement supérieurs d'environ 5 % à ce que j'aurais déterminé si je n'avais tenu compte que de la situation présente.

Mais ce n'est pas tout : les prix temporairement fixés n'étant révisés qu'à certains intervalles, leur mise à jour suppose souvent un rattrapage. Encore une fois, supposons que je fixe mes prix une fois par an, et que le taux d'inflation global soit de 10 %. Au moment où je décide de réviser mes prix, ils seront probablement inférieurs d'environ 5 % à ce qu'ils « devraient » être ; ajoutons cet effet à l'anticipation de l'inflation future, et j'augmenterai probablement mes prix de

10 % – *même si l'offre et la demande sont pour l'heure à peu près équilibrés.*

Imaginez à présent une économie où tout le monde agisse de la sorte. On voit bien que l'inflation tend naturellement à se perpétuer d'elle-même, à moins que ne survienne un excès important d'offre ou de demande. Plus précisément, une fois que les attentes d'une inflation persistante de 10 %, par exemple, sont « incorporées » dans l'économie, il faut une importante période de creux – plusieurs années de chômage élevé – pour les réduire. C'est très net dans le cas emblématique de la désinflation du début des années 1980, où il a fallu une récession très sévère pour ramener l'inflation d'environ 10 % autour de 4 %.

En revanche, une poussée d'inflation qui n'est pas incorporée peut rapidement disparaître, voire s'inverser. On a ainsi assisté en 2007-2008 à une brusque hausse des prix du pétrole et des denrées alimentaires, provoquée par un mélange de mauvaise météo et de croissance de la demande venue d'économies émergentes comme celle de la Chine, qui ont conduit l'inflation, telle que la mesure l'IPC, à une brève flambée à 5,5 % – mais le cours des matières premières est ensuite redescendu, et l'inflation est passée en négatif.

La réaction qu'il convient d'avoir face à l'inflation dépend donc du fait qu'il s'agisse, comme en 2007-2008, d'une petite hausse temporaire, ou du type d'augmentation de l'inflation qui tend à s'incorporer dans l'économie et qu'il sera difficile de réduire.

Et si vous avez été particulièrement attentif entre l'automne 2010 et l'été 2011, vous avez vu quelque chose qui, dans les grandes lignes, ressemblait à 2007-2008. Le prix du pétrole et des autres matières premières a augmenté pendant environ six mois, là encore grâce essentiellement à la demande de la Chine et d'autres économies émergentes, mais les mesures des prix excluant les denrées alimentaires et l'énergie ont beaucoup moins augmenté, et la croissance des salaires n'a pas connu d'accélération du tout. En juin 2011, Ben Bernanke a déclaré : « il n'y a pas beaucoup de signes que l'inflation soit en train de se généraliser ou de s'incorporer à notre économie ; en fait, la hausse du prix d'un seul produit – l'essence – rend compte de l'essentiel de la récente hausse de l'inflation des prix à la consommation », et de prédire que l'inflation allait s'estomper dans les mois suivants.

Évidemment, beaucoup à droite l'ont cloué au pilori pour la nonchalance qu'il manifestait à l'égard de l'inflation. Personne ou presque dans le camp républicain n'a voulu voir dans la hausse des prix des matières premières un facteur temporaire déformant les chiffres de l'inflation non corrigée, mais au contraire le signe avant-coureur d'une grosse flambée inflationniste, et quiconque osait prétendre le contraire pouvait s'attendre à recevoir une réplique au vitriol. Mais c'est Bernanke qui avait raison : la montée de l'inflation a bien été temporaire, et elle s'est déjà estompée.

Peut-on se fier aux chiffres ? Offrons-nous une dernière digression, dans le monde des théories du complot inflationniste.

Confrontés au fait que l'inflation s'obstine à refuser de décoller comme ils l'attendent, les angoissés de l'inflation ont plusieurs choix. Ils peuvent reconnaître qu'ils se sont trompés ; ils peuvent tout bonnement ignorer les données ; ou ils peuvent prétendre que ces dernières sont mensongères, que l'État nous cache le vrai taux d'inflation. Très peu, à ma connaissance, ont choisi la première option ; après une décennie passée parmi les experts, je peux dire que quasiment aucun ne reconnaît jamais s'être trompé à propos de quoi que ce soit. Beaucoup ont choisi la deuxième option, se contentant d'ignorer la fausseté de leurs prédictions passées. Mais un nombre important s'est réfugié dans l'option numéro trois, se laissant aller à affirmer que le Bureau of Labor Statistics (BLS) maquille les chiffres pour occulter l'inflation réelle. Ces affirmations ont reçu un soutien de marque quand Niall Ferguson, l'historien et commentateur que j'ai déjà évoqué à propos du débat sur les déficits et leur effet, a profité de sa chronique dans *Newsweek* pour reprendre à son compte l'affirmation selon laquelle l'inflation tournerait en vérité autour de 10 %.

Comment savons-nous que ce n'est pas vrai ? Eh bien on peut par exemple regarder comment procède concrètement le BLS – c'est très transparent – et constater que la méthode est raisonnable. Ou remarquer que si l'inflation était vraiment de 10 %, le pouvoir d'achat des salariés serait en train de fondre à vue d'œil, ce qui ne concorde pas avec ce que l'on observe – il stagne, sans doute, mais il ne fond pas. Mieux encore que tout cela, il suffit de comparer les statistiques officielles sur les prix à celles que produisent des instituts privés, en particulier les estimations du Billion Prices Project du MIT, établies à partir d'Internet. Et ces estimations coïncident globalement avec les chiffres officiels.

Cela étant, peut-être que le MIT fait partie de la conspiration...

Au bout du compte, donc, l'alarmisme autour de l'inflation s'est révélé une menace inexistante. L'inflation sous-jacente est faible et, si l'on considère l'état déprimé de l'économie, il y a de fortes chances qu'elle baisse encore dans les prochaines années.

Mais ce n'est pas une bonne chose. Une inflation en baisse et, pire encore, une éventuelle déflation, vont considérablement compliquer la sortie de cette crise. Ce que nous devrions viser, c'est l'inverse : une inflation modérément supérieure, disons une inflation de base aux alentours de 4 %. (Ce qui, soit dit en passant, est le taux moyen observé au cours du second mandat de Ronald Reagan.)

Plaidoyer pour une inflation plus forte

En février 2010, le Fonds monétaire international a publié un article signé de son chef économiste, Olivier Blanchard, et deux de ses collègues, sous le titre apparemment anodin de « Repenser la politique macroéconomique ». Mais le contenu de l'article ne correspondait pas vraiment à ce qu'on aurait attendu du FMI. Les auteurs s'y livraient à un véritable examen de conscience, remettant en cause les présupposés sur lesquels le FMI et à peu près tous les décideurs du monde avaient fondé leur politique depuis vingt ans. Fait particulièrement remarquable, ils suggéraient que les banques centrales comme la Fed ou la Banque centrale européenne avaient probablement visé un taux d'inflation trop bas, qu'il serait peut-être souhaitable de chercher à obtenir une inflation de 4 % plutôt que de 2 % ou moins, qui est aujourd'hui la norme d'une politique jugée « saine ».

Ce document a causé la surprise d'un bon nombre d'entre nous – pas tant pour le fait que Blanchard, macroéconomiste de tout premier plan, ait pu *penser* de telles choses, mais bien qu'il ait été autorisé à les dire. Blanchard a été mon collègue au MIT pendant de nombreuses années, et il a du fonctionnement de l'économie une vision, me semble-t-il, assez proche de la mienne. Mais il est tout à l'honneur du FMI de permettre que ces idées soient rendues publiques, même s'il ne faut surtout pas y voir un imprimatur officiel.

Quel est donc l'argumentaire en faveur d'une inflation plus forte ? Nous allons le voir, trois raisons font qu'une inflation plus forte s'avérerait utile dans la situation que nous connaissons aujourd'hui. Mais avant d'y venir, interrogeons-nous sur les inconvénients de l'inflation. Qu'y aurait-il de mauvais à ce que les prix augmentent de 4 % au lieu de 2 % par an ?

Selon la plupart des économistes qui ont fait le calcul, ces inconvénients seraient mineurs. Une inflation très forte est susceptible d'imposer des coûts économiques élevés, à la fois parce qu'elle dissuade d'utiliser la monnaie – en poussant les gens vers un retour à une économie de troc – et parce qu'elle rend toute anticipation très difficile. Il n'est pas question de minimiser ici les horreurs d'une situation de type Weimar, où l'on utilisait pour monnaie des morceaux de charbon et où il n'était possible d'établir aucun contrat à long terme ni aucune comptabilité digne de ce nom.

Mais à 4 %, l'inflation ne produit pas l'ombre du commencement de tels effets. Redisons-le, c'est le taux moyen du second mandat de Reagan, et il n'a pas été perçu comme particulièrement dérangeant alors.

Dans le même temps, un taux d'inflation légèrement rehaussé aurait donc trois avantages.

Le premier, que soulignent Blanchard et ses collègues, est qu'un taux plus élevé d'inflation assouplirait les contraintes naissant de l'impossibilité de faire baisser les taux d'intérêt au-dessous de zéro. Irving Fisher – oui, le même Irving Fisher auquel on doit la théorie de la déflation par la dette, capitale pour comprendre le moment que nous vivons à présent – a indiqué voici bien longtemps que toutes autres choses égales par ailleurs, la perspective d'une inflation plus élevée rend l'emprunt plus attrayant : si l'emprunteur pense que les dollars au moyen desquels il remboursera sa dette vaudront moins que ceux qu'il emprunte aujourd'hui, il est disposé à emprunter, et à dépenser, à n'importe quel taux d'intérêt.

En temps normal, cette volonté d'emprunter est annulée par le fait que les taux d'intérêt sont plus élevés : en théorie, mais aussi en grande mesure en pratique, un point supplémentaire d'inflation attendue vaut un point supplémentaire des taux d'intérêt. Or, nous sommes à présent dans une trappe à liquidité, où d'une certaine façon les taux d'intérêt « voudraient bien » descendre sous zéro sans le pouvoir, parce que les gens ont l'option de se contenter de conserver leurs liquidités. Dans cette situation, l'attente d'une inflation plus élevée ne se traduirait pas, du moins pas tout de suite, par une hausse des taux d'intérêt, si bien que cela entraînerait davantage d'emprunts.

Ou, pour le dire un peu différemment (comme Blanchard), si l'inflation dans l'ensemble avait été de 4 % au lieu de 2 % avant la crise, les taux d'intérêt à court terme auraient tourné autour de 7 % plutôt que 5 %, et cela aurait donné d'autant plus de marge à la Fed pour les réduire au commencement de la crise.

Mais ce n'est pas le seul avantage qu'aurait une inflation plus élevée. Il y a aussi la question de l'excédent d'endettement – l'excès de dette privée qui a créé les conditions d'un moment Minsky et le creux qui a suivi. La déflation, dit Fisher, peut déprimer l'économie en augmentant la valeur réelle de la dette. Inversement, l'inflation peut avoir l'utilité de réduire cette valeur réelle. En ce moment, les marchés semblent s'attendre à ce que les prix américains en 2017 soient supérieurs d'environ 8 % à ceux d'aujourd'hui. Si nous parvenions à 4 ou 5 % d'inflation sur cette durée, de façon à ce que les prix aient gagné 25 % à l'arrivée, la valeur réelle de la dette immobilière serait sensiblement plus faible qu'elle ne paraît sous la perspective actuelle – et l'économie aurait donc fait beaucoup plus de chemin vers une reprise durable.

Il est encore un argument en faveur d'une inflation plus élevée, qui ne compte pas forcément énormément pour les États-Unis, mais beaucoup pour l'Europe : les salaires sont sujets à la « rigidité nominale à la baisse », ce qui en jargon d'économiste signifie que les salariés ne sont pas du tout disposés à accepter une réduction explicite de leur salaire, ainsi qu'on a largement pu le constater ces derniers temps. Si vous me dites que c'est une évidence, vous êtes hors sujet : un salarié est beaucoup moins disposé à accepter, mettons, une baisse de 5 % du montant inscrit sur son chèque qu'un chèque identique dont le pouvoir d'achat serait amoindri par l'inflation. Les salariés ne sont pas bornés ou idiots pour autant : quand on vous invite à accepter une diminution de salaire, il est très difficile de ne pas vous demander si l'employeur n'est pas en train de profiter de vous, alors que la question ne vous vient pas à l'esprit quand ce sont des forces échappant très manifestement à son contrôle qui font augmenter le coût de la vie.

Cette rigidité nominale à la baisse – désolé, le jargon est parfois vraiment indispensable pour préciser un concept donné – explique probablement qu'on n'ait pas connu de réelle déflation aux États-Unis, malgré une économie déprimée. Certains salariés continuent d'obtenir des augmentations, pour des motifs variables ; très peu voient réellement leur paie diminuer. Le niveau général des salaires continue donc d'augmenter malgré le chômage de masse, et cette croissance permet de mieux garantir une montée lente de l'ensemble des prix.

Pour l'Amérique, ce n'est pas un problème. Au contraire, une baisse générale des salaires est actuellement la dernière des choses à souhaiter, car elle exacerberait le problème de la déflation par la dette. Mais, pour certains pays européens, qui doivent de toute urgence réduire leurs salaires par rapport à ceux de l'Allemagne, c'est un gros problème, ainsi que nous le verrons au prochain chapitre. Ce problème est très grave, mais il le serait considérablement moins si l'Europe connaissait une inflation de 3 ou 4 % plutôt que celle légèrement supérieure à 1 % qu'attendent les marchés dans les prochaines années. Nous reviendrons sur tout cela sous peu.

Peut-être vous demandez-vous quelle utilité il peut y avoir à souhaiter davantage d'inflation. Souvenez-vous, la doctrine de l'immaculée inflation n'a aucun sens : pas de boom, pas d'inflation. Or, comment obtenir un boom ?

La réponse est qu'il faut associer une forte relance budgétaire à des politiques de soutien de la part de la Fed et de ses contreparties à l'étranger. Mais nous y reviendrons plus loin.

Faisons un peu le point. Voilà plusieurs années que nous entendons s'élever de sombres mises en garde sur les dangers de l'inflation. Il ne fait pourtant aucun doute dans l'esprit de ceux qui comprennent la nature de la crise actuelle que ces avertissements étaient sans fondement ; et on le voit bien, on attend toujours la grande explosion inflationniste annoncée. La vérité, c'est que l'inflation est trop faible, et particulièrement en Europe, notre prochaine destination, où c'est l'un des paramètres d'une situation véritablement dramatique.

Chapitre 10

EURODÄMMERUNG

Cela fait désormais dix ans qu'un groupe novateur d'États membres de l'UE a franchi une étape capitale en adoptant l'euro comme monnaie unique. Après de nombreuses années de préparation minutieuse, l'euro est devenu, le 1ᵉʳ janvier 1999, la monnaie officielle de plus de trois cents millions de citoyens dans la toute nouvelle zone euro. Trois ans plus tard, le 1ᵉʳ janvier 2002, des pièces rutilantes et des billets flambant neufs ont fait leur apparition et sont venus remplacer les 12 monnaies nationales dans les porte-monnaie des citoyens européens. Après dix ans d'existence, nous fêtons l'Union économique et monétaire et examinons dans quelle mesure l'euro a tenu ses promesses.

L'adoption de l'euro a donné lieu à de nombreux changements bienvenus : la zone euro couvre actuellement 15 pays avec l'entrée de la Slovénie en 2007 et celle de Chypre et Malte en 2008. La croissance et l'emploi augmentent à mesure que les performances économiques s'améliorent. En outre, l'euro devient progressivement une monnaie à dimension internationale et la zone euro a renforcé son influence sur les marchés économiques mondiaux.

Mais les avantages de l'euro ne sont pas uniquement visibles dans les chiffres et les statistiques. Il a aussi permis aux citoyens d'avoir plus de choix, de certitudes, de sécurité et d'opportunités dans leur vie quotidienne. Cette brochure présente quelques exemples de la façon dont l'euro a apporté de nettes améliorations sur le terrain pour la population européenne et continue à le faire.

Texte d'introduction de *L'euro a dix ans : dix exemples de réussite*, brochure émise début 2009 par la Commission européenne.

Depuis quelques années, la comparaison du développement économique de l'Europe et des États-Unis a des allures de course entre un éclopé et un boiteux – si vous voulez, on dirait que c'est à qui s'y prendra le plus mal pour faire face à la crise. À l'heure où j'écris ces lignes, l'Europe semble avoir une longueur d'avance dans la course au désastre, mais rien n'est joué.

Si vous percevez dans ces propos de la cruauté ou du chauvinisme, permettez-moi de le dire clairement : les épreuves que traverse l'Europe sont vraiment terribles, pas seulement pour les souffrances qu'elles infligent à la population, mais du fait de leurs implications politiques. Voilà soixante ans que l'Europe s'est lancée dans une noble tentative, la transformation à travers l'intégration économique d'un continent déchiré par la guerre, pour définitivement l'installer sur le chemin de la paix et de la démocratie. Le monde entier tirera bénéfice de la réussite de cette expérience, et le monde entier souffrira de son éventuel échec.

L'expérience a commencé en 1951, avec la création de la Communauté européenne du charbon et de l'acier. Ne vous laissez pas berner par la banalité de ce nom : il recèle une tentative extrêmement idéaliste de rendre impossible toute guerre en Europe. En libéralisant les échanges de charbon et d'acier – c'est-à-dire en supprimant tous droits de douane et restrictions frontalières sur le transit des cargaisons pour que les aciéries puissent s'approvisionner auprès du producteur le plus proche, fût-ce dans le pays voisin –, l'accord était économiquement rentable. Mais surtout, il amenait les aciéries françaises à dépendre du charbon allemand et inversement, rendant particulièrement désavantageux et, espérait-on, impensable, tout conflit futur entre les deux pays.

La Communauté du charbon et de l'acier a été une grande réussite, qui a servi de modèle à une longue série d'initiatives similaires. En 1957, six nations ont fondé la Communauté économique européenne, une union douanière dont les membres pratiquaient entre eux le libre-échange et appliquaient les mêmes droits d'importation à l'égard des pays extérieurs à leur groupe. Dans les années 1970, la Grande-Bretagne, l'Irlande et le Danemark s'y sont joints ; entre-temps, la Communauté européenne a élargi son rôle, apportant de l'aide aux régions les plus pauvres et promouvant la démocratie dans toute l'Europe. Dans les années 1980, parce qu'ils s'étaient enfin débarrassés de leurs dictateurs respectifs, l'Espagne, le Portugal et la Grèce ont été récompensés en se voyant admis au sein de la communauté – et les nations européennes se sont employées à renforcer leurs liens en harmonisant les régulations économiques, en supprimant les postes-frontières et en garantissant la libre circulation des travailleurs.

À chaque étape, le renforcement de l'intégration économique s'est accompagné d'un degré supplémentaire d'intégration politique. Toutes les mesures économiques adoptées n'ont pas été seulement économiques ; elles visaient aussi à promouvoir l'union du continent. Les arguments économiques en faveur de l'instauration du libre-échange entre l'Espagne et la France, par exemple, étaient parfaitement valides du temps du généralissime Francisco Franco, pas moins qu'après sa mort (et les problèmes soulevés par l'adhésion de l'Espagne à l'Europe ont été tout aussi réels après sa mort qu'avant), mais l'intégration au projet européen d'une Espagne démocratique était un objectif plus séduisant que ne l'aurait été le libre-échange avec une dictature. Et cela explique que l'on ait décidé ce qui apparaît aujourd'hui comme une erreur fatale – l'établissement d'une monnaie commune : fascinées par l'idée de créer un puissant symbole d'unité, les élites européennes ont surévalué ce qu'il y avait à y gagner et négligé les avertissements indiquant que le projet recelait un inconvénient de taille.

Le problème de la monnaie (unique)

L'utilisation de multiples monnaies implique évidemment des coûts réels, que l'adoption d'une monnaie unique permet d'éviter. Toute transaction réalisée par-delà les frontières coûte plus cher dès lors qu'elle implique un taux de change, qu'il faut toujours avoir sous la main plusieurs devises et/ou qu'il faut avoir autant de comptes en banque qu'il y a de monnaies. La possibilité de fluctuation des taux de change est facteur d'incertitude ; lorsque les recettes et les dépenses ne se font pas systématiquement dans la même monnaie, la projection dans le temps devient plus difficile et la comptabilité moins limpide. Plus une entité politique fait commerce avec ses voisines, plus il est problématique qu'elle ait une monnaie propre, et il ne serait pas judicieux que Brooklyn, par exemple, possède son propre dollar, à la façon du Canada.

Mais posséder sa propre monnaie comporte aussi de grands avantages, dont le plus connu est que la dévaluation – la réduction de la valeur de sa monnaie par rapport aux autres – permet parfois de mieux amortir les chocs économiques.

Que l'on considère l'exemple suivant, qui n'a rien d'hypothétique : imaginons que l'Espagne ait été maintenue à flot pendant l'essentiel de la dernière décennie par un immense boom immobilier, financé par d'importants afflux de capitaux venus d'Allemagne. Ce boom a alimenté l'inflation et fait grimper les salaires espagnols par rapport aux salaires allemands. Mais il s'avère que cet essor était une bulle, et celle-ci éclate. Il faut alors que l'Espagne réoriente son économie, qu'elle se détourne du bâtiment au profit de l'industrie. Sauf qu'à ce moment précis, l'industrie espagnole n'est plus compétitive, parce que les salaires espagnols sont trop élevés par rapport à ceux des Allemands. Comment l'Espagne peut-elle retrouver sa compétitivité ?

Elle peut chercher à persuader ses travailleurs d'accepter des salaires plus bas. C'est en fait la seule façon d'y parvenir si l'Espagne et l'Allemagne partagent la même monnaie, ou si la monnaie espagnole est immuablement indexée sur la monnaie allemande.

Mais si l'Espagne possède sa propre monnaie, et si elle est disposée à la voir baisser, il lui suffit de dévaluer pour réajuster ses salaires au bon niveau. En passant de 80 pesetas à 100 pesetas pour un deutschemark, sans toucher aux salaires espagnols en pesetas, on réduit d'un coup les salaires espagnols de 20 % par rapport aux salaires allemands.

Pourquoi cette solution serait-elle plus simple que de négocier une baisse des salaires ? La meilleure explication nous vient de Milton Friedman lui-même, qui a établi les avantages de la flexibilité des taux de change en 1953 dans un article devenu classique, « The Case for Flexible Exchange Rates » (« Défense des taux de change flottants »), paru dans *Essais d'économie positive*. Voici ce qu'il y écrit :

> Aussi étrange que cela paraisse, les arguments en faveur de taux de change flottants sont quasiment identiques à ceux qui préconisent le changement d'heure en été. N'est-il pas absurde d'avancer sa montre en été quand on pourrait arriver exactement au même résultat en demandant à chaque individu de modifier ses habitudes ? Il suffirait que tout le monde accepte d'arriver au bureau une heure plus tôt, de prendre son déjeuner une heure plus tôt, etc. Il est évidemment beaucoup plus simple d'intervenir sur l'horloge qui tient lieu de référence collective que de demander individuellement à chacun de modifier son comportement par rapport à l'horloge, même en supposant que tout le monde y soit disposé. C'est exactement la même chose sur le marché des changes. Il est bien plus simple de permettre le changement d'un seul cours, celui du change avec l'extérieur, que de compter sur la modification de la multitude de cours qui, ensemble, constituent la structure intérieure des prix.

C'est limpide. Les salariés rechignent toujours à accepter une baisse des salaires, mais ce sera d'autant plus le cas s'ils ne sont pas sûrs que les autres salariés l'accepteront et que le coût de la vie baissera proportionnellement aux salaires. Je n'ai pas connaissance d'un seul pays dont le marché de l'emploi et les institutions soient susceptibles de répondre à la situation espagnole que je viens de décrire au moyen d'une baisse généralisée des salaires. En revanche, les pays ont généralement la possibilité, et ils ne se privent pas de l'exploiter, d'abaisser sensiblement le niveau relatif de leurs salaires à peu près du jour au lendemain, et avec très peu de perturbations, à travers la dévaluation de leur monnaie.

L'établissement d'une monnaie unique suppose donc un compromis. D'un côté, il y a des gains d'efficacité : les coûts de transaction baissent, et la visibilité économique est censée s'améliorer. De l'autre, il y a une perte de flexibilité, ce qui peut devenir très embêtant en cas de « choc asymétrique » important, comme la fin brutale d'un boom immobilier survenant dans certains pays mais pas d'autres.

Les avantages de la flexibilité économique sont difficilement chiffrables. Ceux d'une monnaie partagée le sont plus encore. Il existe toutefois un vaste corpus d'analyses économiques traitant des critères constituant une « zone monétaire optimale », expression consacrée aussi laide qu'utile désignant un groupe de pays qui gagneraient à faire fusionner leurs monnaies. Que disent ces travaux ?

D'abord, il ne rime à rien que des pays partagent la même monnaie s'ils ne pratiquent pas beaucoup d'échanges économiques. Dans les années 1990, l'Argentine a fixé la valeur du peso à un dollar américain, supposément à jamais, ce qui n'équivalait pas tout à fait à renoncer à sa monnaie mais était censé constituer le meilleur second choix possible. La manœuvre était finalement vouée à l'échec, puisqu'elle a abouti à la dévaluation et au défaut de paiement. L'une des raisons de cet échec, c'est que l'Argentine n'entretient pas des liens économiques si étroits que cela avec les États-Unis, qui ne représentent que 11 % de ses importations et 5 % de ses exportations. D'un côté, le bénéfice qu'il pouvait y avoir à donner des certitudes aux entreprises à l'égard du taux de change entre le peso et le dollar était relativement mince, l'Argentine ne commerçant que peu avec les États-Unis. De l'autre, l'Argentine a subi de plein fouet les fluctuations des autres devises, notamment de fortes baisses de l'euro et du real brésilien face au dollar, qui ont entraîné une importante surévaluation de ses exportations.

À l'aune de ce critère-là, le profil de l'Europe apparaissait favorable : les pays européens effectuent environ 60 % de leurs échanges entre eux, et des échanges, ils en pratiquent *beaucoup*. Mais selon deux autres critères importants – la mobilité de la main-d'œuvre et l'intégration budgétaire –, le continent était manifestement un terrain beaucoup moins propice à l'adoption d'une monnaie unique.

Le critère de la mobilité de la main-d'œuvre est apparu sur le devant de la scène à travers un article traitant de la question générale de la zone monétaire optimale, paru en 1961 sous la plume de l'économiste d'origine canadienne Robert Mundell. Pour résumer grossièrement les arguments de Mundell, on peut dire qu'il sera beaucoup moins problématique de s'adapter à la survenue simultanée d'un boom au Saskatchewan et d'un ralentissement en Colombie-Britannique (deux provinces canadiennes) ou vice versa, si les travailleurs ont toute liberté de se déplacer vers le lieu où se trouve l'emploi. Et de fait, la main-d'œuvre est libre de se déplacer d'une province canadienne à l'autre, à l'exception du Québec ; elle l'est tout autant au sein des États-Unis. Mais ce n'est pas le cas en Europe. Même si les Européens sont légalement autorisés depuis 1992 à travailler dans n'importe quel pays de l'Union, les différences culturelles et linguistiques sont telles que même d'importants écarts de taux de chômage ne donnent lieu qu'à peu de flux migratoires.

L'importance de l'intégration budgétaire, elle, a été mise en lumière par Peter Kenen, de Princeton, quelques années après la parution de l'article de Mundell. Pour illustrer l'argument de Kenen, comparons deux économies qui, décor naturel mis à part, se ressemblent beaucoup en ce moment : l'Irlande et le Nevada. L'une et l'autre ont nourri une immense bulle immobilière qui a éclaté ; l'une et l'autre ont plongé dans une profonde récession qui a fait exploser le chômage, l'une et l'autre ont vu pulluler les cas de défaut de paiement de crédit immobilier.

Mais au Nevada, ces chocs ont été considérablement amortis par le gouvernement fédéral. Le Nevada verse en ce moment beaucoup moins d'impôts à Washington, mais ses résidents du troisième âge perçoivent toujours leur retraite et le programme Medicare continue de prendre en charge leurs frais de santé – le Nevada reçoit donc beaucoup d'aide publique. Dans le même temps, les dépôts dans les banques du Nevada sont garantis par un organisme fédéral, la FDIC, et une part des pertes consécutives au défaut de paiement immobilier retombe sur Fannie et Freddie, des organismes adossés au gouvernement fédéral.

L'Irlande, de son côté, est très esseulée, et elle ne peut compter sur personne pour renflouer ses banques, payer retraites et couverture sociale, alors que ses revenus sont sensiblement réduits. Par conséquent, si l'Irlande et le Nevada traversent également une période difficile, l'une ne vit pas du tout la même crise que l'autre.

Et rien de tout cela n'est arrivé par hasard. Il y a vingt ans, quand a pris forme l'idée d'un passage à la monnaie unique, la conscience des problèmes que cela posait était très aiguë. La question, d'ailleurs, a suscité un débat théorique approfondi (dont j'ai été l'un des participants), et les économistes américains, dans l'ensemble, se sont montrés plutôt sceptiques à l'égard de l'euro – essentiellement parce que les États-Unis constituaient un bon modèle de ce que peut être une économie propice à l'adoption d'une monnaie unique, et que l'Europe était loin d'y correspondre. La mobilité de la main-d'œuvre, disions-nous alors, était bien trop faible, et l'absence de gouvernement central, avec le rôle d'amortisseur qu'il offre naturellement, ne faisait qu'aviver nos doutes.

Mais ces avertissements ont été ignorés, comme la poussière mise sous le tapis. Le charme, si l'on peut dire, du projet européen, l'idée que le continent accomplissait un grand pas pour tourner définitivement la page de son passé belliqueux et devenir un phare de la démocratie, était trop fort. À ceux qui demandaient comment s'y prendrait l'Europe le jour où certaines économies se porteraient mieux que d'autres – comme l'Allemagne et l'Espagne aujourd'hui – il était officiellement répondu, à peu de chose près, que toutes les nations de la zone euro appliqueraient une politique saine, de sorte que ce genre de « choc asymétrique » ne se produirait pas, et que si par malheur cela se produisait malgré tout, des « réformes structurelles » donneraient aux économies européennes la souplesse de produire les ajustements nécessaires.

Tout cela n'a pas empêché l'Europe de subir un choc asymétrique colossal. Et c'est la création de l'euro qui l'a causé.

L'eurobulle

L'euro a officiellement vu le jour avec l'année 1999, même si pièces et billets mettraient encore trois ans à arriver. (Officiellement, le franc, le mark, la lire, etc. sont devenus des dénominations de l'euro, le franc français valant 1/6,5597^e d'euro, le deutschemark 1/1,95583^e et ainsi de suite.) La mesure a immédiatement produit un effet fatidique : elle a mis les investisseurs en confiance.

Plus précisément, elle leur a donné la confiance de placer leur argent dans des pays précédemment jugés à risque. Les taux d'intérêt des pays du sud de l'Europe avaient toujours été significativement plus élevés qu'en Allemagne, parce que les investisseurs exigeaient une prime pour compenser le risque de dévaluation et/ou de défaut. À l'arrivée de l'euro, ces primes ont disparu : on a traité la dette espagnole, italienne et même grecque comme si elle était aussi sûre que celle de l'Allemagne.

Cela équivalait à une baisse importante du coût de l'emprunt dans l'Europe du Sud, qui a entraîné d'immenses booms immobiliers immédiatement transformés en immenses bulles immobilières.

Le mécanisme de ces booms/bulles de l'immobilier est quelque peu différent de celui de la bulle américaine : on y décèle beaucoup moins de finance alambiquée et beaucoup plus de crédit auprès d'établissements conventionnels. Les banques locales étaient pourtant loin de disposer des dépôts suffisants pour soutenir tous les prêts qu'elles consentaient, si bien qu'elles se sont massivement tournées vers le marché de gros, empruntant des fonds auprès des banques du « cœur » de l'Europe – allemandes pour l'essentiel – qui ne connaissaient pas une expansion comparable. On a donc assisté à des mouvements massifs de capitaux du cœur de l'Europe vers sa périphérie en plein essor.

Ces afflux de capitaux ont alimenté des booms qui ont à leur tour entraîné la hausse des salaires : dans la décennie qui a suivi la création de l'euro, le coût unitaire de la main-d'œuvre (les salaires ajustés en fonction de la productivité) a augmenté d'environ 35 % en Europe du Sud, contre seulement 9 % en Allemagne. La fabrication dans les pays du Sud a cessé d'être compétitive, c'est-à-dire que les pays qui attiraient l'afflux massif de capitaux se sont mis à entretenir des déficits commerciaux tout aussi massifs. Pour vous donner une idée de ce qui se nouait – et qu'il faut à présent dénouer –, le diagramme de la page 212 illustre l'accroissement des déséquilibres commerciaux au sein de l'Europe après l'introduction de l'euro. L'une des courbes représente le solde des comptes courants de l'Allemagne (une mesure générale de la balance commerciale) ; l'autre le solde combiné des comptes courants des pays dits du « GIPSI » (de leur nom anglais : Greece, Ireland, Portugal, Spain, Italy). L'écart grandissant que l'on observe sur le graphique est au cœur du problème que connaît l'Europe.

Déséquilibres commerciaux en Europe

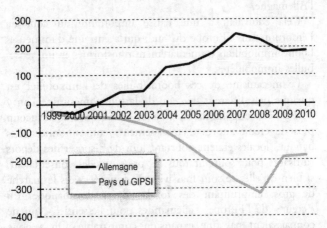

Après la création de l'euro, les économies du GIPSI (Grèce, Irlande, Portugal, Espagne, Italie) ont accumulé d'immenses déficits de leurs comptes courants, qui sont une mesure générale de la balance commerciale. Dans le même temps, l'Allemagne connaissait un excédent de proportion équivalente.

Source : Fonds monétaire international

Mais rares sont ceux qui ont perçu le danger au moment où il était en train de se matérialiser. Dans l'ensemble, on a plutôt fait preuve d'une complaisance frôlant l'euphorie. Jusqu'au jour où les bulles ont éclaté.

La crise financière aux États-Unis a déclenché l'effondrement européen, mais cet effondrement se serait de toute façon produit tôt ou tard. Et l'euro s'est trouvé confronté du jour au lendemain à un immense choc asymétrique, très aggravé par l'absence d'intégration budgétaire.

Car l'éclatement de ces bulles immobilières, survenu un peu plus tard qu'aux États-Unis mais déjà nettement annoncé dès 2008, n'a pas fait que plonger les pays concernés dans la récession : il a mis leur budget à rude épreuve. Les revenus ont plongé en même temps que la production et l'emploi ; les dépenses correspondant aux allocations chômage ont explosé et les États se sont trouvés (ou placés d'eux-mêmes) en situation d'avoir à opérer de coûteux renflouements bancaires, puisqu'ils n'avaient pas garanti les seuls dépôts, mais bien souvent aussi la dette contractée par leurs établissements financiers auprès des pays créanciers. La dette et les déficits ont grimpé en flèche, et l'inquiétude a gagné les investisseurs. À la veille de la crise, les taux d'intérêt sur la dette irlandaise à court terme étaient en fait légèrement inférieurs à ceux sur la dette allemande, et ceux de l'Espagne ne leur étaient que légèrement supérieurs ; à l'heure où j'écris ces lignes, les taux espagnols sont deux fois et demie supérieurs à ceux de l'Allemagne, et ceux de l'Irlande, quatre fois.

J'aborderai brièvement les mesures prises pour contrer la crise européenne, mais il me faut d'abord évoquer certains mythes très répandus. Ce que vous avez entendu à propos des problèmes de l'Europe, la version qui, de fait, a fini par déterminer la politique européenne, est très différent de ce que je viens de vous raconter.

La Grande Illusion européenne

Au chapitre 4, j'ai décrit et mis à nu le Grand Mensonge selon lequel la crise américaine aurait été provoquée par les organismes d'État qui auraient commis l'erreur de chercher à aider les plus pauvres. L'Europe aussi possède sa propre narration déformante, son récit mensonger sur les causes de la crise, qui empêche les vraies solutions de se dégager et conduit de fait à l'adoption de mesures qui ne font qu'aggraver le problème.

Je ne crois pas que les auteurs du faux récit européen soient aussi cyniques que leurs pairs américains ; je n'observe pas de leur part le même maquillage délibéré des chiffres, et je soupçonne qu'ils croient sincèrement pour la plupart à ce qu'ils disent. Parlons donc de Grande Illusion plutôt que de Grand Mensonge, mais ça ne rend pas forcément la chose préférable ;

ce qu'on entend demeure totalement faux et les individus qui propagent cette doctrine font étalage de la même surdité que les Américains à l'égard des éléments de preuve contraires à leur récit.

Voici donc ce qu'est la Grande Illusion européenne : la croyance que la crise est essentiellement due à l'irresponsabilité budgétaire. Les pays ont accumulé de trop grands déficits budgétaires, nous explique-t-on, qui les ont enfoncés dans la dette jusqu'au cou – et ce qu'il faut à présent, c'est imposer des règles garantissant que cela ne se reproduise plus jamais.

Mais, se demanderont certains lecteurs, on ne peut pas nier que ce soit à peu près ce qui est arrivé à la Grèce, non ? La réponse est affirmative, mais même le cas de la Grèce est un peu plus compliqué que cela. L'essentiel, toutefois, demeure que le problème des autres pays en crise n'est pas celui-là – et que s'il n'y avait que les difficultés de la Grèce, on n'assisterait pas à la crise que nous avons sous les yeux. Car la Grèce est une économie de taille modeste, qui représente moins de 3 % du PIB combiné des pays de la zone euro et seulement quelque 8 % de celui des pays de la zone euro aujourd'hui en crise.

À quel point l'« hellénisation » du discours européen est-elle fallacieuse ? Peut-être trouvera-t-on matière à invoquer aussi l'irresponsabilité budgétaire dans le cas du Portugal, mais pas à la même échelle. Quant à l'Irlande, elle affichait à la veille de la crise un budget excédentaire et un faible niveau d'endettement ; en 2006, George Osborne, qui dirige aujourd'hui la politique économique britannique, évoquait à propos de l'Irlande « un exemple brillant de l'art du possible en matière de politique économique à long terme ». L'Espagne aussi présentait un budget excédentaire et une dette modeste. L'Italie, elle, était très endettée, héritage de la politique budgétaire tout à fait irresponsable conduite dans les années 1970 et 1980, mais elle s'employait avec persévérance à réduire son ratio dette/PIB.

Dette/PIB des pays du GIPSI

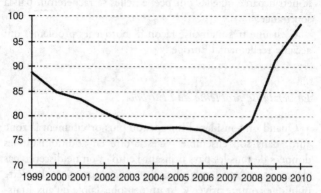

Dans l'ensemble, les nations européennes aujourd'hui en difficulté s'employaient avec détermination à réduire leur endettement quand la crise financière a frappé.

Source : Fonds monétaire international

Quel était le tableau d'ensemble ? Le graphique ci-dessus représente la dette en pourcentage du PIB pour le pays « type » aujourd'hui en crise – c'est une moyenne du ratio dette/PIB des cinq pays du GIPSI (rappelons-le, la Grèce, l'Irlande, le Portugal, l'Espagne et l'Italie), pondérée par le PIB. Jusqu'à la fin 2007, cette moyenne n'a cessé de baisser – c'est-à-dire que, loin de s'abandonner au laxisme, l'ensemble du GIPSI semble surtout avoir été en train de redresser progressivement sa situation budgétaire. La dette n'a explosé qu'avec la crise.

Pourtant, bon nombre d'Européens occupant des postes clés – et plus particulièrement la classe politique et les hauts fonctionnaires en Allemagne, mais aussi la direction de la Banque centrale européenne et les leaders d'opinion du monde de la finance et de la banque – sont profondément imprégnés de la Grande Illusion, et nulle accumulation d'indices contraires ne semble en mesure de les faire changer d'avis. Du coup, la question de la solution à la crise est le plus souvent posée en termes moraux : les nations sont dans le pétrin parce qu'elles ont péché ; elles se rachèteront par la souffrance.

C'est une très mauvaise façon d'aborder les problèmes qui accable réellement l'Europe.

Le véritable problème de l'Europe

Quand on considère l'Europe, ou plus précisément la zone euro, dans son ensemble – c'est-à-dire en additionnant les données de tous les pays utilisant l'euro –, on ne discerne pas clairement ce qui la place en si mauvaise situation. La dette publique comme privée y est un peu plus faible qu'aux États-Unis, ce qui laisse supposer qu'il doit y avoir davantage de marge de manœuvre ; les chiffres de l'inflation ressemblent aux nôtres, et rien ne laisse prévoir de poussée inflationniste ; et pour ce que cela vaut, l'Europe présente dans son ensemble un compte courant équilibré, ce qui signifie qu'elle n'a pas besoin d'attirer les capitaux étrangers.

Mais l'Europe n'est pas un tout. C'est un assemblage de nations possédant chacune son propre budget (parce que l'intégration budgétaire est très faible) et son propre marché du travail (parce que la main-d'œuvre est peu mobile) – mais pas sa propre monnaie. Et c'est cela qui crée la crise.

Prenons le cas de l'Espagne, emblématique à mes yeux de la crise économique de l'euro – et ignorons pour l'heure la question du déficit budgétaire. On l'a vu, pendant les huit premières années d'existence de l'euro, l'Espagne a connu d'immenses afflux d'argent qui ont alimenté une bulle immobilière massive et conduit à une hausse importante des salaires et des prix, relativement à ceux des économies du cœur de l'Europe. Le problème fondamental de l'Espagne, d'où découle tout le reste, est de ramener ses coûts et ses prix au juste niveau. Comment y parvenir ?

Eh bien cela pourrait se faire à travers l'inflation au sein des économies du cœur de l'Europe. Supposons que la

Banque centrale européenne (BCE) applique une politique monétaire souple et que le gouvernement allemand se mette à pratiquer la relance budgétaire ; cela entraînerait le plein-emploi en Allemagne alors que le chômage resterait élevé en Espagne. Les salaires espagnols n'augmenteraient que peu, voire pas du tout, et les salaires allemands augmenteraient beaucoup ; les coûts espagnols resteraient stables tandis que ceux de l'Allemagne augmenteraient. Et le réajustement pour l'Espagne serait relativement aisé – pas aisé, *relativement* aisé.

Mais les Allemands ont une sainte horreur de l'idée même d'inflation, à cause du souvenir de l'hyperinflation du début des années 1920. (Curieusement, celui de la politique déflationniste du début des années 1930, qui a directement préparé le terrain à l'ascension de qui vous savez, est beaucoup moins vif. Nous y reviendrons au chapitre 11.) Et, plus important peut-être, la BCE, selon les termes mêmes de son mandat, est tenue d'assurer la stabilité des prix – point final. Reste à savoir à quel point ce mandat a force d'obligation, et je soupçonne qu'il doit bien y avoir un moyen pour la BCE d'accepter une inflation modérée malgré ce que disent les traités européens. Mais dans l'état d'esprit qui prédomine aujourd'hui, l'inflation apparaît irrévocablement comme un grand mal, quelles que soient les conséquences d'une politique de faible inflation.

Songez à présent à ce que cela implique pour l'Espagne – qui doit faire baisser ses dépenses à travers la déflation, désignée dans le jargon européen par l'expression « dévaluation interne ». La mission est extrêmement difficile, parce que les salaires sont rigides à la baisse : ils ne baissent que lentement et avec difficulté, même en présence de chômage de masse.

Et s'il vous reste le moindre doute quant à cette rigidité à la baisse, les antécédents européens devraient le dissiper. Prenons le cas de l'Irlande, qui passe généralement pour un cas extrême de marché du travail « flexible » – encore un euphémisme pour désigner une économie où les patrons peuvent assez facilement licencier leurs employés et/ou réduire leur salaire. Malgré plusieurs années d'un chômage incroyablement élevé (environ 14 % à l'heure où j'écris), les salaires irlandais n'ont reculé que de 4 % par rapport au pic qu'ils ont connu. Alors oui, l'Irlande est en train de mener sa dévaluation interne, mais très lentement. Le cas de la Lettonie, qui ne fait pas partie de la zone euro mais a refusé de dévaluer sa monnaie, est semblable. Et même en Espagne, le salaire moyen a augmenté malgré un taux de chômage très élevé, mais peut-être s'agit-il en partie d'une illusion statistique.

À propos, si vous voulez une illustration de l'idée de Milton Friedman selon laquelle il est bien plus facile de faire baisser les salaires et les prix en dévaluant sa monnaie, considérez l'Islande. Cette minuscule nation insulaire a fait parler d'elle pour l'ampleur de la catastrophe financière qui l'a frappée, et l'on se serait attendu à la voir aujourd'hui en plus fâcheuse posture que l'Irlande. Mais l'Islande a proclamé qu'elle n'était pas responsable de la dette de ses banquiers véreux, et elle a aussi bénéficié du fait qu'elle possédait sa propre monnaie, ce qui lui a très largement simplifié le retour à la compétitivité : il n'y a eu qu'à laisser dégringoler la couronne pour que les salaires perdent d'un coup 25 % par rapport à l'euro.

En revanche, l'Espagne, et d'autres avec elle, ne possèdent pas de monnaie propre. Cela signifie que pour remettre leurs coûts à niveau, ils vont avoir à traverser une longue période de très fort chômage, assez longue pour lentement grignoter les salaires. Et ce n'est pas tout. Les pays aujourd'hui contraints de ramener leurs coûts à niveau sont aussi ceux qui ont connu la plus forte accumulation de dette privée avant la crise. Ils sont à présent confrontés à la déflation, qui aura pour effet d'alourdir le poids réel de cette dette.

Mais que dire alors de la crise budgétaire et des taux d'intérêt galopants de la dette souveraine des pays du sud de l'Europe ? En grande partie, la crise budgétaire est un sous-produit du problème de l'éclatement des bulles et des coûts inégaux. À l'entame de la crise, les déficits ont enflé et la dette a fait un bond quand les États déboussolés ont procédé au renflouement de leur système bancaire. Or, l'outil habituel des États contre le poids excessif de leur dette – un mélange d'inflation et de croissance pour éroder le rapport dette/PIB – est inaccessible aux pays de la zone euro, qui se voient condamnés à des années de déflation et de stagnation. Il n'y a dès lors rien d'étonnant à ce que les investisseurs se demandent si les pays du sud de l'Europe voudront, ou pourront, pleinement rembourser leur dette.

Mais là encore, ce n'est pas tout. La crise de l'euro comporte un autre élément, une autre faiblesse propre aux monnaies communes, qui a surpris trop de monde, moi le premier. Il se trouve que les pays dépourvus de monnaie propre sont extrêmement vulnérables aux paniques auto-réalisatrices, lorsque les efforts des investisseurs pour éviter des pertes en cas de défaut de paiement en viennent précisément à déclencher le défaut tant redouté.

Ce point a d'abord été souligné par l'économiste belge Paul De Grauwe, qui a signalé que les taux d'intérêt sur la dette britannique sont largement inférieurs à ceux de la dette espagnole – respectivement 2 % et 5 % à l'heure où j'écris – alors même que la dette et le déficit de la Grande-Bretagne sont plus prononcés que ceux de l'Espagne, avec des perspectives budgétaires probablement moins bonnes, même si l'on prend en compte la déflation espagnole. Mais comme le dit De Grauwe, l'Espagne est sujette à un risque qui ne concerne pas la Grande-Bretagne : le gel des liquidités.

Voici ce qu'il a voulu dire par là : dans leur quasi-totalité, les États modernes entretiennent de la dette, et il ne s'agit pas seulement d'obligations à trente ans ; une part importante de cette dette est à court terme, avec une échéance de quelques mois à peine, et des obligations à deux, trois ou cinq ans, dont une bonne part sera remboursable à tout moment. Les États comptent sur le fait de pouvoir renégocier l'essentiel de cette dette, en vendant de nouvelles obligations pour payer les anciennes. Si pour quelque raison les investisseurs en viennent à refuser d'acheter de nouvelles obligations, même un État fondamentalement solvable peut se voir poussé à faire défaut.

Cela peut-il arriver aux États-Unis ? À vrai dire, non – parce que la Réserve fédérale aurait la possibilité d'intervenir en rachetant de la dette fédérale, émettant concrètement de la monnaie pour payer les factures de l'État. Ce ne serait pas possible non plus en Grande-Bretagne ou au Japon, ni dans aucun pays qui emprunte dans sa propre monnaie et possède sa propre banque centrale. Mais cela menace n'importe lequel des pays de la zone euro, qui ne peuvent pas compter sur la Banque centrale européenne pour intervenir en cas d'urgence. Et si un pays de la zone euro se trouvait forcé à faire défaut à la suite d'une telle pénurie de liquidités, il risquerait de ne jamais totalement rembourser sa dette.

Cela crée immédiatement la possibilité d'une crise autoréalisatrice, où la crainte d'un défaut provoqué par la pénurie de liquidités incite les investisseurs à fuir les obligations d'un État, provoquant précisément la pénurie de liquidités qu'ils redoutent. Et même si l'on n'a pas encore assisté à ce type de crise, on voit bien que la nervosité ambiante à propos de son éventualité peut inciter les investisseurs à exiger des taux d'intérêt plus élevés pour prêter à des pays risquant potentiellement une telle panique autoréalisatrice.

Sans surprise, l'appartenance à la zone euro entraîne depuis début 2011 une pénalité, les pays concernés étant soumis à des coûts d'emprunt plus élevés que d'autres au profil économique et budgétaire similaire, mais qui possèdent une monnaie propre. À cet égard, la comparaison de l'Espagne et du Royaume-Uni n'est pas la seule intéressante ; celle que je préfère concerne trois pays scandinaves, la Finlande, la Suède et le Danemark, dont chacun devrait être jugé largement digne de confiance. Mais la Finlande, utilisatrice de l'euro, a vu ses coûts d'emprunt substantiellement dépasser ceux de la Suède, qui a conservé sa propre monnaie flottante, et même ceux du Danemark, qui maintient un taux de change fixe avec l'euro mais conserve sa propre monnaie et peut donc se renflouer seul en cas de pénurie de liquidités.

Sauver l'euro

À voir les ennuis que connaît aujourd'hui l'euro, on est tenté de se dire que les eurosceptiques avaient raison quand ils affirmaient que le continent ne se prêtait pas vraiment à l'adoption d'une monnaie unique. D'autant que les pays ayant choisi de ne pas adopter l'euro – la Grande-Bretagne et la Suède – s'en sortent beaucoup mieux que leurs voisins de la zone euro. Faut-il alors que les pays européens aujourd'hui dans le pétrin fassent tout simplement demi-tour et reviennent à leurs monnaies respectives ?

Pas nécessairement. Même les eurosceptiques de mon acabit perçoivent que démanteler l'euro à présent qu'il existe supposerait des coûts très importants. Pour commencer, tout pays donnant le sentiment de vouloir quitter l'euro connaîtrait immédiatement une immense panique bancaire, les déposants s'empressant de transférer leurs fonds à destination de pays plus solides de la zone euro. Et le retour de la drachme ou de la peseta créerait de considérables problèmes juridiques, car chacun aurait à réinterpréter le sens des dettes et des contrats libellés en euros.

En outre, une volte-face sur l'euro constituerait une défaite politique terrible pour le projet européen dans son ensemble, d'unité et de démocratie par l'intégration économique – un projet qui, on l'a vu précédemment, revêt beaucoup d'importance pour l'Europe, mais aussi pour le reste du monde.

Il serait donc préférable de trouver un moyen de sauver l'euro. Comment faire ?

D'abord, et de façon très urgente, il faut que l'Europe mette fin aux crises de panique. Il faut absolument trouver un moyen ou un autre de garantir les liquidités nécessaires – garantir que les États ne vont pas tout bonnement se retrouver à court de liquidités du fait de la panique des marchés – une garantie comparable à celle dont bénéficient concrètement les États qui empruntent dans leur propre monnaie. Le moyen le plus évident serait que la Banque centrale européenne consente à acheter des obligations d'État des pays de la zone euro.

Deuxièmement, les États dont les coûts et les prix sont largement sortis des rails – les pays d'Europe qui ont accumulé d'importants déficits commerciaux mais ne peuvent plus se le permettre aujourd'hui – doivent disposer d'une voie praticable de retour à la compétitivité. À court terme, il faut que les pays excédentaires deviennent la source d'une forte demande pour les exportations des pays déficitaires. Et dans la durée, si cette voie permet aux pays déficitaires d'éviter une déflation ruineuse, il faudra bien qu'elle comporte une inflation modérée mais significative dans les pays excédentaires, et plus faible, mais consistante – disons 3 ou 4 % – dans l'ensemble de la zone euro. Tout cela revient à ce que la BCE conduise une politique monétaire très expansionniste et à ce que l'Allemagne et quelques autres pays plus petits engagent une relance budgétaire.

Enfin, bien que les questions budgétaires ne soient pas au cœur du problème, les pays déficitaires connaissent désormais de réelles difficultés d'endettement et de déficit, et ils vont devoir se soumettre à une bonne dose d'austérité prolongée pour remettre de l'ordre dans leur budget.

Voilà donc ce qu'il faudrait pour sauver l'euro. Voit-on se profiler quelque chose de ce genre ?

Depuis que Mario Draghi a remplacé Jean-Claude Trichet à sa présidence, la BCE a agréablement surpris. Certes, Draghi a fermement éconduit tous ceux qui lui demandaient d'acheter des obligations des pays en crise. Mais il a trouvé un moyen d'obtenir plus ou moins le même résultat par une voie détournée, en annonçant la mise en route d'un programme par lequel la BCE accordera des prêts illimités aux banques privées en acceptant leur nantissement par des obligations d'État européennes. Il en résulte à l'heure où j'écris ceci que le risque de panique autoréalisatrice entraînant la

hausse stratosphérique des taux d'intérêt sur les obligations
européennes s'est éloigné.

Malgré cela, toutefois, les cas les plus aigus – la Grèce, le
Portugal et l'Irlande – demeurent exclus des marchés de capitaux privés. Il leur a donc fallu compter sur une série de
programmes de prêt ad hoc de la part de la « troïka » des
États européens les plus solides, de la BCE et du Fonds
monétaire international. Malheureusement, les sommes fournies par la troïka ont été systématiquement trop faibles et
trop tardives. Et en retour de ces prêts d'urgence, les pays
déficitaires ont reçu obligation d'imposer des plans immé-
diats de réduction des dépenses et de hausse des impôts – des
mesures qui les ont poussés dans des abîmes plus profonds
encore et qui ne suffisent toujours pas, ne serait-ce qu'en
termes purement budgétaires, car la récession fait chuter les
recettes fiscales.

Entre-temps, rien n'a été fait pour créer un environnement
susceptible d'offrir aux pays déficitaires un chemin praticable
vers le retour à la compétitivité. Alors même qu'ils poussent
ces pays à appliquer des politiques restrictives brutales, les
pays excédentaires ont lancé leurs propres programmes d'austérité, minant ainsi tout espoir de voir croître les exportations
des premiers. Et loin d'admettre la nécessité d'une inflation
un peu plus élevée, la Banque centrale européenne a relevé
les taux d'intérêt au premier semestre 2011 afin de chasser
une menace inflationniste qui n'existait que dans son esprit.
(Cette hausse des taux a ensuite été inversée, mais le mal était
fait, et il est de taille.)

Pourquoi l'Europe a-t-elle si maladroitement réagi à la
crise ? J'ai déjà donné un élément de réponse : un grand
nombre de dirigeants du continent paraissent vouloir à tout
prix « helléniser » leur analyse, considérer que tous les pays
en difficulté – pas seulement la Grèce – ne doivent leur situation qu'à l'irresponsabilité budgétaire. Et cette vision erronée
les conduit à opter logiquement pour un faux remède : si le
problème tient au laxisme budgétaire, la solution se trouve
forcément dans la rigueur budgétaire. C'est l'économie

comprise comme un conte moral, à ceci près que les péchés recevant châtiment n'ont pour la plupart jamais été commis.

Mais ce n'est là qu'une partie de l'histoire. L'incapacité de l'Europe à identifier ses vrais problèmes et son insistance à vouloir en affronter d'imaginaires n'ont rien de singulier. En 2010, des deux côtés de l'Atlantique, la masse de l'élite politique dans son ensemble s'est amourachée d'une gamme d'idées fausses du même tonneau à propos de la dette, de l'inflation et de la croissance. Au prochain chapitre, je vais m'efforcer d'expliquer ces idées fausses et aussi, tâche nettement plus ardue, les raisons qui ont poussé tant d'éminents personnages à y adhérer.

Chapitre 11

LES AUSTÉRIENS

*Les coupes claires succèdent aux coupes claires : pour
beaucoup d'économistes, le risque de déflation est évident. Quel est votre point de vue à cet égard ?*

Je ne pense pas qu'un tel risque puisse se matérialiser. Au contraire, les anticipations d'inflation
coïncident remarquablement avec notre définition
– moins de 2 %, pas loin de 2 % – comme ce fut
le cas tout au long de la crise récente. En ce qui
concerne l'économie, l'idée que des mesures d'austérité puissent provoquer une stagnation est fausse.

Fausse ?

Oui. En fait, dans ces circonstances, tout ce qui
peut aider à accroître la confiance des ménages, des
entreprises et des investisseurs dans la viabilité des
finances publiques est bon pour la croissance et la
création d'emplois. Je crois fermement que, dans les
circonstances actuelles, les politiques inspirant la
confiance vont renforcer la reprise économique, pas
la gêner, parce que la confiance est aujourd'hui le
facteur déterminant.

Entretien avec Jean-Claude Trichet,
président de la Banque centrale européenne,
dans le quotidien italien *La Repubblica*, juin 2010.

Au cours des mois d'épouvante qui ont suivi la chute de Lehman Brothers, à peu près tous les grands États ont convenu qu'il fallait enrayer l'effondrement brutal de la dépense privée, et ils ont usé de mesures budgétaires et monétaires expansionnistes – plus de dépenses, moins d'impôts et une large émission de monnaie – pour limiter la casse. Ils suivaient en cela les recommandations des manuels, et appliquaient les leçons durement apprises de la Grande Dépression.

Mais en 2010, une chose curieuse s'est produite : le gros de l'élite mondiale des décideurs – les banquiers et les fonctionnaires du Trésor qui façonnent l'opinion commune – a décidé de jeter aux orties les manuels et les leçons de l'histoire et déclaré que tout ce qui était blanc serait noir. C'est-à-dire qu'il est soudain devenu de bon ton d'appeler à la réduction des dépenses, à l'augmentation des impôts et à la hausse des taux d'intérêt malgré le chômage de masse.

Et quand je dis soudain, je pèse mes mots : la prépondérance des partisans de l'austérité immédiate – les « austériens », pour reprendre le joli surnom que leur a trouvé l'analyste financier Rob Parenteau – était déjà largement assise dès le printemps 2010, quand l'Organisation pour la coopération et le développement économique (OCDE) a émis son rapport sur les perspectives économiques. L'OCDE est un groupe de réflexion établi à Paris et financé par un club d'États développés, ce qui explique que son nom soit souvent utilisé pour désigner l'ensemble du monde économiquement avancé – l'adhésion y est plus ou moins synonyme de statut économique. Il s'agit donc par définition d'une institution marquée par les conventions, où chaque document se négocie paragraphe par paragraphe pour éviter de froisser tel ou tel participant de haut rang.

Et au printemps 2010, quel conseil croyez-vous qu'ait donné à l'Amérique ce façonneur d'opinion commune, alors que l'inflation était faible, le taux de chômage très élevé et les coûts de l'emprunt public proches d'un plancher record ? Il fallait que l'État américain s'emploie sans délai à réduire son déficit budgétaire et que la Réserve fédérale relève radicalement les taux d'intérêt à court terme avant la fin de l'année.

Par bonheur, les autorités américaines n'ont pas suivi ce conseil. Il y a bien eu un peu de resserrement budgétaire « passif » à mesure que la relance Obama s'estompait, mais pas de passage à l'austérité généralisée. Et la Fed ne s'est pas contentée de maintenir les taux d'intérêt bas ; elle s'est lancée dans un programme d'achat d'obligations avec l'espoir de donner un peu plus de vigueur à la reprise. En GrandeBretagne, en revanche, les urnes ont confié le pouvoir à une coalition de conservateurs et de libéraux-démocrates qui a pris les recommandations de l'OCDE au pied de la lettre et imposé un programme de coupes préventives dans les dépenses publiques, malgré le fait que le pays, à l'instar des États-Unis, affrontait à la fois un fort taux de chômage et de très faibles coûts d'emprunt.

Pendant ce temps, sur le continent européen, l'austérité budgétaire faisait rage – et la Banque centrale européenne entreprenait début 2011 de relever les taux d'intérêt, malgré la profonde dépression qui affligeait l'économie de la zone euro et l'absence de toute menace convaincante d'inflation.

Mais l'OCDE n'était pas seule à exiger des restrictions monétaires et budgétaires malgré la dépression. D'autres organismes internationaux s'y sont mis, comme la Banque

des règlements internationaux (BRI), établie à Bâle ; de
même que d'éminents économistes comme Raghuram Rajan,
de Chicago, et des voix influentes du monde des affaires,
comme Bill Gross, de Pimco. Et en Amérique, les ténors
républicains se sont emparé de toute la panoplie des arguments en faveur de l'austérité pour appuyer leur propre
revendication de réduction des dépenses et de raréfaction du
crédit. Évidemment, il y a bien eu quelques individus et orga-
nisations pour ne pas suivre la tendance – fait particulièrement notable et gratifiant, le Fonds monétaire international
a persisté à préconiser ce qui m'apparaissait comme une politique saine. Mais je crois qu'il n'est pas injuste de dire qu'en
2010-2011, ceux que j'appelle les Gens Très Sérieux, pour
reprendre l'expression de l'animateur de blog Duncan Black
– ces personnes dont l'opinion est tenue en haute estime par
les individus influents et respectables – ont très nettement
basculé dans l'idée que l'heure des restrictions avait sonné,
malgré l'absence de quoi que ce soit qui puisse ressembler à
un rétablissement complet après la crise financière et ses
conséquences.

Que cachait ce basculement soudain du discours politique ? En fait, il y a deux façons de répondre à cette question : on peut choisir de se pencher sur la substance des
arguments avancés en faveur de l'austérité budgétaire et de la
restriction monétaire, ou alors chercher à comprendre les
motivations de ceux qui ont mis tant d'entrain à se détourner
de la lutte contre le chômage.

Je m'efforcerai dans le présent chapitre d'aborder la question sous ces deux angles, mais je commencerai par la substance.

Cette méthode pose toutefois problème : quand on
cherche à analyser les arguments des austériens, on se
retrouve bien vite à courir derrière une cible mouvante. Sur
les taux d'intérêt, notamment, j'ai souvent eu le sentiment
que les partisans de la hausse jouaient au Calvin-ball – le jeu
de la bande dessinée *Calvin et Hobbes*, dont les participants
inventent constamment de nouvelles règles tout en jouant.

L'OCDE, la BRI et un certain nombre de personnages de l'économie et de la finance semblaient tout à fait persuadés de la nécessité de faire grimper les taux d'intérêt, mais les explications qu'ils avançaient changeaient sans cesse. Une telle versatilité suggérait en vérité que leur motivation réelle à exiger des restrictions n'avait que peu de rapport avec quelque évaluation objective que ce soit de l'économie. Elle me mettait aussi dans l'impossibilité de produire une critique de « l'argument » en faveur de l'austérité et des taux rehaussés ; les arguments étaient multiples, et pas nécessairement cohérents entre eux.

Commençons par ce qui a probablement eu le plus de poids : la peur – plus précisément, la peur que les nations qui, malgré le chômage de masse, ne renoncent pas à la relance pour se ruer dans l'austérité soient condamnées à connaître une crise du type de celle de la Grèce.

Le jeu de la peur

L'austérianisme n'est pas venu de nulle part. Déjà dans les mois qui ont suivi la chute de Lehman Brothers, des voix s'étaient élevées pour dénoncer la tentative de sauvetage des grandes économies par des dépenses génératrices de déficit et par l'utilisation de la planche à billets. Dans le feu de l'action, toutefois, ces voix ont été étouffées par celles qui appelaient à l'adoption d'urgence de mesures expansionnistes.

Mais fin 2009, tant les marchés financiers que l'économie mondiale s'étaient stabilisés, si bien que l'urgence d'agir est devenue moins manifeste. C'est alors qu'est venue la crise grecque, et les anti-keynésiens du monde entier l'ont brandie à titre d'illustration de ce qu'il nous arriverait si nous ne suivions pas la voie étroite et rectiligne de la rigueur budgétaire.

J'ai déjà signalé au chapitre 10 que la crise de la dette grecque constituait un cas d'espèce, même au sein de l'Europe, et que dans les autres pays de la zone euro en proie à une crise de la dette, cette dernière était le produit de la crise financière, pas l'inverse. En revanche, les nations qui ont conservé leur monnaie propre n'ont pas vu l'ombre d'un signe de panique à la grecque sur leur dette souveraine, même si – comme les États-Unis, mais aussi la Grande-Bretagne et le Japon – ils entretenaient aussi une dette et des déficits importants.

Mais aucune de ces observations n'a paru peser sur le débat autour des mesures à prendre. Comme l'a dit le politologue Henry Farrell dans une étude du revirement à l'égard de la politique keynésienne pendant la crise, « l'effondrement de la confiance des marchés envers la Grèce a été interprété comme une parabole sur les risques du laxisme budgétaire. Les États qui se mettaient en grave difficulté budgétaire risquaient de voir se dissiper la confiance des marchés et peut-être même de connaître la ruine pure et simple. »

En fait, il est devenu très en vogue parmi les gens respectables d'émettre des avertissements apocalyptiques sur l'imminence d'une catastrophe si l'on n'agissait pas immédiatement pour réduire le déficit. Erskine Bowles, le coprésident – le coprésident *démocrate* ! – d'une commission chargée d'élaborer un plan pour la réduction du déficit à long terme, témoignant devant le Congrès en mars 2011, quelques mois après que la commission eut échoué à trouver un accord, mettait son auditoire en garde contre la menace pressante d'une crise de la dette :

> Le problème va forcément se poser, comme l'ont dit l'ancien président de la Fed ou Moody's, c'est un problème auquel nous n'échapperons pas. Ce sera peut-être dans deux ans, vous savez, peut-être un peu moins, peut-être un peu plus, mais si nos créanciers là-bas en Asie se mettent à croire que nous allons manquer de fermeté à l'égard de la dette, que nous ne serons pas capables d'honorer nos obligations, songez un peu à ce qu'il arrivera quand ils cesseront tout bonnement d'acheter notre dette.
>
> Qu'adviendra-t-il des nos taux d'intérêt et qu'adviendra-t-il de l'économie américaine ? Les marchés vont totalement nous anéantir si nous ne prenons pas les devants face à ce problème.

Le problème est bien réel, les solutions sont douloureuses et nous devons agir.

Son coprésident, Alan Simpson, a alors surenchéri en affirmant que cela se produirait *avant* deux ans. De leur côté, les investisseurs, eux, n'avaient pas l'air inquiets du tout : au moment même où s'exprimaient Bowles et Simpson, les taux d'intérêt sur les obligations américaines à long terme étaient déjà historiquement bas, et ils ont continué de baisser jusqu'à atteindre des niveaux record pendant l'année 2011.

Trois autres points méritent d'être mentionnés. D'abord, début 2011, pour expliquer la contradiction manifeste entre leurs funestes avertissements d'une catastrophe imminente et la persistance de faibles taux d'intérêt, les alarmistes ont brandi une excuse bien précise : la Réserve fédérale, disaient-ils, maintenait les taux artificiellement bas en achetant de la dette sous couvert de son programme d'« assouplissement quantitatif ». Les taux, disaient-ils, n'allaient pas manquer d'exploser dès la fin du programme, en juin. Il n'en a rien été.

Deuxièmement, en août 2011, les prédicateurs de l'imminence d'une crise de la dette ont crié vengeance quand l'agence de notation Standard & Poor's a baissé la note de l'État américain, le privant de son triple A. On a alors beaucoup entendu dire que « le marché avait parlé ». Mais ce n'est pas le marché qui avait parlé ; ce n'était qu'une agence de notation – une agence qui, comme ses consœurs, avait attribué un triple A à beaucoup de produits financiers qui avaient fini par tourner au déchet toxique. Et la réaction concrète du marché à la dégradation par S&P a été... inexistante. Mieux encore, les coûts d'emprunt aux États-Unis ont baissé. Je l'ai dit au chapitre 8, rien de tout cela n'a surpris les économistes qui connaissaient le cas du Japon : aussi bien S&P que son concurrent Moody's avaient baissé la note du Japon en 2002, quand la situation économique de ce pays ressemblait à celle des États-Unis en 2011, et rien ne s'était alors produit non plus.

Enfin, même si l'on prenait au sérieux les avertissements quant au danger d'une crise de la dette, on ne voyait pas très bien en quoi l'austérité budgétaire immédiate – la réduction des dépenses et l'augmentation des impôts dans une économie déjà profondément déprimée – allait permettre de chasser la crise. On peut comprendre le sens qu'il y a à réduire les dépenses ou augmenter les impôts quand l'économie n'est pas loin du plein-emploi et que la banque centrale rehausse les taux pour couper court au risque d'inflation. Dans ce type de situation, la réduction des dépenses ne déprime pas nécessairement l'économie, parce que la banque centrale peut compenser l'effet déprimant en abaissant les taux d'intérêt, ou du moins en s'abstenant de les rehausser. Mais si l'économie est profondément déprimée et les taux d'intérêt sont déjà voisins de zéro, il n'y a pas de compensation possible à l'effet de la réduction des dépenses, qui accentue alors la dépression – et cela fait baisser les revenus, annulant au moins en partie la réduction du déficit recherchée.

Alors si la possibilité d'une perte de confiance vous inquiète, ou si vous nourrissez quelque préoccupation que ce soit à l'égard des perspectives budgétaires dans la durée, la logique économique voudrait manifestement que l'austérité attende un peu – que des coupes dans les dépenses et des augmentations d'impôts à long terme soient prévues, mais qu'elles ne prennent pas effet avant que l'économie ait retrouvé des forces.

Sauf que, rejetant cette logique, les austériens ont insisté sur la nécessité de coupes immédiates pour rétablir la confiance – et sur le fait que ce rétablissement conférerait aux coupes un caractère expansionniste, pas récessif. Cela nous conduit donc à un deuxième type d'argumentaire : le débat autour des effets de l'austérité sur la production et l'emploi dans une économie déprimée.

La fée confiance

J'ai placé en exergue de ce chapitre les déclarations de Jean-Claude Trichet, président de la Banque centrale européenne jusqu'à l'automne 2011, qui montrent bien la dimension remarquablement optimiste – et remarquablement insensé – de la doctrine qui circulait dans les coulisses du pouvoir en 2010. Cette doctrine reconnaissait l'idée que les coupes dans les dépenses des États ont pour effet direct de réduire la demande, ce qui, toutes choses égales par ailleurs, conduirait au ralentissement de l'économie et à la montée du chômage. Mais la « confiance », insistaient Trichet et ses pairs, compenserait largement cet effet direct.

Très tôt, j'ai associé cette croyance doctrinaire à l'image de la « fée confiance », qui semble avoir été adoptée depuis. Mais de quoi s'agissait-il au juste ? Se peut-il que la réduction des dépenses de l'État fasse vraiment croître la demande ? Oui, cela se peut. En fait, il y a deux voies par lesquelles la réduction des dépenses serait susceptible de stimuler la demande : à travers la baisse des taux d'intérêt et/ou en amenant le public à s'attendre à une future baisse des impôts.

Voici à quoi ressemblerait la première voie, celle des taux d'intérêt : impressionnés par les efforts du gouvernement pour réduire le déficit budgétaire, les investisseurs reverraient à la baisse leurs attentes à propos des futurs emprunts par l'État et par conséquent du niveau futur des taux d'intérêt. Les taux d'intérêt à long terme d'aujourd'hui étant le reflet des attentes concernant ceux de demain, cette prévision d'une future diminution des emprunts pourrait provoquer une baisse immédiate des taux. Et ces taux inférieurs pourraient immédiatement conduire à davantage d'investissement.

Ou alors, et c'est la seconde voie, les mesures d'austérité prises aujourd'hui pourraient impressionner le consommateur : la volonté affichée par l'État de réduire les dépenses le porterait à conclure que les impôts ne seront pas aussi élevés à l'avenir qu'il l'avait cru. Et cette perspective d'allègement fiscal lui donnerait le sentiment d'être plus riche et l'inciterait donc à dépenser davantage, là encore de façon immédiate.

La question, donc, n'était pas de savoir s'il était possible que l'austérité provoque l'expansion de l'économie à travers ces voies ; elle était plutôt de savoir s'il était le moins du monde plausible que les effets favorables, que ce soit à travers la voie des taux d'intérêt ou celle des impôts attendus, soient susceptibles de compenser l'effet directement déprimant de la réduction des dépenses de l'État, en particulier dans la situation actuelle.

Pour moi et pour bon nombre d'économistes, la réponse était claire : la notion d'austérité expansionniste était en règle générale très peu plausible, et plus encore au regard de l'état dans lequel se trouvait le monde en 2010 et qui reste le sien aujourd'hui. Redisons-le, le fait essentiel est que pour justifier les déclarations du type de celle de Jean-Claude Trichet à *La Repubblica*, il ne suffit pas que ces effets de confiance *existent* ; il faut qu'ils soient assez forts pour faire mieux que compenser immédiatement ceux directement déprimants de l'austérité. C'était difficilement imaginable concernant la voie des taux d'intérêt, puisque ces taux étaient déjà très bas au début 2010 (et ils le sont davantage à l'heure où j'écris ces lignes). Quant aux effets survenant à travers les anticipations fiscales, vous en connaissez, vous, des gens qui décident aujourd'hui de ce qu'ils pourront se permettre de dépenser dans l'année en cherchant à estimer ce que signifieront les décisions budgétaires du moment pour leurs impôts d'ici cinq à dix ans ?

Peu importe, nous ont dit les austériens : nous possédons de fortes preuves empiriques pour appuyer notre propos. Mais cela était en vérité une fable.

Dix ans avant la crise, en 1998, dans un article intitulé « Tales of Fiscal Adjustments » (Histoires du rajustement budgétaire), l'économiste d'Harvard Alberto Alesina avait réalisé une étude des pays qui avaient fait la démarche de réduire un important déficit budgétaire. Il y faisait état de puissants effets de la confiance, si puissants que dans nombre de cas, l'austérité débouchait en fait sur l'expansion. La conclusion était frappante, mais elle n'a pas suscité alors l'intérêt – ni l'examen critique – que l'on aurait attendu. En 1998, le consensus régnait encore parmi les économistes sur le fait que la Fed et les autres banques centrales seraient toujours en mesure de faire le nécessaire pour stabiliser l'économie. On n'accordait dès lors pas beaucoup d'intérêt aux effets de la politique budgétaire à quelque titre que ce soit.

La situation a beaucoup changé en 2010, évidemment, quand la question de savoir s'il fallait davantage de relance ou d'austérité s'est installée au cœur des débats de politique économique. Les défenseurs de l'austérité se sont emparés des affirmations d'Alesina, en y ajoutant celles figurant dans un nouvel article, coécrit cette fois avec Silvia Ardagna, où il s'efforçait de relever parmi un vaste échantillon de pays et d'époques « des cas de changements importants de politique budgétaire », censés apporter de nombreux exemples d'austérité expansionniste.

Pour étayer leurs affirmations, les auteurs invoquaient un certain nombre d'exemples historiques. Voyez l'Irlande de 1980, disaient-ils, ou le Canada du milieu des années 1990 et quelques autres encore ; voilà des pays qui ont radicalement réduit leur déficit budgétaire, et dont l'économie a connu l'essor plutôt que le ralentissement.

En temps normal, les travaux de recherche théorique les plus récents n'interviennent que peu dans le débat sur la politique à conduire dans le monde réel, et c'est bien compréhensible – dans le feu de l'action politique, combien de décideurs sont vraiment capables d'évaluer la qualité de l'analyse statistique d'un chercheur ? Il est préférable d'attendre que se déroule le processus académique habituel de débat et d'examen des pairs pour trier le vrai du faux. Mais la thèse d'Alesina et Ardagna a immédiatement été adoptée et revendiquée par les décideurs et les prédicateurs du monde entier. C'était très regrettable, parce que ni les résultats statistiques ni les exemples historiques censés montrer à l'œuvre l'austérité expansionniste ne tenaient debout du moment qu'on y regardait de près.

Pourquoi ? Il y avait deux objections déterminantes : le problème des corrélations spécieuses et le fait que la politique budgétaire n'est habituellement pas le seul recours disponible, alors qu'elle l'est aujourd'hui.

Concernant la première objection, prenons l'exemple du passage spectaculaire du déficit à l'excédent budgétaire opéré par les États-Unis à la fin des années 1990. Ce mouvement s'est inscrit dans une économie en plein essor ; faut-il y voir pour autant une démonstration de l'austérité expansionniste ? Non, en aucun cas : autant l'essor économique que la baisse du déficit reflétaient surtout un troisième facteur, l'expansion de la bulle technologique, qui a participé à l'élan économique, mais a fait aussi gonfler le prix des actions, ce qui s'est à son tour traduit par une très forte hausse des recettes fiscales. La corrélation entre la réduction du déficit et la vigueur de l'économie ne recelait pas de causalité.

Si Alesina et Ardagna dénonçaient bien eux-mêmes une corrélation spécieuse affectant le taux de chômage, quiconque a étudié leur article n'a pas mis longtemps à remarquer qu'ils n'allaient pas assez loin dans leur réserve. Les épisodes d'austérité comme de relance budgétaire qu'ils décrivaient ne correspondaient que très mal aux événements de politique économique réellement survenus – ils omettaient par exemple l'important effort de relance accompli par le Japon en 1995, ou son brusque passage à l'austérité en 1997.

L'an dernier, des chercheurs du FMI se sont attaqués à la question en partant d'informations directes sur les changements de politique pour identifier les épisodes d'austérité budgétaire. Ils ont constaté que l'austérité budgétaire exerce sur l'économie un effet déprimant plutôt qu'expansionniste.

Pourtant, même leur approche sous-estimait encore à quel point le monde d'aujourd'hui est « keynésien ». Pourquoi ? Parce que les États ont habituellement les moyens d'agir pour compenser les effets de l'austérité budgétaire – notamment en abaissant les taux d'intérêt et/ou en dévaluant leur monnaie – à travers des mesures qui sont inaccessibles à la plupart des économies souffrant de la dépression que nous connaissons actuellement.

Prenons un autre exemple, celui du Canada au milieu des années 1990, qui a sensiblement réduit son déficit budgétaire tout en maintenant une forte expansion économique. C'est l'exemple que se plaisaient à invoquer les représentants de l'actuel gouvernement britannique à son arrivée au pouvoir pour justifier leur conviction que les mesures d'austérité qu'ils prenaient ne provoqueraient pas de ralentissement sensible de l'économie. Mais la première chose que l'on remarquait en observant la situation canadienne d'alors, c'est que les taux d'intérêt décrivaient une baisse abrupte – ce qui n'est pas possible aujourd'hui en Grande-Bretagne, où ils sont déjà très bas. Il apparaissait aussi que le Canada avait bénéficié de la possibilité d'augmenter considérablement son volume d'exportation vers son voisin en plein essor, les États-Unis, en partie grâce à une baisse significative de la valeur de sa monnaie, le dollar canadien. Là encore, ce n'est pas possible pour la Grande-Bretagne d'aujourd'hui parce que son voisin – la zone euro – est loin de connaître une période d'essor, et que la faiblesse économique de la zone euro maintient aussi la monnaie britannique en situation de faiblesse.

Je pourrais continuer, mais je me suis probablement déjà trop étendu sur la question. L'essentiel est que l'enthousiasme soulevé par les prétendus indices plaidant en faveur de l'austérité expansionniste était largement disproportionné au regard du poids réel de ces indices. En vérité, l'argumentaire permettant de croire à l'austérité expansionniste s'effondrait très rapidement aussitôt qu'on se penchait sérieusement dessus. Il est difficile de ne pas conclure que si l'élite des décideurs s'est précipitée sur l'étude d'Alesina et Ardagna et leur prétendue leçon d'histoire, sans jamais vérifier la solidité des éléments qu'ils avançaient, c'est parce que ces travaux disaient à cette élite ce qu'elle avait envie d'entendre. Pourquoi avait-elle envie d'entendre cela ? Bonne question. Mais d'abord, voyons ce que donne une importante expérience d'austérité menée en ce moment.

L'expérience britannique

La plupart des pays qui ont adopté de sévères politiques d'austérité malgré un fort taux de chômage l'ont fait sous la contrainte. N'ayant pas pu renégocier leur dette, la Grèce, l'Irlande, l'Espagne et d'autres ont été forcées de réduire leurs dépenses et d'augmenter leurs impôts pour satisfaire l'Allemagne et les autres États pourvoyeurs de prêts d'urgence. Il est toutefois un gouvernement qui s'est lancé de plein gré et avec détermination dans l'austérité, par pure croyance en la fée confiance : celui du Premier ministre James Cameron, en Grande-Bretagne.

La dureté des mesures prises par Cameron a constitué une certaine surprise politique. Certes, le parti conservateur prêchait l'austérité avant les élections de 2010, mais il n'avait pu former son gouvernement qu'à travers l'alliance avec les libéraux-démocrates, que l'on se serait attendu à voir jouer un rôle modérateur. Au lieu de cela, les « lib dems » se sont laissé emporter par le zèle des « tories » ; peu après son investiture, Cameron a annoncé un plan radical de réduction des dépenses. Or, le système britannique ne permettant pas à une minorité déterminée de bloquer les mesures dictées depuis le sommet, contrairement à celui des États-Unis, le programme d'austérité est entré en application.

Toute la panoplie des mesures de Cameron s'est articulée autour du souci de ménager la confiance. À l'annonce de son premier budget après sa prise de fonctions, George Osborne, chancelier de l'Échiquier, a déclaré que faute de réduire ses dépenses, la Grande-Bretagne se trouverait confrontée

> à des taux d'intérêt plus élevés, davantage de faillites d'entreprises, à la montée du chômage, voire à une perte catastrophique de la confiance et à la fin de la reprise. Nous ne pouvons pas le permettre. Ce budget est celui qu'il nous faut pour gérer les dettes de notre pays. Ce budget est celui qu'il nous faut pour donner confiance à notre économie. C'est le budget incontournable.

Les mesures de Cameron ont suscité les louanges des conservateurs et des soi-disant centristes américains. Dans le *Washington Post*, par exemple, David Broker s'est laissé transporter : « Cameron et ses partenaires de la coalition ont avancé avec détermination, balayant les avertissements des économistes sur le fait que ce traitement soudain et sévère risquait de couper court à la reprise économique britannique et de replonger le pays dans la récession. »

Alors, comment se porte le patient ?

Eh bien, les taux d'intérêt britanniques sont effectivement restés bas – mais c'est aussi le cas aux États-Unis et au Japon, des pays dont le niveau d'endettement est encore plus élevé, sans qu'ils aient pour autant mis brusquement le cap sur l'austérité. Fondamentalement, il semble que les investisseurs n'éprouvent aucune inquiétude à l'égard de quelque État que ce soit, du moment qu'il est économiquement avancé, qu'il possède un gouvernement stable et sa propre monnaie.

Et la fée confiance, alors ? A-t-elle conquis les consommateurs et les entreprises après le virage britannique vers l'austérité ? Bien au contraire, la confiance du monde des affaires a fondu jusqu'à des niveaux jamais atteints depuis le paroxysme de la crise financière, et celle du consommateur est tombée plus bas encore qu'en 2008-2009.

Il en résulte que l'économie britannique demeure profondément déprimée à ce jour. Ainsi que l'a souligné au terme d'un saisissant calcul le National Institute for Economic and Social Research, un *think tank* anglais, les Britanniques ont le sentiment très net que leur pays se porte plus mal lors de la présente crise que lors de la Grande Dépression : quatre ans après le début de celle-ci, le PIB de la Grande-Bretagne avait retrouvé son précédent sommet, alors qu'il demeure aujourd'hui bien en dessous de son niveau du début 2008.

Et à l'heure où j'écris ces lignes, il semble bien que le pays soit en train d'entrer dans une nouvelle phase de récession.

Difficile d'imaginer plus éclatante démonstration que les austériens se trompent. Mais Cameron et Osborne n'en démordent pas : ils maintiendront le cap.

Le point positif de la situation britannique, c'est que la Bank of England, l'équivalent de la Réserve fédérale, n'a jamais cessé de faire son possible pour atténuer le marasme. Elle mérite pour cela des louanges, parce qu'il n'a pas manqué de voix pour exiger qu'à l'austérité budgétaire s'ajoute la hausse des taux d'intérêt.

Le travail des crises

En souhaitant couper dans la dépense publique et réduire les déficits alors que l'économie est déprimée, les austériens font probablement fausse route ; pour tout dire, je pense même que c'est profondément destructeur. Mais leur erreur n'est pas très difficile à comprendre, puisque le déficit, lorsqu'il se perpétue, constitue parfois un problème bien réel. Leur envie pressante de relever les taux d'intérêt, en revanche, est moins compréhensible. En fait, j'ai été particulièrement choqué d'entendre en mai 2010 l'OCDE appeler au relèvement des taux d'intérêt, et cet appel m'apparaît encore aussi singulier qu'étrange.

Pourquoi irait-on relever les taux d'intérêt quand l'économie est profondément déprimée et que le risque d'inflation semble très mince ? Les explications avancées varient constamment.

En 2010, en appelant à la hausse significative des taux, l'OCDE commettait un acte curieux : elle contredisait ses propres prédictions économiques. Ces prédictions, issues de ses propres modèles, faisaient état pour les années à venir d'une faible inflation et d'un fort taux de chômage. Mais les marchés financiers, qui étaient alors plus optimistes (ils changeraient d'avis par la suite), s'attendaient implicitement à une certaine montée de l'inflation. Les taux qu'ils prédisaient demeuraient faibles au regard de l'histoire, mais l'OCDE a sauté sur cette prévision de hausse pour justifier son appel à raréfier l'argent.

Au printemps 2011, un soubresaut du prix des matières premières ayant fait monter l'inflation réelle, la Banque centrale européenne a invoqué cette hausse pour relever les taux d'intérêt. Cela peut sembler raisonnable, si ce n'est à deux égards. D'abord, les chiffres laissaient clairement apparaître qu'il ne s'agissait que d'un événement temporaire provoqué par des événements extérieurs à l'Europe, que l'inflation sous-jacente n'avait pas vraiment bougé et que la hausse de l'inflation non corrigée avait toutes les chances de s'inverser dans un avenir proche, ce qu'elle n'a pas manqué de faire. Ensuite, la BCE avait déjà fait preuve d'une réactivité excessive en 2008 après un soubresaut temporaire de l'inflation induit par les matières premières, quand elle avait relevé les taux d'intérêt au moment précis où le monde entrait en récession. De toute évidence, elle n'allait pas commettre précisément la même erreur à peine quelques années plus tard. Eh bien si.

Pourquoi la BCE a-t-elle mis une telle détermination à se tromper ? Je soupçonne que cela tenait à l'aversion générale qui régnait dans le monde de la finance à l'égard des faibles taux d'intérêt, sans aucun rapport avec la crainte de l'inflation ; si l'on a invoqué cette dernière, c'était essentiellement au service de la volonté préexistante de voir monter les taux d'intérêt.

Pourquoi diable voudrait-on voir monter les taux d'intérêt malgré un chômage élevé et une faible inflation ? À vrai dire, on a bien entendu quelques tentatives de justification, mais elles ont été pour le moins troublantes.

Raghuram Rajan, de l'université de Chicago, par exemple, a publié un article dans le *Financial Times* sous le titre « Bernanke Must End Era of Ultra-low Rates » (« Que Bernanke mette fin à l'ère des taux ultra-faibles »). Il y avertissait que la faiblesse des taux pouvait conduire à « la prise de risque et à l'inflation du prix des actifs » – curieux objet de préoccupation, vu la présence manifeste d'un problème de chômage de masse. Mais il affirmait aussi que le chômage n'était pas de nature à se laisser résorber par un accroissement de la demande – un argument que j'ai analysé et, j'espère, réfuté au chapitre 2 – avant de poursuivre :

Au fond, la reprise sans emplois que nous connaissons actuellement suggère que les États-Unis doivent entreprendre de profondes réformes structurelles pour améliorer leur offre. La qualité de leur secteur financier, leur infrastructure physique, ainsi que leur capital humain, tout cela réclame de profondes améliorations, politiquement difficiles. Si tel est notre objectif, il n'est pas sage de ramener la demande à son niveau d'avant la récession, en suivant les politiques monétaires qui ont déjà conduit à la catastrophe.

L'idée que des taux d'intérêt suffisamment bas pour promouvoir le plein-emploi puissent faire obstacle au rajustement économique ne manque pas de surprendre, mais elle avait un petit air familier pour ceux d'entre nous qui avaient étudié les tâtonnements des économistes au temps de la Grande Dépression. Plus particulièrement, les propos de Rajan nous renvoyaient directement à un texte tristement célèbre de Joseph Schumpeter, qui mettait en garde le lecteur contre toute mesure susceptible d'empêcher la dépression de « faire son œuvre » jusqu'au bout :

> Dans *tous* les cas, pas seulement les deux que nous avons analysés, la reprise est venue d'elle-même. Voilà sans doute la part de vérité que comportent les débats actuels sur la capacité de rétablissement de notre système industriel. Mais il n'y a pas que cela : notre analyse nous invite à penser que le rétablissement ne peut être total que s'il vient de lui-même. Car toute reprise qui n'est due qu'à une relance artificielle laisse inachevée une part de l'œuvre des dépressions et ajoute à un reliquat de déséquilibre non digéré un déséquilibre supplémentaire qu'il faudra à son tour liquider, et cela fait planer sur les affaires la menace d'une nouvelle crise à venir. Plus particulièrement, il se dégage de notre histoire une *présomption* contre les remèdes opérant à travers la monnaie et le crédit. Car le problème fondamental ne tient *pas* à la monnaie ni au crédit, et les politiques de ce type sont particulièrement propices au maintien et à l'accumulation de déséquilibres, et à la création de nouveaux problèmes à l'avenir.

Au temps de mes études d'économie, on nous décrivait les affirmations du type de celles de Schumpeter comme étant caractéristiques de l'école « liquidationniste », dont les thèses affirmaient en substance que les souffrances générées par la dépression sont bonnes et naturelles, et que rien ne doit être entrepris pour les alléger. Et le liquidationnisme, nous enseignait-on, avait été définitivement réfuté par les événements. Non seulement Keynes, mais Milton Friedman lui-même avait mené croisade contre ce type de pensée.

Pourtant, en 2010, des arguments liquidationnistes guère différents de ceux de Schumpeter (ou de Hayek) ont soudain repris de l'allant. Les écrits de Rajan sont l'expression la plus explicite du nouveau liquidationnisme, mais j'ai entendu des arguments similaires dans la bouche de nombreux représentants du monde de la finance. Aucun n'a fourni d'élément nouveau ni de raisonnement particulier pour expliquer ce qui valait à cette doctrine d'être exhumée. Pourquoi cet attrait soudain ?

Je pense qu'il est ici nécessaire d'aborder la question des motivations. Pourquoi la doctrine austérienne a-t-elle à ce point séduit les Gens Très Sérieux ?

Le pourquoi du comment

Dès les premières pages de son œuvre maîtresse, *Théorie générale de l'emploi, de l'intérêt et de la monnaie*, John Maynard Keynes s'interrogeait sur les raisons qui avaient conduit à si longtemps prédominer dans l'opinion établie la croyance selon laquelle une économie ne peut jamais souffrir d'une insuffisance de la demande, et qu'il n'est donc jamais souhaitable que l'État cherche à l'accroître – ce qu'il qualifiait d'économie « ricardienne », du nom de l'économiste du début du XIXᵉ siècle David Ricardo. Ses réflexions apparaissent aujourd'hui aussi incisives et puissantes qu'elles l'étaient alors :

> Une victoire aussi décisive que celle de Ricardo a quelque chose de singulier et de mystérieux. Elle ne peut s'expliquer que par un ensemble de sympathies entre sa doctrine et le milieu où elle a été lancée. Le fait qu'elle aboutissait à des conclusions tout à fait différentes de celles qu'attendait le public profane ajoutait, semble-t-il, à son prestige intellectuel. Que son enseignement, appliqué aux faits, fût austère et désagréable lui conférait de la grandeur morale. Qu'elle fût apte à supporter une superstructure logique, vaste et cohérente, lui donnait de l'éclat.

Qu'elle présentât beaucoup d'injustices sociales et de cruautés apparentes comme des incidents inévitables dans la marche du progrès, et les efforts destinés à modifier cet état de choses comme de nature à faire en définitive plus de mal que de bien, la recommandait à l'autorité. Qu'elle fournît certaines justifications aux libres activités du capitaliste individuel, lui valait l'appui des forces sociales dominantes groupées derrière l'autorité.

(Traduction de Jean de Largentaye, Payot, 1942.)

Voilà qui est bien dit ; le passage sur le fait qu'une doctrine économique exigeant l'austérité soit aussi une justification plus générale de l'injustice sociale et de la cruauté, et que cela lui confère de l'autorité, sonne particulièrement juste.

On peut y ajouter l'idée d'un autre économiste du XXe siècle, Michal Kalecki, auteur en 1943 d'un essai pénétrant sur l'importance qu'il y a pour les dirigeants d'entreprises à invoquer la « confiance ». S'il n'existe pas d'autre voie pour retrouver le plein-emploi que celle du rétablissement d'une manière ou d'une autre de la confiance du monde des affaires, dit-il, les groupes de pression des affaires détiennent de fait un pouvoir de veto sur l'action gouvernementale : proposez quoi que ce soit qui leur déplaise, comme l'augmentation des impôts ou l'accroissement du pouvoir de négociation des travailleurs, et ils sont en position d'émettre de sombres mises en garde sur le fait que cela va réduire la confiance et plonger le pays dans la dépression. Mais aussitôt que l'on combat le chômage en donnant libre cours aux mesures monétaires et budgétaires, la confiance du monde des affaires devient moins indispensable, et la nécessité d'apaiser les inquiétudes des capitalistes est considérablement réduite.

Permettez-moi d'apporter ici une autre ligne de raisonnement. Si l'on considère ce que réclament les austériens – une politique budgétaire focalisée sur les déficits plutôt que sur la création d'emplois, une politique monétaire obsédée par le combat contre le moindre soupçon d'inflation et pratiquant la hausse des taux d'intérêt même en période de chômage massif – tout cela sert de fait les intérêts des créanciers, de ceux qui prêtent contre ceux qui empruntent et/ou gagnent leur vie en travaillant. Les prêteurs veulent que le gouvernement fasse sa priorité de l'acquittement des dettes ; et ils s'opposent à toute intervention dans le domaine monétaire qui prive les banquiers de retours en maintenant les taux d'intérêt à bas niveau ou rogne la valeur de leurs créances à travers l'inflation.

Enfin, on retrouve constamment l'envie pressante de faire de l'économie une pièce morale, une fable où la dépression est la conséquence nécessaire de péchés préalables en conséquence de quoi il ne faut surtout pas l'alléger. Le déficit budgétaire et les faibles taux d'intérêt apparaissent tout simplement comme un *mal* aux yeux de beaucoup de monde, peut-être plus particulièrement des banquiers centraux et des autres représentants de la finance dont l'estime de soi repose dans une large mesure sur le sentiment d'être l'adulte qui sait dire non.

Le problème, c'est que dans la situation actuelle, insister pour perpétuer les souffrances n'a rien d'une attitude adulte ou mûre. C'est à la fois puéril (parce qu'on juge alors une politique au sentiment qu'elle procure, pas à ce qu'elle accomplit) et destructeur.

Concrètement, que faudrait-il faire, alors ? Et comment parvenir à un changement de cap ? Ce sera le sujet des derniers chapitres de ce livre.

Chapitre 12

CE QU'IL EN COÛTERA

Les deux vices marquants du monde économique où nous vivons sont le premier que le plein-emploi n'y est pas assuré, le second que la répartition de la fortune et du revenu y est arbitraire et manque d'équité.

John Maynard Keynes, *Théorie générale de l'emploi, de l'intérêt et de la monnaie*, traduction de Jean de Largentaye.

Ce qui valait en 1936 vaut encore de nos jours. Aujourd'hui comme alors, la société est prise à la gorge par le chômage de masse. Aujourd'hui comme alors, la pénurie des emplois révèle la faillite d'un système qui a toujours été immensément inéquitable et injuste, même aux « bonnes périodes ».

Le fait que nous ayons déjà connu tout cela doit-il constituer un motif de découragement ou d'espoir ? Personnellement, je vote pour l'espoir. Finalement, nous avons bien fini par soigner les problèmes qui avaient causé la Grande Dépression, et aussi par créer une société beaucoup plus égalitaire. On pourra regretter que ces réfections n'aient pas duré éternellement, mais rien n'est éternel (sauf les taches de vin rouge sur un canapé blanc). Le fait est que près de deux générations ont pu jouir après la Seconde Guerre mondiale d'une situation d'emploi à peu près correcte et de niveaux d'inégalité tolérables, et que ces objectifs sont encore à notre portée.

La réduction des écarts de revenus sera une tâche difficile, qui demandera probablement un projet à long terme. Certes, la dernière fois, ces inégalités ont été très rapidement réduites, à travers ce qu'on appelle la « grande compression » des années de guerre, mais nous ne sommes pas sur le point de basculer dans une économie de guerre, avec toutes les restrictions que cela supposerait – du moins je l'espère – alors sans doute est-il irréaliste de s'attendre à une solution prochaine de ce côté-là.

En termes purement économiques, toutefois, le problème du chômage n'est pas difficile, et il n'y a pas de raison que sa résolution mette trop longtemps à advenir. Entre 1939 et 1941 – c'est-à-dire avant Pearl Harbor et la véritable entrée en guerre de l'Amérique – une vague de dépense fédérale a fait monter de 7 % le nombre total des emplois aux États-Unis, ce qui reviendrait aujourd'hui à créer plus de dix millions d'emplois. Vous allez dire que cette fois, ce n'est pas pareil, mais l'un des principaux messages de ce livre est que si, ça l'est ; rien ne s'oppose vraiment à ce que nous reproduisions cette réussite, pour peu que nous ayons la lucidité intellectuelle et la volonté politique de le faire. À chaque fois que vous entendez sur les ondes un expert déclarer que nous souffrons d'un problème à long terme qui ne connaît pas de solution à court terme, dites-vous bien qu'aussi convaincu qu'il paraisse de la pertinence de son propos, il mêle en vérité la cruauté à l'irresponsabilité. Nous pouvons mettre très rapidement un terme à cette dépression, et nous devons le faire.

Si vous lisez ce livre depuis le début, vous avez probablement désormais une idée assez précise de ce que pourrait comporter une stratégie de sortie de crise. Dans ce chapitre, je vais m'efforcer de l'exposer de façon plus explicite. Avant cela, toutefois, permettez-moi de revenir un instant sur certaines affirmations selon lesquelles l'économie serait déjà en train de se soigner d'elle-même.

Non, ça ne va pas bien

À l'heure où j'écris, en février 2012, nous venons de prendre connaissance de meilleurs chiffres de l'emploi américain que prévu. Pour tout dire, cela fait plusieurs mois que les nouvelles de ce côté sont relativement encourageantes : l'emploi se développe avec une certaine régularité, les statistiques du chômage sont à la baisse, les demandes nouvelles d'allocation chômage aussi, l'optimisme revient.

Et peut-être bien que nous voyons à l'œuvre les capacités naturelles de récupération de l'économie. John Maynard Keynes lui-même affirmait que ces facultés existent, qu'avec le temps, « l'usure, la dégradation et l'obsolescence » emportent le parc existant d'immeubles et de machines, finissant par causer une « pénurie » de capital qui pousse les entreprises à investir, et cela met en branle le processus de la reprise. On pourrait ajouter que le poids de la dette immobilière diminue aussi petit à petit, certaines familles parvenant finalement à rembourser leur crédit et d'autres voyant leur dette annulée par défaut de paiement. La nécessité d'agir est-elle passée ?

Non, certainement pas.

Tout d'abord, c'est la *troisième fois* que l'on entend de nombreuses voix claironner que l'alerte économique est passée. Après les « bourgeons » de Bernanke en 2009 et l'« été de la reprise » de l'administration Obama en 2010, il serait sage d'attendre davantage que quelques mois de bons chiffres pour crier victoire.

Mais ce qu'il faut bien comprendre, c'est que le trou dans lequel nous nous trouvons est extrêmement profond, et que nous venons tout juste d'entamer l'escalade pour en sortir. Permettez-moi de vous livrer un chiffre qui vous donnera une idée d'où nous en sommes réellement : il s'agit de la part des adultes de 25 à 54 ans occupant un emploi, représentée par le graphique de la page 252. En choisissant ce chiffre-là plutôt qu'un autre, je ne cherche aucunement à insinuer que l'emploi des jeunes et des seniors ne compte pas ; c'est juste que cet indicateur du marché de l'emploi n'est pas affecté par des tendances telles que le vieillissement de la population, et qu'il est donc cohérent dans la durée. Ce que l'on constate, c'est que, oui, il y a bien une certaine amélioration depuis quelques mois – mais à côté de l'effondrement survenu en 2008 et 2009, cette embellie fait presque peine à voir.

Taux d'emploi des adultes de 25 à 54 ans

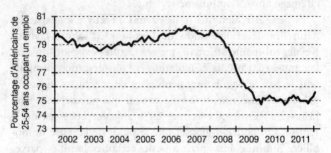

Les chiffres de l'emploi ont donné des signes d'amélioration ces derniers temps, mais nous sommes encore au fond du trou.

Source : Bureau of Labor Statistics

Et même si les bonnes nouvelles récentes se confirment, combien de temps mettrons-nous à retrouver le plein-emploi ? Beaucoup. Je n'ai pas vu d'estimation plausible qui situe le plein rétablissement à moins de cinq ans, et sans doute est-il plus réaliste de compter sur sept ans.

C'est une terrible perspective. Chaque mois de dépression inflige à notre société des dégâts constants et cumulatifs, qui ne se mesurent pas seulement en termes de souffrance immédiate, mais aussi d'avenir dégradé. S'il y a quelque chose à faire pour mettre un vrai coup d'accélérateur à la reprise – et c'est le cas – il faut le faire.

Mais, direz-vous, et les obstacles politiques, alors ? Ils sont évidemment réels, mais peut-être pas aussi insurmontables que beaucoup l'imaginent. Dans ce chapitre, je mettrai la politique de côté pour évoquer trois grands domaines dans lesquels certaines initiatives pourraient vraiment changer la donne, à commencer par celui des dépenses de l'État.

Dépenser maintenant, rembourser plus tard

La toile de fond de l'économie américaine demeure aujourd'hui ce qu'elle est depuis 2008 : le secteur privé ne veut pas dépenser assez pour user de notre pleine capacité de production et, par conséquent, employer les millions d'Américains qui souhaitent travailler mais ne trouvent pas d'emploi. Le moyen le plus direct de combler ce vide serait que l'État dépense là où le secteur privé s'y refuse.

Cette proposition soulève généralement trois objections :

1. L'expérience nous montre que la relance budgétaire ne fonctionne pas.
2. L'accroissement du déficit saperait la confiance.
3. Il n'y a pas suffisamment de bons projets méritant dépense.

J'ai déjà abordé les deux premières objections ; rappelons rapidement mes arguments avant d'en venir à la troisième :

On l'a vu au chapitre 7, la relance Obama n'a pas été un échec ; elle s'est simplement avérée insuffisante pour compenser l'immense reflux du secteur privé entamé avant son entrée en application. Le maintien d'un chômage élevé n'était pas seulement prévisible, il a été prédit.

Les éléments réels qu'il faut ici prendre en considération sont ceux que nous fournit un corpus de recherche qui se développe rapidement sur les effets qu'exerce sur la production et l'emploi tout changement dans la dépense publique – un corpus fondé à la fois sur les « expériences naturelles » tels que les guerres ou les périodes d'effort de défense et sur l'examen rigoureux de l'histoire, pour analyser les grands changements de politique budgétaire. Nous résumerons dans la postface certains des principaux apports à ce corpus. Ce que disent la grande majorité de ces travaux, de façon claire, c'est que les changements dans la dépense publique agissent dans le même sens sur la production et l'emploi : plus de dépense fait monter le PIB réel et l'emploi ; moins de dépense signifie moins de PIB réel et d'emploi.

Et la confiance alors ? On l'a vu au chapitre 8, rien n'invite à penser qu'une relance même substantielle puisse entamer la volonté des investisseurs d'acheter des obligations d'État américaines. En fait, la confiance du marché obligataire risque même de croître à la perspective d'une croissance accélérée. En attendant, celle du consommateur comme celle des entreprises se trouveraient renforcées si le pouvoir politique choisissait de stimuler l'économie réelle.

La dernière objection, qui porte sur l'allocation des dépenses, est plus consistante. L'apparente absence de bons projets prêts à démarrer immédiatement a suscité une réelle préoccupation au moment de l'élaboration du premier plan de relance Obama. Je répondrais toutefois que même alors, les contraintes pesant sur la dépense n'étaient pas aussi rigides que l'imaginaient de nombreux représentants de l'État – et qu'une forte augmentation temporaire de la dépense serait aujourd'hui relativement simple à réaliser. Pourquoi ? Parce qu'inverser l'austérité destructrice imposée par les administrations locales et des États constituerait déjà un gros coup de pouce donné à l'économie.

J'ai évoqué plus haut cette austérité locale, mais quand on se demande ce qu'il serait possible de faire rapidement pour aider l'économie, la question prend une importance cruciale. À la différence du gouvernement fédéral, ceux des États ou des juridictions locales sont plus ou moins tenus de présenter chaque année un budget équilibré, ce qui les oblige à couper dans leurs dépenses et/ou augmenter les impôts quand frappe la récession. Afin d'éviter ce type de mesures déprimantes pour l'économie, la relance Obama comportait une part significative d'aide aux États, mais les sommes impliquées se sont avérées insuffisantes dès la première année, et elles sont depuis longtemps épuisées. Il en a résulté un important recul, très apparent dans le graphique ci-contre qui montre la situation de l'emploi dans les administrations locales et des États. Ces administrations comptent aujourd'hui plus d'un demi-million d'employés en moins, la majorité des licenciements s'étant produite dans le secteur de l'éducation.

Personnel employé par les administrations locales
et des États

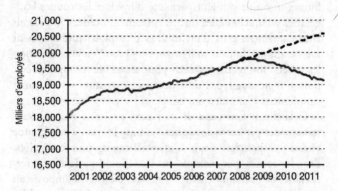

Le nombre d'employés des échelons inférieurs de gouvernement a
connu une baisse abrupte, alors qu'il aurait dû augmenter avec la
population, ce qui laisse un manque à gagner de plus d'un million
de travailleurs, en grande partie des enseignants.

Source : Bureau of Labor Statistics

Demandons-nous à présent ce qui serait advenu si les
administrations locales et des États n'avaient pas été forcées
à l'austérité. Il ne fait guère de doute qu'elles n'auraient pas
licencié autant d'enseignants ; en fait, leur main-d'œuvre
aurait continué de croître, ne serait-ce que pour servir une
population plus nombreuse. La courbe en pointillés représente l'évolution qu'auraient suivie les administrations de
niveau local et des États si elles avaient continué de croître
avec la population, au rythme d'environ 1 % par an. Ce
calcul grossier laisse entrevoir que si elles avaient bénéficié
d'une aide fédérale adéquate, ces administrations de l'échelon
inférieur emploieraient aujourd'hui quelque 1,3 million de
travailleurs de plus qu'elles ne le font. Une analyse similaire
du côté de la dépense suggère que s'il n'y avait pas eu de
sévères restrictions budgétaires, ces administrations locales et
des États dépenseraient peut-être chaque année 300 milliards
de dollars de plus qu'elles ne le font.

Voilà donc 300 milliards de relance annuelle que l'on pourrait obtenir en fournissant aux États et aux pouvoirs locaux une aide qui leur permette d'inverser les coupes budgétaires auxquelles elles ont récemment procédé. On créerait ainsi largement plus d'un million d'emplois, probablement même autour de trois millions si l'on prend en considération les effets indirects. Et cela pourrait se faire rapidement, puisqu'il ne s'agit pas de lancer de nouveaux projets, mais simplement d'annuler des coupes.

Cela dit, il faut aussi de nouveaux projets – pas nécessairement des projets visionnaires, comme le train à très grande vitesse ; il pourrait s'agir d'investissements plus ordinaires, dans les routes, par exemple, ou l'amélioration du réseau ferroviaire, de l'acheminement d'eau, etc. L'austérité imposée au niveau local a engendré une forte baisse des dépenses d'infrastructure, à coups de projets retardés ou annulés, de missions d'entretien différées et d'autres rétractations de ce type. Il devrait donc être possible d'obtenir une augmentation sensible de la dépense à travers la seule remise en route de tout ce qui a été repoussé ou annulé ces dernières années.

Mais qu'adviendra-t-il si certains de ces projets tardent à repartir et que l'économie se rétablit pleinement avant qu'ils aient atteint leur terme ? La réponse qui s'impose ici, c'est : « Et alors ? » Il est flagrant depuis le début de cette crise que le risque d'en faire trop peu est largement supérieur à celui d'en faire trop. Si la dépense publique menace de mettre l'économie en surchauffe, la Réserve fédérale n'aura aucun mal à contenir le problème en relevant les taux d'intérêt un peu plus vite qu'elle ne l'aurait fait autrement. Le scénario que nous aurions dû craindre depuis le début est celui qui a fini par se produire : une dépense publique insuffisante pour créer des emplois et une Fed dans l'impossibilité de baisser les taux parce qu'ils sont déjà à zéro.

Cela dit, la Fed peut en faire davantage, et elle ne devrait pas s'en priver – j'y viendrai sous peu. Permettez-moi d'abord d'ajouter qu'il existe encore au moins un domaine dans lequel la dépense publique pourrait assez vite apporter un coup de pouce à l'économie : l'aide aux personnes en difficulté, à travers l'augmentation temporaire des allocations chômage et d'autres programmes de couverture sociale. Il y avait un peu de cela dans la relance initiale, mais pas suffisamment, et la source s'est tarie beaucoup trop vite. Si vous placez de l'argent entre les mains des individus en situation de précarité, il y a toutes les chances qu'ils le dépensent, et c'est précisément de cela que nous avons besoin.

Les obstacles techniques à un nouveau plan majeur de relance – un important programme de dépense publique visant à donner un coup de fouet à l'économie – sont donc beaucoup moins nombreux qu'on le croirait. C'est à notre portée ; et ça fonctionnera encore mieux si la Fed, de son côté, y met du sien.

La Fed

Au début des années 1990, le Japon est entré dans une longue phase de ralentissement économique, dont il ne s'est jamais totalement remis. Cela était dû à une grosse faille de sa politique économique, et à l'étranger on ne s'est pas privé de le souligner. En 2000, par exemple, un éminent économiste de Princeton a publié un article reprochant durement à la Banque du Japon, équivalent de la Réserve fédérale, de n'avoir pas agi avec plus de détermination. La Banque du Japon, disait-il, était frappée de « paralysie volontaire ». Au-delà de quelques actions spécifiques qu'il lui suggérait de mener, l'auteur soutenait plus généralement qu'elle devait tout entreprendre pour susciter une forte reprise économique.

Ce professeur, certains l'auront deviné, n'était autre que Ben Bernanke, aujourd'hui président de la Fed – une institution manifestement atteinte de la paralysie volontaire qu'il dénonçait alors.

Comme la Banque du Japon, la Fed ne peut plus recourir aujourd'hui à la politique monétaire conventionnelle pour donner à l'économie une nouvelle impulsion à travers la modification des taux d'intérêt à court terme, parce que ces taux sont déjà à zéro et ne peuvent plus baisser. Mais à l'époque, le professeur Bernanke soutenait que d'autres mesures étaient à la portée des autorités monétaires, qui s'avéreraient efficaces même si les taux d'intérêt étaient collés au « plancher zéro ». Parmi ces mesures, il y avait :

– l'utilisation de monnaie fraîchement émise pour acheter des actifs « non conventionnels » tels que des obligations à long terme et de la dette privée ;

– l'utilisation de monnaie fraîchement émise pour financer des coupes fiscales provisoires ;

– la fixation de cibles pour les taux d'intérêt à long terme ;

– l'engagement par exemple de maintenir les taux d'intérêt sur les obligations à dix ans au-dessous de 2,5 % pendant quatre ou cinq ans, faisant en sorte si nécessaire que la Fed achète ces obligations ;

– l'intervention sur le marché du change pour pousser la valeur de notre monnaie à la baisse, renforçant ainsi le secteur de l'exportation ;

– le relèvement de la cible d'inflation, mettons à 3 ou 4 % pour les cinq ou dix prochaines années.

Bernanke signalait que tout un ensemble d'analyses économiques et d'éléments empiriques plaidait en faveur de l'idée que chacune de ces mesures aurait un effet réellement positif sur la croissance et l'emploi. (L'idée des objectifs d'inflation provenait en fait d'un article que j'avais moi-même publié en 1998.) Il affirmait aussi que les détails n'avaient pas une importance énorme, que ce qui était requis par-dessus tout, c'était « la détermination rooseveltienne », une « volonté de faire preuve d'agressivité et d'expérimentation – bref, d'entreprendre tout ce qui peut l'être pour remettre le pays en mouvement. »

Malheureusement, le président Bernanke n'a pas suivi les conseils du professeur Bernanke. Il faut reconnaître par honnêteté que la Fed a timidement appliqué le premier des points énumérés ci-dessus : sous l'intitulé profondément confus d'« assouplissement quantitatif », elle a acheté de la dette publique à long terme et des titres adossés à des crédits immobiliers. Mais on n'a pas vu le moindre soupçon de détermination rooseveltienne à entreprendre tout ce qui pouvait l'être : au lieu de jouer la carte de l'agressivité et de l'expérimentation, la Fed est venue à l'assouplissement quantitatif sur la pointe des pieds, très ponctuellement, là où l'économie semble particulièrement faible, et elle interrompt ses efforts à chaque légère amélioration des indicateurs.

Pourquoi la Fed se montre-t-elle aussi timide alors que les écrits de son président laissent entendre qu'elle devrait en faire beaucoup plus ? Peut-être Bernanke s'est-il laissé intimider par les pressions politiques : l'assouplissement quantitatif a déchaîné la fureur des républicains au Congrès, qui l'ont accusé d'« avilir le dollar » ; dans une déclaration devenue célèbre, Rick Perry, le gouverneur du Texas, a averti le président de la Fed qu'il pourrait lui arriver « de vilaines choses » s'il venait en visite dans son État.

Mais peut-être n'y a-t-il pas que cela. Laurence Ball, macroéconomiste distingué de l'université Johns Hopkins, a analysé l'évolution du point de vue de Bernanke au fil des ans à travers les procès-verbaux des réunions de la Réserve fédérale. S'il fallait résumer l'étude de Ball, je dirais qu'elle montre que Bernanke a été assimilé par les Borgs de la Fed[1], que les pressions exercées par la pensée de groupe et les miroitements de la camaraderie l'ont peu à peu poussé à se faire une priorité du maintien d'objectifs modestes, choisissant de simplifier l'existence de son institution plutôt que d'aider l'économie à n'importe quel prix. Il est tristement ironique qu'en 2000 les critiques de Bernanke aient précisément porté sur l'attitude similaire de la Banque du Japon, qui refusait « d'essayer quoi que ce soit qui ne donne pas toutes les garanties de réussite ».

Quelles que soient les raisons de la passivité de la Fed, ce que je cherche à dire ici, c'est que toutes les initiatives

---

1. Référence à Star Trek, où les Borgs sont de terribles créatures cybernétiques qui annihilent les autres espèces en les assimilant (NdT).

envisageables que recommandait le professeur Bernanke dans des situations comme celle que nous vivons, mais qu'en vérité le président Bernanke n'a pas tentées, demeurent disponibles. Joseph Gagnon, un ancien de la Fed qui travaille aujourd'hui au Peterson Institute for International Economics, a présenté un plan concret d'assouplissement quantitatif bien plus agressif ; il faudrait que la Fed le mette en œuvre sans tarder, ou qu'elle entreprenne quelque chose qui y ressemble. Il faudrait aussi qu'elle s'engage à obtenir une hausse modeste de l'inflation, disons 4 % sur les cinq prochaines années – ou à défaut, qu'elle établisse un objectif pour la valeur en dollars du PIB qui implique un taux d'inflation similaire. Et qu'elle se tienne prête à aller plus loin si cela ne suffit pas.

Ce genre d'intervention agressive de la Fed fonctionnerait-il ? Pas nécessairement, mais comme le martelait Ben Bernanke lui-même, l'important est d'essayer, et de continuer à essayer si la première salve ne suffit pas. L'action énergique de la Fed aurait toutes les chances d'opérer si elle s'accompagnait du type de relance budgétaire que j'ai décrit plus haut – ainsi que d'une intervention vigoureuse dans le domaine du logement, troisième volet de ma stratégie de reprise.

L'immobilier

Nos difficultés économiques étant en grande mesure imputables à la dette contractée par les acquéreurs de biens immobiliers pendant les années de bulle, il apparaît évident que l'une des façons d'améliorer la situation serait de réduire le poids de cette dette. Pourtant, les tentatives menées pour soulager les propriétaires ont été, disons-le sans détour, un bide complet. Pourquoi ? Essentiellement, à mon sens, parce que dans sa planification comme dans sa mise en application, cette aide était minée par la crainte de porter secours à quelques débiteurs qui ne le mériteraient pas, et que cela ne manquerait pas de provoquer un retour de bâton politique.

Alors, pour nous tenir au principe de la détermination
rooseveltienne – « si vous ne réussissez pas la première fois,
réessayez, et réessayez encore » –, il faut réessayer de soulager
la dette, en comprenant cette fois que l'économie le réclame
à cor et à cri, et que cette considération doit l'emporter sur
l'inquiétude de voir une part des bienfaits de l'aide profiter
à des individus qui ont fait preuve d'irresponsabilité dans le
passé.

Mais là encore, ça ne peut pas suffire. J'ai indiqué plus
haut que les coupes sévères appliquées par les administrations
locales et des États ont, de façon perverse, rendu le recours
à la relance fiscale plus simple qu'il ne l'était début 2009, car
il suffirait aujourd'hui d'inverser ces coupes pour obtenir un
important coup de fouet. Un peu de la même façon, le long
ralentissement économique a aussi rendu plus facile l'aide au
logement. Car la dépression économique a provoqué celle des
taux d'intérêt, crédit immobilier compris : les emprunts clas-
siques souscrits au sommet du boom immobilier présentaient
des taux d'intérêt supérieurs à 6 %, mais ces derniers sont
désormais passés en dessous de 4 %.

En temps ordinaire, les propriétaires profiteraient de cette
baisse des taux pour renégocier leur dette, réduisant le versement d'intérêts et libérant ainsi des fonds qu'ils pourraient
dépenser ailleurs, ce qui stimulerait l'économie. Mais à travers l'héritage de la bulle, un grand nombre de ces propriétaires ne peuvent compter que sur une valeur résiduelle très
faible de leur logement, voire négative pour certains – le
montant de leur crédit est supérieur à la valeur de leur maison sur le marché. Et en règle générale, le prêteur n'acceptera
pas de renégociation si l'emprunteur ne dispose pas d'un bien
dont la valeur résiduelle soit suffisante ou s'il ne peut pas
augmenter son apport.

La solution paraît donc évidente : il faut trouver moyen
de déroger à ces règles, ou au moins de les assouplir. Et le
gouvernement Obama a d'ailleurs élaboré un programme avec
cet objectif, le Home Affordable Refinance Program (HARP,
Programme de refinancement accessible du logement). Mais à

l'instar des précédentes mesures en matière de logement, le HARP a été beaucoup trop prudent et restrictif. Ce qu'il faut, c'est un programme de refinancement massif – et cela devrait être rendu beaucoup plus facile par le fait qu'une grande part de ces crédits ont été souscrits auprès de Fannie et Freddie, aujourd'hui pleinement nationalisés.

Mais pour l'instant, on ne voit rien venir qui y ressemble, notamment parce que le directeur de la Federal Housing Finance Agency (Agence fédérale de financement du logement), l'organisme qui supervise Fannie et Freddie, traîne les pieds. (Il est nommé par le président, mais Obama n'a manifestement pas l'intention de lui donner des instructions et de le renvoyer s'il ne les exécute pas.) On peut toutefois en conclure que cela reste possible. En outre, comme le signale Joseph Gagnon, du Peterson Institute, une renégociation massive serait d'autant plus efficace qu'elle s'accompagnerait d'un effort énergique de la Fed pour faire baisser les taux immobiliers.

Cette renégociation ne supprimerait pas la nécessité d'autres mesures de soulagement de la dette, de même que l'inversion des mesures d'austérité des collectivités locales et des États ne supprimerait pas celle d'une relance budgétaire accrue. Il demeure que, dans un cas comme dans l'autre, la transformation du paysage économique survenue depuis trois ans a créé la possibilité de mener certaines actions techniquement simples, mais d'une importance insoupçonnée pour relancer l'économie.

Les autres fronts…

La liste des mesures qui précède n'a pas la prétention d'être exhaustive. Il est possible et nécessaire d'agir aussi sur d'autres fronts, notamment celui du commerce extérieur : il est grand temps de durcir le ton à l'égard de la Chine et d'autres manipulateurs de taux de change, et au besoin de les sanctionner. Même la régulation relative à l'environnement devrait jouer son rôle : en fixant des objectifs de réduction des émissions de particules et de gaz à effets de serre, dont la nécessité est indiscutable, assortis de mécanismes d'application progressive, les autorités inciteraient les entreprises à investir sans attendre dans leur mise en conformité, et cela participerait à la reprise économique.

Il va de soi que certaines des mesures ici décrites ne donneront peut-être pas les résultats escomptés. Mais d'autres réussiront au-delà de nos attentes. L'essentiel, de façon générale, c'est la détermination à agir, à entreprendre des politiques de création d'emplois, et la persistance à essayer jusqu'à ce que l'objectif du plein-emploi soit atteint.

Et les bribes d'optimisme que nous offrent les données économiques récentes ne plaident que davantage en faveur de l'action énergique. Il semble bien, à mes yeux du moins, que l'économie américaine soit au tournant : la machine économique paraît sur le point de repartir, la croissance autonome donne l'impression de vouloir s'installer – mais rien de tout cela n'est garanti, loin de là. Il faut donc aujourd'hui appuyer sur l'accélérateur, pas lever le pied.

La grande question, évidemment, est de savoir si toute personne en position de pouvoir pourra ou voudra entendre les conseils de ceux d'entre nous qui plaident pour davantage d'intervention. La politique, et les querelles qui la caractérisent, ne constituera-t-elle pas un obstacle ?

Oui, sans doute – mais ce n'est pas une raison pour renoncer. Et c'est précisément le sujet de mon dernier chapitre.

Chapitre 13

SORTEZ-NOUS DE CETTE CRISE !

J'espère avoir convaincu une part au moins des lecteurs que la crise qui nous accable est essentiellement injustifiée : rien ne nous oblige à endurer de telles souffrances ni à voir se briser tant de vies. En outre, nous pourrions sortir de cette crise à la fois beaucoup plus facilement et beaucoup plus vite que ne l'imaginent la plupart des gens – comme le pensent ceux qui ont réellement étudié la mécanique des économies déprimées et les données historiques de l'efficacité des mesures que l'on prend dans ces cas-là.

Je reste pourtant persuadé que, parvenus à la fin du précédent chapitre, même les plus convaincus de mes lecteurs ont commencé à se demander si tout le travail d'analyse économique du monde pouvait bien servir à quelque chose. Un plan de redressement tel que celui que j'ai énoncé n'est-il pas tout simplement impensable pour des questions de politique ? Et la revendication d'un tel programme n'est-elle pas une pure perte de temps ? À ces deux questions, je réponds respectivement : pas forcément et certainement pas. Les chances que se produise un réel renversement politique et que l'on tourne le dos à l'obsession de l'austérité de ces dernières années pour se focaliser sur la création d'emploi sont bien meilleures qu'on ne le croit d'ordinaire. Et l'expérience récente nous offre aussi une leçon politique de première importance : il est nettement préférable de s'arrimer à ses convictions, de s'acharner à expliquer ce qui peut vraiment être fait, que de chercher à faire preuve de modération et de raison en se rendant aux arguments de ses adversaires. Faisons au besoin certaines concessions concernant les mesures à prendre – mais jamais à propos de la vérité.

Examinons d'abord la possibilité d'un changement radical d'orientation politique.

Rien ne réussit mieux que la réussite

Les experts pontifiants multiplient les déclarations à propos de ce que pense et désire l'électorat, et ils brandissent à l'envi cette opinion présumée du public pour rejeter toute suggestion de profond changement de politique, en tout cas à gauche. L'Amérique est un « pays de centre droit », nous dit-on, et cela exclut toute initiative importante impliquant de nouvelles dépenses publiques.

Et pour tout dire, il existe probablement à gauche comme à droite certaines lignes que l'on ne peut franchir sans courir au désastre électoral. George W. Bush s'en est aperçu quand il a voulu privatiser la sécurité sociale après les élections de 2004 : l'idée suscitait l'aversion du public, et sa tentative de régler la question une fois pour toutes a vite avorté. Il est probable qu'une proposition comparable venue du côté progressiste – par exemple le projet d'établir une vraie « médecine socialisée » qui placerait l'ensemble du système de santé entre les mains de l'État, à la façon de la Veterans Health Administration (Administration de la santé des anciens combattants) – connaîtrait le même sort. Mais pour ce qui concerne le type de mesures dont nous parlons ici – des mesures visant essentiellement à relancer l'économie plutôt qu'à la transformer – l'opinion publique est sans doute moins homogène et moins tranchée que ne le suggèrent les commentaires que l'on entend chaque jour.

Les experts et, je regrette d'avoir à le dire, les stratèges politiques de la Maison-Blanche, se plaisent à raconter des fables alambiquées quant à ce qui est censé passer par la tête de l'électeur. En 2011, Greg Sargent, du *Washington Post*, a résumé les arguments avancés par les conseillers d'Obama pour justifier que l'accent soit mis sur la réduction des dépenses plutôt que sur la création d'emplois : « Il s'agirait dans une large mesure de rassurer les indépendants qui redoutent de voir le pays échapper à tout contrôle ; de présenter Obama dans le rôle de l'adulte qui a su remettre Washington en bon état de marche ; de placer le président en position de dire aux démocrates qu'il a donné aux programmes une assise financière plus saine ; et de dégager le terrain pour la réalisation ultérieure d'autres priorités. »

En vérité, tout politologue qui s'est réellement intéressé au comportement de l'électorat pouffera de rire à l'idée que ce dernier puisse se livrer de près ou de loin à ce type de raisonnement complexe. Et la masse des politologues n'éprouve que du mépris pour ce que Matthew Yglesias, de *Slate*, a appelé l'illusion des experts – la certitude qui habite un trop grand nombre de commentateurs politiques que leurs sujets de prédilection sont, ô miracle, précisément ceux qui préoccupent le plus l'électorat. L'électeur réel s'inquiète avant tout de son emploi, de ses enfants et de sa vie en général. Il n'a ni le temps ni l'envie de se pencher sur les questions de politique politicienne, et moins encore de se lancer dans l'analyse des nuances qui s'étalent dans les pages d'opinion de la presse. Ce qu'il remarque, et qui emporte son suffrage, c'est si l'économie se porte mieux ou moins bien ; les analyses statistiques nous disent que le taux de croissance des trois trimestres qui précèdent les élections est de loin le premier facteur déterminant du résultat du scrutin.

Ce que cela signifie – et l'équipe d'Obama n'a malheureusement appris la leçon que très tardivement –, c'est que la stratégie économique la plus payante politiquement n'est pas celle qui suscite l'approbation des panels de consommateurs, et moins encore celle des éditorialistes du *Washington Post* ; c'est celle qui donne des résultats. Quel que soit l'occupant de la Maison-Blanche l'an prochain, la meilleure façon de servir ses propres intérêts politiques sera de ne pas se tromper sur le plan économique, c'est-à-dire de faire le nécessaire pour mettre un terme à la dépression actuelle. Si la voie à suivre pour remettre l'économie en marche passe par l'association d'une politique monétaire et budgétaire expansionniste et des mesures de soulagement de la dette – et j'espère avoir au moins convaincu quelques lecteurs que c'est bien le cas –, cette ligne sera politiquement payante tout en servant l'intérêt national.

Mais y a-t-il vraiment la moindre chance de la voir se concrétiser sous forme de lois ?

L'univers des possibles politiques

Des élections sont prévues aux États-Unis en novembre, et on est loin de pouvoir prédire quel paysage politique en ressortira. Trois grandes possibilités paraissent toutefois se dégager : soit le président Obama est réélu et les démocrates reprennent aussi le contrôle du Congrès ; soit un républicain, sans doute Mitt Romney, remporte la présidentielle et son parti renforce son contrôle de la chambre en obtenant une majorité au sénat ; soit enfin le président sortant est réélu, mais il devra composer avec au moins une chambre hostile. Que suppose chacun de ces cas ?

Le premier cas – celui d'un triomphe d'Obama – est évidemment celui qui permet le mieux d'imaginer que l'Amérique fasse le nécessaire pour rétablir le plein-emploi. De fait, l'administration Obama y trouverait une seconde chance, l'occasion de prendre les mesures vigoureuses qu'elle n'a pas su prendre en 2009. Considérant qu'il est très peu probable qu'Obama obtienne au Sénat une majorité à l'épreuve du blocage, l'adoption de ces mesures supposera le recours à la réconciliation, la procédure utilisée par les démocrates pour faire passer leur réforme de santé et par Bush pour faire passer ses deux baisses d'impôts. Si des conseillers nerveux mettent en garde Obama contre les retombées politiques d'un tel recours, il fera bien de se souvenir de la leçon durement acquise de son premier mandat : en termes politiques, la meilleure stratégie économique est celle qui donne des résultats tangibles.

La victoire de Romney créerait évidemment une situation très différente ; s'il adhère à l'orthodoxie républicaine, Romney rejettera naturellement toute initiative s'inscrivant dans la lignée de ce que je préconise.

Toutefois, il n'est pas certain que Romney soit pleinement convaincu de tout ce qu'il proclame ces jours-ci. Ses deux principaux conseillers économiques, N. Gregory Mankiw, de Harvard, et Glenn Hubbard, de Columbia, sont de fervents républicains, mais ils ont aussi une vision assez keynésienne en matière de macroéconomie. D'ailleurs, au commencement de la crise, Mankiw a plaidé pour que la Fed revoie nettement à la hausse ses objectifs d'inflation, proposition qui était et demeure taboue pour le gros de son parti. Son intervention a soulevé le concert de protestations attendu, et il n'a dès lors plus rien dit à ce sujet. Mais on peut au moins espérer que le premier cercle de Romney imagine des solutions beaucoup plus réalistes que tout ce que peut proférer le candidat dans ses discours, et qu'une fois au pouvoir, celui-ci tombera le masque pour laisser apparaître sa vraie nature pragmatique et keynésienne.

Je sais, je sais, un politicien dont on espère qu'il soit en vérité un parfait imposteur qui ne croit pas à l'ombre de ce qu'il prétend croire n'est pas ce qu'on peut souhaiter de mieux à la tête d'une grande nation. Et ce n'est certainement pas une raison de voter pour lui ! N'empêche, plaider la création d'emplois n'est pas nécessairement un vain effort, même si les républicains raflent tout en novembre.

Enfin, qu'adviendra-t-il si Obama est réélu, mais que le Congrès n'est pas démocrate ? Que devra faire Obama, et quelles sont les perspectives de le voir entreprendre quoi que ce soit ? À cela je réponds qu'il faudra que le président, certains démocrates et tout économiste keynésien qui peut se faire entendre plaident pour la création d'emplois avec force et insistance, et qu'ils maintiennent la pression sur les franges du Congrès qui feront obstruction à toute tentative en ce sens.

Ce n'est pas ce qu'a fait l'équipe d'Obama pendant ses deux premières années et demie au pouvoir. Nous disposons aujourd'hui d'un certain nombre de comptes rendus des procédures internes de décision de l'administration entre 2009 et 2011, et tous révèlent que les conseillers politiques du président l'ont pressé de ne jamais réclamer quoi que ce soit qu'il risquerait de ne pas obtenir, car cela pouvait le faire paraître faible. En outre, les conseillers économiques qui, comme Christy Romer, l'ont encouragé à augmenter les dépenses en faveur de la création d'emplois se sont vus désavoués sous prétexte que le grand public ne croyait pas à ce genre de mesures et qu'il s'inquiétait du déficit.

Or, le président cédant à son tour à l'obsession du déficit et aux appels à l'austérité, il a résulté de ces mises en garde que le discours national tout entier s'est détourné de la création d'emplois. En attendant, l'économie est restée faible – et le public n'avait aucune raison de ne pas en vouloir au président, puisqu'il n'a jamais pris de position ferme le distinguant nettement de l'opposition.

En septembre 2011, finissant par changer son fusil d'épaule, la Maison-Blanche a avancé une proposition de création d'emplois très inférieure à celle que j'ai exposée au chapitre 12, mais plus consistante quand même que ce que l'on attendait. Ce plan n'avait aucune chance d'être adopté par la Chambre des représentants, à majorité républicaine, et Noam Scheiber, du magazine *New Republic*, raconte que les conseillers politiques de la Maison-Blanche, « craignant que la taille du plan de relance constitue un boulet, se sont mis à presser les technos de le réduire. » Mais cette fois, Obama s'est rangé du côté des économistes – faisant au passage la démonstration que les conseillers politiques ne connaissaient rien à leur propre métier. La réaction du public a été globalement favorable, et les républicains se sont trouvés en mauvaise posture pour avoir fait de l'obstruction.

Et au début de cette année, le débat montrant un regain d'intérêt pour la question de l'emploi, les républicains sont sur la défensive. Du coup, sans avoir à faire de concession majeure, l'administration Obama a obtenu une part significative de ce qu'elle réclamait – une extension du crédit d'impôt sur les salaires, qui permet de mettre de l'argent dans la poche des salariés, et une rallonge, moins importante, des allocations chômage dans la durée.

Pour résumer, l'expérience du premier mandat d'Obama suggère que la stratégie politique consistant à éviter d'aborder le sujet de l'emploi pour la simple raison que l'on ne se croit pas en position de faire passer une loi qui en favorise la création ne paye pas. En revanche, marteler son message sur la nécessité de créer de l'emploi peut s'avérer politiquement profitable et mettre de surcroît une pression suffisante sur le camp opposé pour déboucher sur l'adoption de bonnes mesures.

Ou, pour le dire plus simplement, il n'y a aucune raison de ne pas dire la vérité à propos de cette crise – et cela me ramène au point de départ de ce livre.

Un impératif moral

Voilà donc où nous en sommes, plus de quatre ans après que l'économie américaine est entrée en récession – et si la récession a peut-être atteint son terme, la crise, elle, en est encore loin. Peut-être que le chômage connaît une légère baisse en ce moment aux États-Unis (bien qu'il augmente en Europe), mais il se maintient à des niveaux jusqu'à récemment inimaginables – et malgré tout extravagants aujourd'hui. Des dizaines de millions de nos concitoyens vivent des temps très difficiles, les perspectives de nos jeunes s'amenuisent chaque mois – et tout cela n'a pas lieu d'être.

Car le fait est que nous possédons à la fois le savoir et les instruments pour sortir de cette dépression. En vérité, la simple application de principes économiques établis dont les récents événements n'ont fait que confirmer la validité nous ramènerait tout près du plein-emploi très rapidement, probablement en moins de deux ans.

La seule chose qui empêche cette reprise, c'est le manque de lucidité intellectuelle et de volonté politique. Et il appartient à tous ceux qui ont voix au chapitre, des professionnels de l'économie à ceux de la politique en passant par les citoyens engagés, de faire tout ce qui est en leur pouvoir pour pallier ces manques. Nous pouvons mettre un terme à cette dépression – et nous devons nous battre pour imposer des politiques qui réussiront, en nous y mettant tout de suite.

Postface

QUE SAIT-ON VRAIMENT DES EFFETS DE LA DÉPENSE PUBLIQUE ?

L'une des idées centrales de ce livre, c'est que dans une économie profondément déprimée, quand les taux d'intérêt susceptibles d'être contrôlés par les autorités monétaires sont proches de zéro, il faut que l'État dépense davantage, pas moins. C'est une poussée de dépense fédérale qui a mis fin à la Grande Dépression, et nous avons désespérément besoin aujourd'hui de quelque chose de ce type.

Mais qu'est-ce qui nous rend si sûrs qu'un accroissement de la dépense publique favoriserait la croissance et l'emploi ? Après tout, l'idée soulève l'opposition féroce d'un grand nombre de politiciens qui soutiennent bec et ongles que le gouvernement ne peut pas créer d'emplois et certains économistes s'empressent de se joindre à leur chœur. Tous ces gens ne seraient-ils animés que par l'esprit de corps avec ce qu'ils considèrent comme leur tribu politique ?

En tout cas, ce serait fâcheux. L'allégeance tribale devrait intervenir aussi peu dans les convictions macroéconomiques que dans celles, disons, relatives à la théorie de l'évolution ou au changement climatique… hum, il serait peut-être préférable que je ne développe pas davantage ces deux exemples.

Toujours est-il que les questions relatives au fonctionnement de l'économie doivent reposer sur un socle de faits, pas sur des préjugés. Et l'un des rares bienfaits de cette crise, c'est qu'elle a suscité une résurgence de la recherche économique empirique sur l'effet que produisent les changements d'orientation de la dépense publique. Que disent les faits ?

Avant de répondre à cette question, commençons par évoquer les pièges à éviter.

Corrélation et causalité

On pourrait croire qu'il suffit pour évaluer les effets de la dépense publique sur l'économie d'observer la corrélation existant entre le niveau de cette dépense et d'autres variables, comme la croissance et l'emploi. En vérité, même ceux qui seraient censés éviter ce type de piège commettent souvent l'erreur de confondre corrélation et causalité (voir le passage sur la dette et la croissance au chapitre 8). Je vais m'efforcer de vous ôter toute illusion à l'égard de cette méthode en évoquant une question voisine : celle des effets du taux d'imposition sur la performance économique.

Sans doute n'ignorez-vous pas que l'un des articles de foi de la droite américaine veut que la clé de la réussite économique réside dans la faiblesse des impôts. Mais supposons que nous cherchions à observer la relation depuis une douzaine d'années entre les impôts – plus précisément la part du PIB que représentent les impôts fédéraux – et le chômage. Voici ce que l'on constate :

Année	Part des impôts (%)	Taux de chômage (%)
2000	20,6	4,0
2003	16,2	6,0
2007	18,5	4,6
2010	15,1	9,6

Les années où les impôts ont été élevés sont donc celles de faible chômage et inversement. C'est clair, pour faire baisser le chômage, augmentons les impôts !

C'est entendu, même ceux d'entre nous qui ne prisent guère la manie des baisses d'impôts n'y croient pas. Pourquoi ? Parce qu'il s'agit très certainement d'une corrélation spécieuse. Si le chômage était relativement faible en 2007, par exemple, c'est parce que l'économie profitait encore de l'élan du boom immobilier – et que la combinaison d'une économie en expansion et d'importants gains en capital a gonflé les recettes fédérales, créant l'illusion que les impôts étaient élevés. En 2010, le boom avait fait place à l'effondrement, qui a emporté avec lui l'économie et les recettes fiscales. Le niveau d'imposition constaté obéissait à l'influence d'un tiers facteur, ce n'était pas une variable indépendante propulsant l'économie.

Le même type de problème complique toute tentative d'user de corrélations historiques pour évaluer les effets de la dépense publique. Si l'économie était une science de laboratoire, on réglerait la question en procédant à des expériences contrôlées. Mais elle ne l'est pas. L'économétrie – une branche spécialisée des statistiques censée servir dans ce genre de situation – dispose d'une palette de techniques visant à « identifier » les authentiques relations de causalité. Mais à vrai dire, les économistes ne sont eux-mêmes que rarement convaincus par les analyses économétriques sophistiquées, surtout quand la question étudiée est à ce point connotée politiquement. Comment faire alors ?

Dans une bonne part des travaux les plus récents, la réponse a consisté à se pencher sur les « expériences naturelles » – des situations où l'on est à peu près sûr que la réorientation de la dépense publique n'est ni une réaction à l'évolution de l'économie ni influencée par des forces qui affectent l'économie par d'autres canaux. Où trouve-t-on ce genre d'expériences ? Malheureusement, elles surviennent surtout lors de catastrophes – guerre ou menace de guerre et crises budgétaires qui contraignent le gouvernement à couper dans ses dépenses quel que soit l'état de l'économie.

Catastrophes, armes et argent

Je l'ai dit, on a vu depuis le début de la crise se multiplier les études autour des effets de la politique budgétaire sur la production et l'emploi. Ce corpus de recherche grandit rapidement, et il est pour l'essentiel trop technique pour qu'on le résume ici. Mais en voici quelques points forts.

D'abord, Robert Hall, de Stanford, a observé les effets des grands changements intervenus dans la politique d'achats de l'État américain – lors de guerres, plus particulièrement la Seconde Guerre mondiale et celle de Corée. Le graphique de la page suivante compare les changements de la dépense militaire américaine avec ceux du PIB réel – exprimés l'une et l'autre en pourcentage du PIB de l'année précédente – sur la période allant de 1929 à 1962 (il ne s'est pas passé grand-chose depuis). Chaque point représente une année ; j'ai indiqué celles correspondant à la forte augmentation de la Seconde Guerre mondiale et à la grande démobilisation qui l'a immédiatement suivie. D'importants mouvements se sont évidemment produits dans les années où les dépenses militaires n'ont eu aucun caractère particulier, notamment lors du ralentissement entre 1929 et 1933 et la reprise de 1933 à 1936. Mais chaque année de forte augmentation de la dépense a aussi été une année de forte croissance, et celle de la réduction des dépenses militaires au sortir de la Seconde Guerre mondiale a vu la production brutalement décliner.

Cela suggère clairement que l'accroissement des dépenses de l'État crée bel et bien de la croissance et donc de l'emploi. La question qui se pose alors est de savoir combien rapporte chaque dollar investi. Les données sur les dépenses militaires américaines sont légèrement décevantes à cet égard, puisqu'elles laissent entendre qu'un dollar de dépense ne produirait en vérité qu'environ 0,50 dollar de croissance. Mais si vous connaissez un peu l'histoire des périodes de guerre, vous savez qu'elles ne constituent pas un très bon indicateur de ce qu'il arriverait si l'on augmentait les dépenses aujourd'hui. En fin de compte, pendant la Seconde Guerre mondiale, la dépense du secteur privé a été délibérément réprimée à travers le rationnement et les restrictions sur la construction privée ; pendant la guerre de Corée, l'État a voulu éviter les pressions inflationnistes en augmentant sensiblement les impôts. Il est donc probable qu'augmenter la dépense s'avérerait aujourd'hui plus rentable.

Dépense publique et croissance, 1929-1962

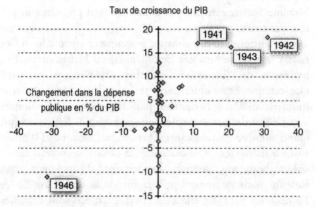

Les hausses et les baisses importantes de la dépense publique lors de la Seconde Guerre mondiale et la guerre de Corée se sont accompagnées de phases d'expansion et de contraction de l'économie dans son ensemble.

Source : Bureau of Economic Analysis

Plus rentable, mais à quel point ? Pour répondre à cette question, il serait utile de trouver des expériences naturelles susceptibles d'illustrer les effets de la dépense publique dans des conditions plus semblables à celles que nous connaissons à présent. Malheureusement, aucune expérience de ce type n'est aussi parlante et claire que la Seconde Guerre mondiale. Nous disposons néanmoins de plusieurs méthodes utiles pour arriver à nos fins.

L'une consiste à remonter plus loin dans le passé. Ainsi que le soulignent les historiens Barry Eichengreen et Kevin O'Rourke, dans les années 1930, les nations sont entrées l'une après l'autre dans la course aux armements, à un moment où la situation, par le chômage élevé et les taux d'intérêt avoisinant zéro, ressemblait beaucoup à celle d'aujourd'hui. Dans des travaux réalisés avec leurs étudiants, ils ont épluché les données de l'époque, dont on peut penser qu'elles sont fragmentaires, pour évaluer l'effet sur la production des changements de la dépense induits par cette course aux armements, et constaté un bien meilleur rendement par dollar (ou plus précisément, par lire, par mark, par franc, etc.).

Une autre méthode consiste à comparer entre elles différentes régions au sein des États-Unis. Emi Nakamura et Jon Steinsson, de l'université Columbia, soulignent à cet égard que certains États américains abritent depuis toujours une industrie militaire nettement plus importante que d'autres – la Californie, par exemple, concentre depuis longtemps un grand nombre de fabricants d'armement, mais pas l'Illinois. Dans le même temps, le budget de la défense au niveau national a beaucoup fluctué, augmentant abruptement sous Reagan avant de retomber à la fin de la guerre froide. À l'échelle du pays, les effets de ces fluctuations sont brouillés par d'autres facteurs, la politique monétaire en particulier : la Fed a sensiblement relevé les taux d'intérêt au début des années 1980, au moment précis des grandes dépenses de Reagan, avant de brutalement les baisser au seuil des années 1990. Mais on peut quand même se faire une bonne idée de l'effet de la dépense publique en observant les différences d'un État à l'autre ; sur la foi de ces différences, Nakamura et Steinsson estiment qu'un dollar dépensé entraîne un retour d'environ 1,50 dollars.

L'observation des effets de la guerre – en y incluant la course à l'armement qui la précède et la démilitarisation qui la suit – nous en dit long sur ceux de la dépense publique. Mais n'y a-t-il vraiment que la guerre pour se faire une idée du sujet ?

Pour ce qui est des grandes augmentations de la dépense par l'État, la réponse est, malheureusement, affirmative. Si l'on exclut les périodes de guerre ou de menace de guerre, les grands programmes de dépense sont rares. En revanche, les grandes coupes budgétaires, elles, peuvent avoir une autre cause, notamment quand, inquiets du volume du déficit budgétaire et/ou de la dette publique, les responsables de la politique nationale procèdent à des coupes claires pour remettre leurs finances en bon ordre. Si bien qu'à l'instar de la guerre, l'austérité nous livre des informations sur les effets de la politique budgétaire.

À propos, il est très important de ne pas s'en tenir aux montants des dépenses mais d'observer les réorientations de politique. Comme les impôts, la dépense varie dans les pays modernes selon l'état de l'économie, et cela peut donner lieu à des corrélations trompeuses ; depuis quelques années, par exemple, les dépenses américaines consacrées aux allocations chômage ont explosé alors même que l'économie s'affaiblissait, mais la causalité s'exerce du chômage vers la dépense, pas dans l'autre sens. Évaluer les effets de l'austérité requiert donc un examen rigoureux des mesures qui en régissent l'application.

Fort heureusement, certains chercheurs du Fonds monétaire international se sont donné cette peine, et ils ont identifié pas moins de 173 épisodes d'austérité budgétaire dans des pays développés entre 1978 et 2009. Ils ont constaté que les politiques d'austérité sont suivies de contraction économique et d'augmentation du chômage.

On pourrait en dire beaucoup, beaucoup plus, mais j'espère que ce rapide tour d'horizon vous aura donné un aperçu de ce que l'on sait et de comment on le sait. J'espère en particulier que désormais, quand vous entendrez Joseph Stiglitz, Christina Romer ou moi-même affirmer que réduire les dépenses en période de dépression ne fera qu'aggraver les choses et qu'une augmentation temporaire de la dépense pourrait ramener la croissance, vous ne penserez pas « cela n'engage que lui ». Ainsi que l'a récemment affirmé

Mme Romer dans un discours sur les travaux de recherche en matière de politique budgétaire,

> Nous disposons d'éléments plus nets que jamais indiquant que la politique budgétaire compte pour beaucoup – que la relance aide l'économie à créer de l'emploi, et que la réduction du déficit budgétaire réduit la croissance, au moins à court terme. Pourtant, ces éléments ne semblent pas trouver leur chemin jusqu'au législateur.

C'est précisément ce qui doit changer.

REMERCIEMENTS

Cet ouvrage est le reflet des contributions de tous les économistes qui se sont battus pour faire passer le message selon lequel il est possible et nécessaire de sortir rapidement de cette crise. En le rédigeant, j'ai pu compter, comme toujours, sur l'avis éclairé de ma femme, Robin Wells, et sur l'aide considérable de Drake McFeely, chez Norton, mon éditeur.

TABLE

Composition et mise en page

N° d'édition : L01EHQN000692.N001
Dépôt légal : mars 2013
Imprimé en Espagne par Novoprint (Barcelone)